TRADUCTION
dirigée par
Donald Smith

Anne...
Rilla d'Ingleside

DE LA MÊME AUTEURE

Anne... La série (10)

1) Anne... La Maison aux pignons verts
2) Anne d'Avonlea
3) Anne quitte son île
4) Anne au Domaine des Peupliers
5) Anne dans sa maison de rêve
6) Anne d'Ingleside
7) La Vallée Arc-en-ciel
8) Rilla d'Ingleside
9) Chroniques d'Avonlea I
10) Chroniques d'Avonlea II

Anne... La suite (5)

11) Le Monde merveilleux de Marigold
12) Kilmeny du vieux verger
13) The Story Girl (à paraître)
14) The Golden Road (à paraître)
15) A Tangled Web (à paraître)

Les nouvelles (4)

1) Sur le rivage
2) Akin to Anne (à paraître)
3) Among the Shadows (à paraître)
4) After many days (à paraître)

Anne...
Rilla d'Ingleside

LUCY MAUD MONTGOMERY

roman

**TRADUIT DE L'ANGLAIS
PAR HÉLÈNE RIOUX**

ÉDITIONS QUÉBEC/AMÉRIQUE

425, RUE SAINT-JEAN-BAPTISTE, MONTRÉAL, QUÉBEC H2Y 2Z7 (514) 393-1450

Nous tenons à remercier le Conseil des Arts du Canada pour son aide à la traduction.

Données de catalogage avant publication (Canada)

Montgomery, L. M. (Lucy Maud), 1874-1942

[Rilla of Ingleside. Français]

Rilla d'Ingleside

(Collection Littérature d'Amérique. Traduction)
Traduction de: Rilla of Ingleside.

ISBN: 2-89037-576-5

I. Titre. II. Titre: Rilla of Ingleside. Français. III. Collection.

PS8526.O55R514   1992   jC813'.52   C92-096218-1
PS9526.O55R514   1992
PR9199.3.M6R514   1992

Titre original:
Rilla of Ingleside
Première édition au Canada:
McClelland and Stewart, 1920
Traduction © Ruth Macdonald,
John G. McClelland and David Macdonald

Éditions française au Canada:
Les Éditions Québec/Amérique inc.

Dépôt légal: 2ᵉ trimestre 1992
Bibliothèque nationale du Québec
Bibliothèque nationale du Canada

Montage: Andréa Joseph

Table des matières

1

Des «échos» du village

C'était un bel après-midi d'été et des nuages d'or flottaient dans le ciel. Dans le grand salon d'Ingleside, Susan Baker s'assit, arborant un sourire de satisfaction. Il était quatre heures et Susan, qui avait travaillé sans répit depuis six heures du matin ce jour-là, entendait profiter d'une heure de repos et de papotage bien méritée. Susan se sentait alors d'une humeur parfaitement sereine. Tout s'était étrangement bien passé à la cuisine ce jour-là. Le Dr Jekyll ne s'était pas transformé en M. Hyde et par conséquent ne lui avait pas mis les nerfs en boule. De son fauteuil, elle apercevait la plate-bande de pivoines qui faisait sa fierté. C'est elle qui les avait plantées et qui s'en occupait, et elles s'épanouissaient comme aucune autre pivoine à Glen St. Mary ne l'avait jamais fait. Il y en avait des rouges, des rose argenté et d'autres, aussi blanches qu'une première neige.

Susan portait une nouvelle blouse de soie noire dans laquelle elle se sentait aussi élégante que Mme Marshall Elliott, un tablier blanc empesé, garni d'une bordure de dentelle crochetée de cinq pouces de largeur et d'une incrustation très compliquée. Ainsi vêtue, Susan se sentait en pleine possession de ses moyens en ouvrant son exemplaire du *Daily Enterprise* pour lire les nouvelles du Glen. Mlle Cornelia venait justement de l'informer que la rubrique mondaine couvrait une demi-colonne du journal et mentionnait presque tous les habitants d'Ingleside. À la une du journal, un gros titre rapportait qu'un certain archiduc Ferdinand avait été assassiné dans un lieu portant le nom bizarre de Sarajevo, mais Susan ne s'attardait pas à des détails aussi immatériels et dénués d'intérêt. Ce qu'elle cherchait, c'était quelque chose de vraiment vital. Oh voilà, les «Échos de Glen St. Mary». Susan y plongea avec avidité, lisant chaque entrefilet à voix haute afin d'en extraire toute la saveur.

Mme Blythe et sa visiteuse, Mlle Cornelia, alias Mme Marshall Elliott, conversaient près de la porte ouverte menant à la véranda et par où entraient une brise délicieusement rafraîchissante, des bouffées de parfums du jardin et une rumeur animée provenant du coin où pendait le lierre, là où Rilla, Mlle Oliver et Walter riaient et bavardaient. Partout où se trouvait Rilla Blythe, le rire était présent.

Le salon abritait un autre occupant, couché en boule sur un canapé. Ce n'était certes pas une quantité négligeable. Il avait une personnalité remarquable et surtout, c'était la seule créature vivante que Susan détestait vraiment.

Tous les chats sont mystérieux, mais Dr Jekyll et M. Hyde — mieux connu sous le nom de Doc — l'était plus que les autres. Cet animal était doté d'une double personnalité. Selon Susan, il était même possédé du démon. Tout d'abord, même son entrée dans le monde avait eu quelque chose d'inquiétant. Quatre ans auparavant, Rilla Blythe avait eu un chaton qu'elle chérissait, blanc comme neige avec le bout de la queue noir. Elle l'avait appelé Jack le Givré. Susan n'aimait pas Jack le Givré, bien qu'aucun motif valable ne pût expliquer cette aversion.

«Croyez-moi, chère Mme Docteur, avait-elle l'habitude de prédire sombrement. J'm'attends à rien de bon de la part de ce chat.»

«Pourquoi pensez-vous cela?» demandait Mme Blythe.

«J'le pense pas, j'le sais», était tout ce que pouvait répondre Susan.

Pour tous les autres habitants d'Ingleside, Jack le Givré était un chouchou. Il était si soigneux, si bien élevé, et jamais on ne voyait une tache sur son magnifique pelage blanc. Il se blottissait et ronronnait de la façon la plus irrésistible. De plus, il était scrupuleusement honnête.

C'est alors qu'une tragédie domestique se produisit à Ingleside: Jack le Givré donna naissance à des chatons.

Inutile d'essayer de décrire le triomphe de Susan. N'avait-elle pas deviné depuis le début la duplicité de cette bête? La preuve en était désormais irréfutable.

Rilla garda l'un des chatons; il était très joli, avec une fourrure étonnamment lisse et soyeuse aux rayures jaune foncé et orangées, de grandes oreilles satinées et dorées. Elle le nomma Boucle d'or et le nom semblait convenir à la petite créature folâtre qui, durant son enfance, ne donna aucun signe du caractère sinistre qu'elle possédait réellement. Susan avait évidemment averti la famille qu'il ne fallait rien attendre de bon d'aucun des rejetons du diabolique Jack le Givré. Mais, comme celles de Cassandre, les prédictions de Susan passèrent inaperçues.

Les Blythe s'étaient tellement habitués à considérer Jack le Givré comme un chat de sexe masculin qu'ils ne purent perdre cette habitude. C'est ainsi qu'ils utilisaient continuellement le pronom masculin, bien que le résultat fût absurde. Les visiteurs étaient éberlués lorsqu'ils entendaient Rilla faire négligemment allusion à «Jack et son chaton» ou ordonner sévèrement à Boucle d'or: «Va voir ta mère pour qu'il lave ta fourrure.»

«C'est indécent, chère Mme Docteur», se lamentait la pauvre Susan. Elle-même avait résolu le problème en ne nommant jamais Jack autrement que «la bête blanche». Elle fut la seule à ne pas souffrir lorsque «la bête» s'empoisonna accidentellement l'hiver suivant.

Un an plus tard, Boucle d'or était de toute évidence devenu un nom si inadéquat pour le chaton orange que Walter, qui lisait alors le roman de Stevenson, le changea en Dr Jekyll et M. Hyde. Lorsqu'il était Dr Jekyll, le chat était somnolent, affectueux, sociable; il raffolait des coussins et cherchait à se faire cajoler et flatter. Il aimait particulièrement se coucher sur le dos et faire gentiment caresser sa gorge lisse, d'une teinte crémeuse, tout en ronronnant d'une satisfaction indolente. C'était un remarquable ronronneur. Jamais, à Ingleside, un chat n'avait ronronné avec autant de constance et de volupté.

«La seule chose que j'envie au chat est sa faculté de ronronner, remarqua un jour le Dr Blythe en écoutant le son mélodieux que faisait entendre Doc. Rien au monde n'exprime mieux le contentement.»

Doc était superbe. Chacun de ses mouvements était la grâce même; ses poses étaient magnifiques. Lorsqu'il enroulait sa longue queue brunâtre autour de ses pattes et s'asseyait sur la véranda pour fixer longuement l'espace, les Blythe se disaient qu'un sphinx égyptien n'aurait pas incarné une meilleure divinité du portail.

Mais lorsqu'il se changeait en M. Hyde, ce qui, invariablement, se produisait lorsqu'il allait pleuvoir ou venter, il devenait une bête sauvage aux yeux déments. La transformation était toujours soudaine. Un instant auparavant plongé dans la rêverie, il bondissait d'un air féroce, poussait un grognement de fauve et mordait la main qui le caressait ou tentait de le retenir. On aurait dit que sa fourrure s'assombrissait, et ses yeux luisaient d'une lueur démoniaque. Sa beauté devenait alors réellement surnaturelle. Si le changement avait lieu au crépuscule, les gens d'Ingleside éprouvaient tous une certaine frayeur. À ces moments-là, il était une bête effrayante et seule Rilla prenait sa défense, affirmant qu'il était un beau chat errant. Il partait en effet à l'aventure, c'était indubitable.

Le Dr Jekyll aimait le lait tandis que M. Hyde n'y touchait pas et grognait devant son plat de viande. Le Dr Jekyll descendait si silencieusement les escaliers que personne ne pouvait l'entendre tandis que les pas de M. Hyde avaient la pesanteur de ceux d'un homme. Les soirs où Susan était seule à la maison, elle disait qu'il l'épouvantait. Il s'asseyait au milieu du plancher de la cuisine, la dévisageant avec des yeux terribles pendant une heure. Cela l'énervait au plus haut point, mais la pauvre Susan avait trop peur de lui pour essayer de le mettre dehors. Une fois, elle s'était risquée à lui lancer un bâton et il avait aussitôt sauvagement bondi vers elle. Susan s'était enfuie à toutes jambes et n'avait jamais plus tenté d'affronter M. Hyde. Elle se contentait de se venger de ses méfaits sur le Dr Jekyll, le chassant hors de son domaine chaque fois qu'il s'y aventurait et lui refusant les petites bouchées savoureuses qu'il quémandait.

«Il y a quelques semaines, les nombreux amis de Mlle Faith Meredith, de Gerald Meredith et de James Blythe, lut Susan en roulant les noms comme des bonbons sous sa langue, ont eu l'immense plaisir de leur souhaiter la bienvenue à leur retour de l'Université Redmond. James Blythe, qui a obtenu son baccalauréat ès Arts en 1913, vient de terminer sa première année de médecine.»

«Faith Meredith est vraiment devenue la plus belle fille qu'il m'ait jamais été donné de voir, commenta Mlle Cornelia en levant les yeux de son tricot. C'est stupéfiant de voir combien ces enfants ont changé après que Rosemary West se fut installée au presbytère. Les gens ne se rappellent pour ainsi dire plus quelles petites pestes ils étaient. Ma chère Anne, pourrez-vous un jour oublier comment ils avaient l'habitude de se conduire? C'est vraiment étonnant de voir à quel point Rosemary a eu le tour avec eux. Ils la considèrent davantage comme une amie que comme une belle-mère. Ils l'aiment tous beaucoup et Una l'adore. Quant à ce petit Bruce, Una est devenue son esclave. C'est vrai qu'il est charmant. Mais avez-vous déjà vu un enfant ressembler autant à sa tante? Il est aussi foncé et théâtral que sa tante Ellen. Je ne vois rien de Rosemary en lui. Norman Douglas passe son temps à vociférer que la cigogne leur réservait Bruce, à lui et à Ellen, et que c'est par erreur qu'elle l'a apporté au presbytère.»

«Bruce adore Jem, dit Mme Blythe. Lorsqu'il vient ici, il suit Jem comme un petit chien fidèle et lève la tête pour le regarder sous ses sourcils noirs. Je crois qu'il ferait n'importe quoi pour Jem.»

«Est-ce que Jem et Faith vont finir par se marier?»

Mme Blythe sourit. Il était de notoriété publique qu'après avoir détesté les hommes avec une incroyable virulence, Mlle Cornelia était devenue avec l'âge une véritable marieuse.

«Ils ne sont encore que de bons amis, Mlle Cornelia.»

«De très bons amis, vous pouvez me croire, renchérit Mlle Cornelia. Je sais tout ce que font ces jeunes.»

«Je ne doute pas que Mary Vance vous renseigne, Mme Marshall Elliott, insinua Susan, mais je trouve que c'est honteux de parler de mariage à propos de ces enfants.»

«Des enfants! Jem a vingt et un ans et Faith, dix-neuf! rétorqua Mlle Cornelia. Vous ne devez pas oublier, Susan, que nous, les vieux, ne sommes pas les seuls adultes au monde.»

Outragée, Susan retourna à ses «Échos». Si elle détestait toute allusion à son âge, ce n'était pas par vanité mais parce qu'elle était terrifiée à l'idée que les gens pussent la considérer trop vieille pour travailler.

«Carl Meredith et Shirley Blythe sont rentrés vendredi dernier de l'Académie Queen's. Nous avons appris que Carl sera chargé de l'école à l'entrée du port l'an prochain et nous sommes convaincus qu'il se révélera un professeur populaire et couronné de succès.»

«Il enseignera du moins aux enfants tout ce qu'on peut savoir sur les insectes, remarqua Mlle Cornelia. Il a terminé ses études à l'Académie Queen's à présent. M. Meredith et Rosemary voulaient qu'il entre à Redmond dès l'automne, mais il est très indépendant et il veut payer lui-même une partie de ses études universitaires. C'est une excellente idée.»

«Walter Blythe, qui a enseigné les deux dernières années à Lowbridge, a démissionné, lut Susan. Il étudiera à Redmond à l'automne.»

«Est-ce que Walter est assez fort pour entrer à Redmond?» interrogea anxieusement Mlle Cornelia.

«Nous espérons qu'il le sera cet automne, répondit Mme Blythe. Un été de loisir au grand air et au soleil lui fera le plus grand bien.»

«Il n'est pas facile de se rétablir de la fièvre typhoïde, affirma Mlle Cornelia d'un ton théâtral, particulièrement quand on l'a eue aussi forte que Walter. À mon avis, il ferait mieux de s'abstenir d'aller à l'université encore un an. Mais il est si ambitieux. Est-ce que Di et Nan y vont aussi?»

«Oui. Elle voulaient toutes deux enseigner une autre année, mais Gilbert préférait qu'elles aillent à Redmond cet automne.»

«J'en suis enchantée. Elles pourront surveiller Walter et voir à ce qu'il n'étudie pas trop fort. Je présume, poursuivit Mlle Cornelia en jetant un regard oblique en direction de Susan, qu'après la rebuffade que j'ai subie il y a quelques instants, je ferais mieux de ne pas suggérer que Jerry Meredith fait les yeux doux à Nan?»

Susan fit semblant de ne pas l'avoir entendue et Mme Blythe éclata de nouveau de rire.

«Chère Mlle Cornelia, je ne sais plus où donner de la tête, n'est-ce pas, avec tous ces garçons et ces filles batifolant autour de moi. Si je prenais cela au sérieux, je serais tout simplement débordée. Mais je n'y accorde pas d'importance, c'est trop difficile de prendre conscience qu'ils ont grandi. Quand je regarde mes deux grands garçons, je me demande s'ils peuvent vraiment avoir été les bébés mignons et dodus que je couvrais de baisers, que je dorlotais et à qui je chantais des berceuses hier, pas autrefois, hier seulement, Mlle Cornelia. Jem n'était-il pas le plus adorable poupon de la vieille

Maison de rêve? Et le voilà bachelier, soupçonné de courtiser une jeune fille.»

«Nous vieillissons tous», soupira Mlle Cornelia.

«La seule partie de moi qui se sente vieille, dit Mme Blythe, c'est la cheville que j'ai cassée lorsque Josie Pye m'a défiée de marcher sur la balustrade du pont Barry, à l'époque des Pignons verts. Elle m'élance quand le vent vient de l'ouest. Je n'admettrai jamais qu'il s'agit de rhumatisme, mais c'est vraiment douloureux. Quant aux enfants, ils se préparent un bel été avec les Meredith avant de reprendre leurs études en septembre. Cette petite bande aime tellement s'amuser. La maison est un perpétuel tourbillon de plaisirs.»

«Est-ce que Rilla va aller à Queen's en même temps que Shirley?»

«Nous n'avons pas encore pris de décision à ce sujet. Son père pense qu'elle n'est pas encore assez robuste, elle a tellement poussé, et elle est absurdement grande pour une fille qui n'a pas encore quinze ans. Je n'ai pas très envie non plus de la voir partir, ce serait terrible de ne pas avoir un seul de mes enfants à la maison l'hiver prochain. Susan et moi devrions nous battre pour rompre la monotonie de l'existence.»

La plaisanterie fit sourire Susan. Se battre avec cette chère Mme Docteur, quelle idée!

«Rilla a-t-elle envie d'y aller?» demanda Mlle Cornelia.

«Non. Pour dire la vérité, Rilla est la seule de mes enfants qui ne soit pas ambitieuse. J'aimerais vraiment qu'elle ait un peu plus d'ambition. Elle n'a aucun idéal sérieux, on dirait qu'elle n'aspire qu'à une chose dans la vie: s'amuser.»

«Et pourquoi est-ce qu'elle ne s'amuserait pas, chère Mme Docteur? s'écria Susan, qui ne pouvait supporter d'entendre un seul mot contre un habitant d'Ingleside, même prononcé par un membre de la famille. Je maintiens qu'il faut qu'une jeune fille s'amuse. Elle aura bien le temps de penser au grec et au latin.»

«J'aimerais qu'elle ait un peu le sens des responsabilités,

Susan. Et vous savez bien qu'elle est abominablement vaniteuse.»

«Elle a bien raison de l'être, rétorqua Susan. Elle est la plus jolie fille de Glen St. Mary. Pensez-vous que tous ces MacAllister et ces Crawford de l'autre côté du port pourraient arriver, après quatre générations, à avoir un teint comme celui de Rilla? Non, chère Mme Docteur. Je connais ma place mais je ne peux vous permettre de dénigrer Rilla. Écoutez ceci, Mme Marshall Elliott.»

Susan venait de trouver l'occasion de prendre sa revanche sur Mlle Cornelia qui se mêlait des intrigues amoureuses des enfants. Elle jubilait en lisant l'entrefilet.

«Miller Douglas a décidé de ne pas aller dans l'Ouest. Il dit que sa vieille Île-du-Prince-Édouard lui convient parfaitement et qu'il va continuer à s'occuper de la ferme de sa tante, Mme Alec Davis.»

Susan jeta un regard entendu à Mlle Cornelia.

«J'ai entendu dire, Mme Marshall Elliott, que Miller Douglas courtise Mary Vance.»

Voilà un trait qui perça l'armure de Mlle Cornelia. Son gros visage s'empourpra.

«Je ne laisserai pas Miller Douglas tourner autour de Mary, rétorqua-t-elle sèchement. Il vient d'une famille pauvre. Son père a été renié par la famille Douglas et sa mère était l'une de ces terribles Dillion de l'entrée du port.»

«D'après ce qu'on m'a raconté, Mme Marshall Elliott, les parents de Mary n'étaient pas ce qu'on pourrait appeler des aristocrates.»

«Mary Vance a reçu une bonne éducation et c'est une jeune fille intelligente et compétente, coupa Mlle Cornelia. Il n'est pas question qu'elle se jette à la tête de Miller Douglas, je vous en passe un papier! Elle connaît mon opinion là-dessus et Mary ne m'a encore jamais désobéi.»

«Ma foi, à mon avis, vous avez pas à vous inquiéter, Mme Marshall Elliott, parce que Mme Alec Davis est autant contre l'idée que vous pouvez l'être; elle dit qu'aucun de ses neveux ne va épouser une fille sans nom comme Mary Vance.»

Consciente d'avoir eu le dernier mot, Susan retourna à ses moutons et lut un autre entrefilet.

«Nous sommes heureux d'apprendre que Mlle Oliver a été embauchée comme institutrice pour une autre année. Mlle Oliver passera des vacances bien méritées dans sa famille à Lowbridge.»

«Je suis si contente que Gertrude reste, dit Mme Blythe. Elle nous aurait horriblement manqué. Et elle exerce une excellente influence sur Rilla, qui l'adore. Elles sont de bonnes amies malgré la différence d'âge.»

«Je croyais avoir entendu dire qu'elle allait se marier.»

«Je pense qu'il en a été question, mais cela a été reporté à l'an prochain.»

«Qui est le jeune homme?»

«Robert Grant. C'est un jeune avocat de Charlottetown. J'espère que Gertrude sera heureuse. Elle n'a pas eu une vie facile. Elle a beaucoup souffert et ressent les choses de façon très aiguë. Elle n'est plus de la première jeunesse et elle est pratiquement seule au monde. Ce nouvel amour qui est entré dans sa vie lui semble une chose si merveilleuse que j'ai l'impression qu'elle ose à peine croire qu'il va durer. Lorsque son mariage a dû être retardé, elle a été désespérée, quoique l'on n'ait rien à reprocher à M. Grant. Il y a eu des complications dans le règlement de la succession de son père, décédé l'hiver dernier, et il ne pouvait se marier avant que tout soit démêlé. Mais je pense que Gertrude a pris cela pour un mauvais présage et a cru que le bonheur lui serait encore une fois refusé.»

«Il n'est jamais bon, chère Mme Docteur, de trop aimer un homme», commenta Susan d'un ton solennel.

«M. Grant est aussi amoureux de Gertrude qu'elle l'est de lui, Susan. Ce n'est pas de lui qu'elle se méfie, c'est du destin. Elle a un petit côté mystique, j'imagine que certaines personnes la trouveraient superstitieuse. Elle croit aux rêves, et même en nous moquant de cette tendance, nous n'avons pas réussi à lui enlever cela de l'esprit. Je dois pourtant admettre que certains de ses rêves... mais il ne faudrait pas que Gilbert m'entende faire allusion à cette hérésie. Qu'avez-vous lu de si intéressant, Susan?»

Susan venait de pousser une exclamation.

«Écoutez ceci, chère Mme Docteur. "Mme Sophia Crawford a laissé sa maison de Lowbridge et à l'avenir, elle va habiter avec sa nièce, Mme Albert Crawford." Mon Dieu, il s'agit de ma cousine Sophia, chère Mme Docteur. Nous nous sommes querellées quand nous étions encore des enfants parce que nous voulions toutes les deux une carte de l'école du dimanche où les mots "Dieu est amour" étaient inscrits, ornés de roses, et nous ne nous sommes jamais plus adressé la parole depuis. Et voilà qu'elle va venir vivre en face d'ici.»

«Il faudra que vous mettiez fin à cette vieille querelle, Susan. Il n'est jamais bon d'être à couteaux tirés avec ses voisins.»

«Comme c'est cousine Sophia qui a commencé, c'est elle qui devra faire les premiers pas, chère Mme Docteur, répondit Susan avec hauteur. Si elle les fait, j'espère être une assez bonne chrétienne pour la rencontrer à mi-chemin. Ce n'est pas une personne très joviale et elle a été un éteignoir toute sa vie. La dernière fois que je l'ai vue, elle avait un millier de rides sur le visage, peut-être un peu plus, ou un peu moins, à force de s'être rongé les sangs et d'avoir anticipé le malheur. Elle n'a cessé de gémir aux funérailles de son premier mari, mais moins d'un an plus tard, elle était remariée. D'après ce que je vois, l'entrefilet suivant décrit l'office spécial tenu dans notre église dimanche soir dernier. On dit que les décorations étaient très belles.»

«À propos, cela me fait penser que M. Pryor désapprouve fortement les fleurs dans une église, dit Mlle Cornelia. J'ai toujours dit que nous aurions des ennuis quand cet homme a quitté Newbridge pour s'installer ici. Nous n'aurions jamais dû le nommer marguillier, et nous allons le regretter toute notre vie, vous pouvez me croire. On m'a raconté qu'il avait dit que si les filles continuaient à "encombrer la chaire avec des mauvaises herbes", il ne remettrait plus les pieds à l'église.»

«L'église se portait très bien avant que Moustaches-sur-la-lune arrive au Glen, et je suis d'avis qu'elle continuera à bien se porter après son départ», déclara Susan.

«Voulez-vous bien me dire qui lui a donné ce sobriquet ridicule?» demanda Mᵐᵉ Blythe.

«Ma foi, j'me rappelle pas avoir entendu les garçons de Newbridge l'appeler autrement, chère Mᵐᵉ Docteur. J'présume que c'est à cause de son visage rond et rougeaud orné de cette moustache couleur sable. Mais vous pouvez être sûre qu'il vaut mieux ne pas lui donner ce surnom quand il est à portée de voix. Ce qui est encore pire que ses moustaches, c'est qu'il est un individu déraisonnable et qu'il a des idées absolument saugrenues. Il est à présent marguillier et on dit qu'il est très dévot. Mais j'ai pas oublié l'époque, il y a vingt ans, où on l'avait surpris à faire paître sa vache dans le cimetière de Lowbridge, chère Mᵐᵉ Docteur. J'y repense toujours quand je l'entends prier à l'office. Eh bien, il n'y a pas d'autres nouvelles et il n'y a rien d'autre d'important dans le journal. J'suis pas très intéressée par les histoires des pays étrangers. Qui est cet archiduc qu'on vient de trucider?»

«En quoi cela nous concerne-t-il? répliqua Mˡˡᵉ Cornelia, inconsciente de la réponse hideuse que le destin était alors en train de préparer. Il y a toujours quelqu'un en train d'assassiner ou de se faire assassiner dans ces États balkaniques. C'est une chose naturelle dans ces pays et je ne comprends pas pourquoi nos journaux impriment des nouvelles aussi choquantes. Eh bien, je dois partir. Non, Anne, inutile de m'inviter à souper. Pour Marshall, si je ne suis pas à la maison pour le repas, cela ne vaut pas la peine de manger. Un vrai homme, n'est-ce pas? Juste ciel, ma chère Anne, qu'est-ce qui arrive à ce chat? Est-ce qu'il a des convulsions?»

Doc venait de sauter sur le tapis aux pieds de Mlle Cornelia, les oreilles aplaties et crachant avant de disparaître par la fenêtre d'un bond sauvage.

«Oh non. Il s'est simplement transformé en M. Hyde, ce qui veut dire que nous aurons de la pluie ou du vent avant le matin. Doc est aussi précis qu'un baromètre.»

«Eh bien, je suis contente que cette fois, il soit allé faire son boucan dehors plutôt que dans ma cuisine, dit Susan. Et je vais aller m'occuper du souper. Avec toutes les personnes que nous avons à Ingleside à présent, il faut que nos repas soient prêts à l'heure.»

2

Rosée du matin

Dehors, le soleil et les ombres se mêlaient joliment sur la pelouse d'Ingleside. Rilla Blythe se balançait dans le hamac sous le gros pin écossais, Gertrude Oliver était assise près d'elle, appuyée au tronc, et Walter était étendu de tout son long dans l'herbe, perdu dans une histoire de chevalerie où il faisait revivre pour lui seul des héros anciens et des belles dames d'autrefois.

Rilla était la benjamine de la famille Blythe et vivait dans un état de secrète indignation chronique parce que personne ne se rendait compte qu'elle avait grandi. Ses quinze ans étaient si proches qu'elle prétendait les avoir, et elle était presque aussi grande que Di et Nan. En outre, elle était presque aussi ravissante que l'affirmait Susan. Elle avait de grands yeux noisette rêveurs, un teint laiteux parsemé de rousselures dorées et des sourcils délicatement arqués lui donnant un air ingénu et interrogateur au point que les gens, particulièrement les adolescents, avaient toujours envie de répondre à ses questions. Sa chevelure d'un brun tirant sur le roux était ondulée et sa lèvre supérieure était creusée comme si une bonne fée y avait appuyé le doigt au moment de son baptême. Les amis de Rilla, dont même les plus proches ne pouvaient nier qu'elle fût vaniteuse, lui trouvaient un joli visage mais étaient préoccupés par sa silhouette et auraient souhaité que sa mère lui laissât porter des robes plus longues. Elle qui avait été si potelée, au temps de la vallée Arc-en-ciel, était à présent incroyablement mince. Elle était à l'âge où l'on est tout en bras et en jambes. Pour la taquiner, Jem et Shirley la surnommaient «l'Araignée». Elle réussissait pourtant à ne pas avoir l'air gauche. Ses mouvements avaient quelque chose qui donnait à sa démarche la grâce d'une ballerine. Elle avait été très dorlotée et était un tantinet gâtée, mais on la considérait en général comme une jeune fille très mignonne, même si elle n'était pas aussi brillante que Nan et Di.

Mlle Oliver, qui rentrait chez elle ce soir-là pour les vacances, logeait depuis un an à Ingleside. Les Blythe l'avaient accueillie pour faire plaisir à Rilla, qui vouait à son institutrice une profonde affection et acceptait même de partager sa chambre avec elle, vu qu'il n'y en avait pas d'autre de disponible. Gertrude Oliver avait vingt-huit ans et sa vie avait été un perpétuel combat. Son apparence était frappante; elle avait des yeux marron allongés, à l'expression mélancolique, une bouche intelligente et moqueuse et une impressionnante chevelure de jais enroulée sur le sommet de sa tête. Elle n'était pas jolie, mais son visage était intéressant par le charme et le mystère qui s'en dégageaient. Même ses assauts de mélancolie et de cynisme fascinaient Rilla. Ces crises survenaient lorsque Mlle Oliver était fatiguée. Le reste du temps, sa compagnie était stimulante. Walter et Rilla étaient ses préférés et tous deux lui confiaient leurs rêves secrets. Elle savait que Rilla avait hâte d'être autorisée à aller à des réceptions comme Di et Nan et d'avoir de jolies robes de soirée et des amoureux! Elle en voulait plusieurs! Quant à Walter, Mlle Oliver savait qu'il avait écrit une série de sonnets «à Rosamond», c'est-à-dire à Faith Meredith, et qu'il aspirait à devenir professeur de littérature anglaise dans une grande université. Elle connaissait la passion qu'il vouait à la beauté et sa haine de la laideur. Elle connaissait sa force et sa faiblesse.

Walter était toujours le plus beau des garçons d'Ingleside: une soyeuse chevelure noire, des yeux brillants, gris foncé, des traits irréprochables... et poète jusqu'au bout des doigts. Mlle Oliver n'était pas une critique partiale et elle savait que Walter Blythe avait un don extraordinaire. Qu'un garçon de vingt ans ait écrit cette série de sonnets était tout à fait remarquable.

Rilla aimait Walter de tout son cœur. Jamais il ne l'appelait l'Araignée, mais il l'avait affectueusement surnommée Rilla-ma-Rilla, un petit jeu de mots sur son prénom véritable, Marilla. On lui avait, en effet, donné le prénom de tante Marilla des Pignons verts. Celle-ci était morte avant que Rilla fût assez vieille pour bien la connaître et la jeune fille avait toujours détesté son nom, qu'elle trouvait horriblement démodé et guindé. Pourquoi ne l'appelait-on pas par son premier prénom, Bertha, qu'elle trouvait tellement plus beau et plus digne que ce stupide Rilla? Elle aimait bien le surnom que lui donnait Walter, mais personne d'autre que lui n'avait le droit de l'appeler comme ça, sauf Mlle Oliver, à l'occasion. Elle avait confié à Mlle Oliver qu'elle donnerait sa vie pour Walter, s'il le fallait. Comme toutes les filles de quinze ans, Rilla aimait donner un sens tragique à ses propos. Elle soupçonnait Walter de se confier davantage à Di qu'à elle-même, ce qui la mortifiait au plus haut point.

«Il ne me considère pas assez vieille pour comprendre, s'était-elle plainte, un jour, pleine de révolte, à Mlle Oliver, mais je le suis! Et jamais je ne répéterais ses confidences à personne, même pas à vous, Mlle Oliver! Je vous confie tous mes secrets, parce que je ne pourrais être heureuse si je vous cachais quelque chose, très chère amie, mais jamais je ne trahirais les siens. Je lui dis tout, je lui montre même mon journal intime. Et je souffre terriblement quand il me cache quelque chose. Il me fait pourtant lire tous ses poèmes, et ils sont merveilleux, Mlle Oliver. Oh! Comme je voudrais représenter un jour pour Walter ce que Dorothy, la sœur de Woodsworth, était pour lui. Woodsworth n'a jamais écrit de poèmes comme ceux de Walter. Tennyson non plus.»

«Je ne suis pas de cet avis. Tous deux ont écrit pas mal de mièvreries», coupa sèchement Mlle Oliver. Puis, voyant qu'elle avait fait de la peine à Rilla, elle se hâta d'ajouter: «Mais je suis convaincue que Walter sera un grand poète, lui aussi, un jour, et il te fera davantage confiance lorsque tu auras vieilli.»

«Lorsque Walter a eu la fièvre typhoïde l'an dernier et qu'il était à l'hôpital, j'ai failli devenir folle, soupira Rilla, se sentant importante. Papa n'a pas voulu qu'on me dise à quel point il était malade avant qu'il soit hors de danger. Je suis contente de ne pas l'avoir su, je n'aurais pu le supporter. Déjà que je m'endormais en pleurant tous les soirs. Mais parfois, conclut-elle amèrement, car elle aimait parler avec amertume à l'occasion, comme Mlle Oliver, parfois j'ai l'impression qu'il tient davantage au chien Lundi qu'à moi.»

Lundi était le chien d'Ingleside. On l'avait baptisé ainsi parce qu'il était arrivé à la maison un lundi et que Walter était alors en train de lire *Robinson Crusoe*. C'était vraiment l'animal de compagnie de Jem quoiqu'il fût également attaché à Walter. Il était à présent allongé près de ce dernier, le museau écrasé contre son bras et remuant frénétiquement la queue chaque fois que Walter le caressait. Lundi n'était ni un colley ni un setter ni un terrier ni un terre-neuve. Il n'était qu'un «chien ordinaire», comme le disait Jem, et même un chien très ordinaire, ajoutaient les gens dénués de charité. L'apparence de Lundi n'était certes pas son point fort. Sa carcasse jaunâtre était parsemée de taches noires dont l'une lui cachait un œil. Il avait les oreilles basses, n'ayant jamais eu de succès dans les affaires d'honneur. Mais il possédait un don particulier. Il savait que si les chiens ne pouvaient pas tous être beaux, éloquents ou victorieux, ils avaient tous la possibilité d'aimer. Sous son apparence qui ne payait pas de mine battait le cœur le plus tendre, le plus loyal et fidèle ayant jamais battu dans un corps de chien. Et ce qui brillait dans ses yeux bruns ressemblait vraiment à une âme, qu'une telle idée soit ou non acceptée par les théologiens. Tout le monde l'aimait bien, à Ingleside. Même Susan.

Lors de l'après-midi qui nous occupe, Rilla n'avait à se plaindre de rien.

«Le mois de juin n'a-t-il pas été délicieux? demanda-t-elle, regardant rêveusement les petits nuages argentés qui flottaient paisiblement au-dessus de la vallée Arc-en-ciel. Nous avons eu tant de plaisir, et le temps a été idéal. Chaque jour a été parfait.»

«Cela ne me plaît qu'à moitié, soupira Mlle Oliver. C'est quelque peu inquiétant. Les choses parfaites sont un cadeau des dieux, comme une compensation pour ce qui nous attend. J'ai vu cela si souvent que je n'aime pas entendre les gens dire qu'ils se sont parfaitement amusés. Mais c'est vrai que le mois de juin a été charmant.»

«Évidemment, cela n'a pas été très excitant. La seule chose digne d'intérêt qui se soit produite au Glen cette année a été l'évanouissement de Mlle Mead à l'église. Parfois, je voudrais qu'il se passe quelque chose de dramatique.»

«Ne dis pas cela. Les choses dramatiques sont toujours douloureuses pour quelqu'un. Quel bel été vous allez passer! Dire que moi, je vais m'embêter à Newbridge.»

«Vous viendrez souvent, n'est-ce pas? Nous aurons beaucoup d'occasions de nous divertir même si, comme d'habitude, je vais être tenue à l'écart, je suppose. C'est horrible quand les gens vous prennent pour une fillette alors que vous ne l'êtes plus.»

«Tu vieilliras bien assez vite, Rilla. N'aie pas hâte de voir s'envoler ta jeunesse. Elle fuit déjà trop rapidement. Tu goûteras à la vie assez tôt.»

«Goûter à la vie! Mais je veux la dévorer, s'écria Rilla en éclatant de rire. Je veux tout, tout ce qu'une fille peut avoir. J'aurai quinze ans dans un mois, et alors plus personne ne pourra me traiter de petite fille. Un jour, j'ai entendu quelqu'un dire que les plus belles années d'une fille étaient entre quinze et dix-neuf ans. Je vais m'organiser pour qu'elles soient tout à fait splendides, les remplir de plaisir.»

«Il est inutile de penser à ce qu'on va faire quand tout donne à penser que cela va se passer autrement.»

«Oh, mais c'est amusant d'y songer», s'exclama Rilla.

«Tu ne penses à rien d'autre qu'à t'amuser, espèce de petite fofolle, répondit Mlle Oliver avec indulgence, se disant que Rilla avait vraiment le plus joli menton du monde. Mon Dieu, qu'est-ce qu'on peut faire d'autre à quinze ans? Mais as-tu l'intention d'aller au collège à l'automne?»

«Non, ni cet automne ni aucun autre. Je n'en ai pas envie. Je n'ai jamais été attirée par toutes ces choses en "ologies" et en "ismes" dont Di et Nan raffolent tant. Cinq d'entre nous sont déjà aux études. Cela suffit amplement. Il doit y avoir un crétin dans chaque famille. Cela m'est égal d'être idiote si je suis jolie, populaire et charmante. Je n'ai absolument aucun talent et vous ne pouvez imaginer comme c'est un état confortable. Personne ne s'attend à rien de moi. Et je ne serai ni une bonne ménagère ni une bonne cuisinière. J'ai horreur de coudre et d'épousseter, et si Susan n'a pas réussi à m'enseigner à faire des biscuits, personne ne le pourra. Papa prétend que je ne sais rien faire de mes dix doigts. Par conséquent, je serai un lis des champs», conclut Rilla avec un nouveau rire.

«Tu es trop jeune pour décider d'abandonner tes études, Rilla.»

«Oh! Maman va me donner un cours de littérature l'hiver prochain. Cela va lui permettre de réviser ses études universitaires. Ne me regardez pas de cet air chagriné et désapprobateur, très chère. Je suis incapable d'être sérieuse et réservée, je vois la vie en rose et même comme un arc-en-ciel. Le mois prochain, j'aurai quinze ans, l'an prochain, seize, puis dix-sept. Existe-t-il quelque chose de plus réjouissant?»

«Touche du bois, répondit Gertrude Oliver, mi-sérieuse, mi-riant. Touche du bois, Rilla-ma-Rilla.»

3

Plaisir du soir

Rilla, qui avait gardé l'habitude de plisser les yeux en dormant de sorte qu'elle paraissait toujours rire dans son sommeil, bâilla, s'étira et sourit à Gertrude Oliver. Cette dernière était arrivée de Lowbridge la veille au soir et on l'avait persuadée de rester pour le bal qui aurait lieu au phare de Four Winds le lendemain soir.

«Le nouveau jour cogne à la fenêtre. Je me demande ce qu'il nous réserve.»

Mlle Oliver frémit. Elle n'accueillait jamais le jour avec l'enthousiasme de Rilla. Elle avait suffisamment vécu pour savoir qu'il peut nous réserver de terribles surprises.

«Ce que je préfère, c'est le côté inattendu des jours, poursuivit Rilla. C'est sympathique de se réveiller par un matin aussi ensoleillé et de rêvasser une dizaine de minutes avant de se lever, imaginant toutes les choses splendides qui pourraient se produire avant la nuit.»

«J'espère qu'il se passera quelque chose de très inattendu aujourd'hui, dit Gertrude. J'espère apprendre que la guerre a été évitée entre l'Allemagne et la France.»

«Oh... sans doute, répondit Rilla d'un ton vague. Mais

cela ne nous concerne pas vraiment, n'est-ce pas? Mlle Oliver, est-ce que je vais porter ma robe blanche ou ma nouvelle robe verte, ce soir? La verte est évidemment beaucoup plus jolie, mais j'ai peur de l'abîmer en la portant à une danse sur la plage. Et allez-vous me coiffer à la nouvelle mode? Aucune des autres filles du Glen ne s'est encore coiffée comme ça, et cela va faire tout un effet!»

«Comment as-tu réussi à convaincre ta mère de te laisser aller à la danse?»

«Oh! C'est Walter qui l'a persuadée. Il savait que cela me briserait le cœur de rater ce bal. Ce sera ma première vraie soirée d'adulte, Mlle Oliver, et ça fait une semaine que j'ai de la peine à m'endormir à force d'y penser. En voyant le soleil briller ce matin, j'ai eu envie de crier de joie. Ce serait tout simplement terrible s'il pleuvait ce soir. Je pense que je vais courir le risque de porter ma robe verte. Je veux être la plus jolie possible pour ma première fête. Et puis, elle est un pouce plus longue que ma blanche. Et je vais aussi porter mes escarpins argent. Mme Ford me les a envoyés à Noël et je n'ai jamais eu l'occasion de les mettre. Ils sont si ravissants. Oh! Mlle Oliver, j'espère seulement que quelques garçons vont m'inviter à danser. Je mourrai de honte, c'est vrai, si personne ne m'invite et que je passe la soirée à faire tapisserie. Carl et Jerry, en fils de pasteur, n'ont évidemment pas le droit de danser, sinon je pourrais compter sur eux pour me sauver du déshonneur.»

«Tu vas avoir une foule de partenaires, tous les garçons de l'autre côté du port sont censés venir, alors il y aura beaucoup plus de garçons que de filles.»

«Je suis bien contente de ne pas être la fille d'un pasteur, reprit Rilla en riant. La pauvre Faith est si furieuse de ne pas pouvoir danser ce soir. Una s'en fiche, évidemment. Quelqu'un a dit à Faith que ceux qui ne dansaient pas pourraient faire de la tire à la mélasse dans la cuisine. Vous auriez dû voir son expression! Elle va passer presque tout le temps assise sur les rochers avec Jem, je suppose. Saviez-vous que nous sommes censés marcher jusqu'à l'anse derrière la vieille Maison de rêve et, de là, prendre un bateau jusqu'au phare? Cela va être absolument divin, n'est-ce pas?»

«À quinze ans, moi aussi je mettais beaucoup d'emphase dans mes propos, commenta Mlle Oliver d'un ton sarcastique. Je pense que la soirée promet d'être agréable pour les jeunes. Quant à moi, je vais sans doute m'ennuyer. Aucun de ces garçons n'aura envie de danser avec une vieille fille comme moi. Jem et Walter vont sans doute m'inviter une fois par pure charité. C'est pourquoi il ne faut pas t'attendre à me voir manifester un enthousiasme émouvant comme le tien.»

«Ne vous êtes-vous pas amusée à votre première soirée, Mlle Oliver?»

«Non. Cela a été épouvantable. J'étais mal habillée et laide et personne ne m'a fait danser sauf un garçon encore plus mal fagoté et laid que moi. Il était si affreux que je l'ai détesté et pourtant, même lui ne m'a pas réinvitée. Je n'ai pas eu de vraie jeunesse, Rilla. C'est une perte déplorable. J'espère que tu garderas toute ta vie un bon souvenir de ton premier bal.»

«La nuit dernière, j'ai rêvé que j'assistais à la soirée. La fête battait son plein quand je m'aperçus tout à coup que j'étais vêtue de mon peignoir et de mes pantoufles, soupira Rilla. Je me suis réveillée en poussant un cri d'horreur.»

«À propos de rêves, j'en ai fait un bizarre, dit Mlle Oliver d'un air absent. C'était un de ces rêves très vivants qu'il m'arrive d'avoir. Ils ne ressemblent pas au fouillis des rêves habituels, mais sont aussi clairs et réels que la vie.»

«De quoi s'agissait-il?»

«J'étais debout sur les marches de la véranda, ici même, à Ingleside, à contempler les champs du Glen. Soudain, j'ai vu au loin déferler une longue vague argentée et scintillante. Elle s'approchait de plus en plus; ce n'était qu'une suite de petites vagues blanches semblables à celles qui se brisent sur la plage, parfois. Le Glen était en train d'être submergé. Je me disais que les vagues n'atteindraient sûrement pas

Ingleside, mais elles approchaient si rapidement que je n'eus pas le temps de bouger ou d'appeler qu'elles étaient déjà arrivées à mes pieds et tout avait été englouti. Là où se trouvait auparavant le Glen, il n'y avait plus que de l'eau tumultueuse. J'essayai de reculer et je vis que le bas de ma robe était trempé de sang. Je me suis réveillée en frissonnant. Ce rêve ne me plaît pas. Il contenait quelque chose de sinistre. Quand je fais ce genre de rêves très réels, ils se réalisent toujours.»

«J'espère que cela ne veut pas dire que la soirée sera gâchée par une tempête venant de l'est», murmura Rilla.

«Incorrigible adolescence! s'écria sèchement Mlle Oliver. Non, Rilla-ma-Rilla, je ne crois pas que mon rêve annonce rien d'aussi terrible que ça.»

Depuis quelques jours, il y avait de la tension dans l'air, à Ingleside. Seule Rilla, absorbée par sa vie qui commençait, n'en avait pas eu conscience. Le Dr Blythe paraissait préoccupé et commentait peu les journaux quotidiens. Jem et Walter se montraient fortement intéressés par les nouvelles qu'on y trouvait. Ce soir-là, Jem, survolté, alla trouver Walter.

«Oh! Bon Dieu, l'Allemagne a déclaré la guerre à la France! Cela veut dire que l'Angleterre va probablement entrer dans la bataille et si c'est le cas, le vieux Joueur de pipeau que tu avais imaginé va finalement faire son apparition.»

«Ce n'était pas le fruit de mon imagination, dit lentement Walter. C'était un pressentiment, Jem, une vision. Je l'ai vraiment vu pendant un instant, ce soir-là, il y a longtemps. Et si l'Angleterre entre en guerre?»

«Eh bien, il faudra qu'on lui donne un coup de main, répondit gaiement Jem. On ne va quand même pas laisser notre mère-patrie se battre toute seule, pas vrai? Mais tu ne pourras pas y aller, toi. La typhoïde que tu as déjà attrapée t'en exempte.»

Walter regarda silencieusement loin devant lui vers l'eau bleue et frissonnante du port.

«Nous sommes la relève, il faudra nous jeter dans la mêlée toutes griffes dehors si cela devient une affaire de famille», poursuivit Jem avec bonne humeur, en passant dans ses boucles rousses une main forte, maigre, sensible et basanée, la main d'un chirurgien, avait toujours pensé son père. «Quelle aventure ce sera! Cependant je présume que Grey ou un autre de ces vieux bonshommes va sauver la situation à la dernière minute. Mais ce sera une honte s'ils décident de laisser tomber la France. Sinon, on va bien s'amuser. Bon, eh bien, je suppose qu'il est temps d'aller au phare.»

Jem s'éloigna en sifflant une marche militaire tandis que Walter resta longtemps immobile, les sourcils froncés. Tout s'était passé avec la soudaineté d'un orage. Quelques jours auparavant, personne n'aurait même jamais cru cela possible. C'était encore absurde de le penser. On trouverait une solution quelconque. La guerre était une chose infernale, horrible, hideuse, trop horrible et hideuse pour se produire au vingtième siècle entre des nations civilisées. Le seul fait d'y songer était effrayant, et Walter se sentait malheureux de voir la beauté de la vie ainsi menacée. Il refusait d'y penser, il chasserait cette idée de son esprit. Comme le vieux Glen était beau dans ses riches couleurs du mois d'août, avec sa chaîne de vieilles demeures inclinées, ses prés labourés et ses jardins tranquilles. À l'ouest, le ciel ressemblait à une grosse perle d'or. Au loin, le clair de lune givrait le port. L'air résonnait de sons exquis: les sifflements des rouges-gorges somnolents, les merveilleux, tristes et doux murmures du vent dans les arbres au crépuscule, le froissement des trembles qui se chuchotaient des choses en agitant leurs adorables feuilles en forme de cœurs, les rires chantants et juvéniles aux fenêtres des chambres où les filles s'apprêtaient pour le bal. Le monde baignait dans une irrésistible allégresse de sons et de couleurs. Il ne voulait penser qu'à ces choses et à la joie profonde et subtile qu'elles suscitaient en lui. «De toute façon, personne ne s'attend à ce que j'aille à la guerre, songea-t-il. La typhoïde me sauve de ça.»

Rilla était penchée à la fenêtre de sa chambre, habillée pour la fête. Une pensée jaune glissa de ses cheveux et tomba, évoquant la chute d'une étoile d'or. Elle essaya en vain de la rattraper. Heureusement, il restait suffisamment de fleurs. Mlle Oliver en avait tressé une guirlande pour sa jeune protégée.

«Comme c'est beau, calme, splendide! Nous aurons une soirée idéale. Écoutez, Mlle Oliver, on entend distinctement les vieilles clochettes de la vallée Arc-en-ciel. Il y a dix ans qu'elles sont suspendues là.»

«Quand le vent les agite, je pense toujours à la musique céleste qu'Adam et Ève entendaient dans ce poème de Milton, le *Paradis terrestre*», répondit Mlle Oliver.

«Nous avions tant de plaisir dans la vallée Arc-en-ciel quand nous étions enfants», poursuivit rêveusement Rilla.

À présent, personne ne jouait plus dans la vallée Arc-en-ciel qui restait très silencieuse, les soirs d'été. Walter aimait y aller pour lire. Jem et Faith s'y donnaient souvent rendez-vous. Jerry et Nan y poursuivaient d'interminables disputes et discussions sur des sujets profonds, ce qui semblait être leur façon de se faire la cour. Quant à Rilla, elle y avait un petit vallon rien qu'à elle où elle aimait s'asseoir et rêvasser.

«Il faut que j'aille dans la cuisine me montrer à Susan avant de partir. Si je ne le fais pas, elle ne me le pardonnera jamais.»

Rilla tourbillonna dans la cuisine d'Ingleside plongée dans la pénombre où Susan reprisait prosaïquement des chaussettes, et sa beauté illumina la pièce. Elle portait une robe verte ornée de petites guirlandes de pâquerettes roses, des bas de soie et des escarpins argentés. Elle était si jeune, jolie et resplendissante que même la cousine Sophia Crawford fut forcée de l'admirer — et rares étaient les choses éphémères et terrestres que Sophia Crawford admirait. Cousine Sophia et Susan avaient réglé leur vieille querelle, ou fait semblant de l'avoir oubliée, depuis que Sophia était venue vivre au Glen. Le soir, cousine Sophia traversait souvent le chemin pour faire une visite de courtoisie. Susan ne l'accueillait pas toujours avec enthousiasme car on ne pouvait pas dire qu'elle était d'une compagnie très réjouissante. «Certaines visites sont agréables, d'autres sont des corvées, chère Mme Docteur», déclara un jour Susan, laissant entendre que les dernières étaient celles de cousine Sophia.

Cette dernière avait un visage long, pâle et ridé, un long nez mince, une longue bouche mince et des mains très longues, maigres et pâles, généralement croisées avec résignation sur sa jupe de calicot noire. Tout en elle paraissait long, blême et décharné. Elle considéra Rilla Blythe d'un air mélancolique et demanda tristement:

«Sont-ce tous tes cheveux?»

«Évidemment!» s'écria Rilla, indignée.

«Ah! bon, soupira cousine Sophia. Le contraire aurait été préférable. Une chevelure aussi épaisse tire beaucoup de force d'une personne. J'ai entendu dire que c'est un signe de tuberculose. Eh bien, je n'ai jamais été attirée par la danse. J'ai connu une fille qui est tombée raide morte en dansant. Vouloir danser après un incident pareil, voilà une chose que je n'arrive pas à comprendre.»

«Est-ce qu'elle a redansé?» demanda Rilla avec impertinence.

«Je t'ai dit qu'elle était tombée morte. Elle n'a évidemment jamais redansé, la pauvre. C'était une Kirke de Lowbridge. Tu ne vas pas partir comme ça, rien autour du cou?»

«Il fait très chaud, ce soir, protesta Rilla. Mais je vais mettre une écharpe quand nous irons sur l'eau.»

«Il y a quarante ans, une bande de jeunes étaient partis en bateau dans le port par un soir comme celui-ci, exactement comme celui-ci, reprit cousine Sophia d'un air lugubre. Ils ont chaviré et se sont tous noyés. J'espère que cela ne se produira pas ce soir. As-tu déjà essayé quelque chose contre les taches de rousseur? J'avais coutume de trouver le jus de plantain très efficace.»

«Tu dois certainement être un bon juge pour ce qui est

des taches de rousseur, Sophia, interrompit Susan, se portant
à la défense de Rilla. Tu étais plus pivelée qu'un crapaud
dans ta jeunesse. Les taches de Rilla ne sortent qu'en été,
mais les tiennes restaient, saison après saison. Et t'étais loin
d'avoir un teint comme le sien. Tu es très jolie, Rilla, et cette
nouvelle coiffure te va à ravir. Mais tu vas quand même pas
porter ces souliers pour aller au port?»

«Oh non. Nous allons toutes mettre nos vieilles chaussures pour nous y rendre et apporter nos escarpins. Aimes-tu
ma robe, Susan?»

«Elle me rappelle une robe que je portais quand j'étais
jeune, soupira cousine Sophia avant que Susan ait eu le
temps de répondre. Elle était verte, parsemée de bouquets
roses et froncée de la taille à l'ourlet. On ne portait pas les
choses légères que les filles portent aujourd'hui. Ah! Grand
Dieu, les temps ont changé et pas pour le mieux, j'en ai bien
peur. J'y ai fait un gros accroc ce soir-là et quelqu'un a
renversé une tasse de thé dessus. Elle était complètement
fichue. Mais j'espère que rien ne va arriver à ta robe. À mon
avis, elle devrait être un peu plus longue. Tu as les jambes si
longues et si maigres.»

«Mme Docteur Blythe n'approuve pas que les fillettes
s'habillent comme des grandes», rétorqua sèchement Susan
dans le seul but de clouer le bec à cousine Sophia. Mais Rilla
se sentit insultée. Une fillette! Et puis quoi encore! Outragée, elle sortit vivement de la cuisine. Sa bonne humeur
revint lorsqu'elle se retrouva avec la bande joyeuse en route
pour le phare de Four Winds.

Les Blythe abandonnèrent Ingleside à la musique mélancolique des hurlements du chien Lundi, qu'on avait enfermé
dans la grange de peur qu'il ne les suive au phare. Ils rencon-
trèrent les Meredith au village et d'autres leur emboîtèrent le
pas pendant qu'ils cheminaient sur la vieille route du port.
Resplendissant dans une toilette de crêpe bleu rehaussée de
dentelle, Mary Vance sortit par la barrière de Mlle Cornelia
et se joignit à Rilla et à Mlle Oliver qui marchaient ensemble

et ne l'accueillirent pas très chaleureusement. Rilla n'aimait pas beaucoup Mary Vance. Elle n'avait jamais oublié l'humiliation subie le jour où Mary l'avait poursuivie à travers le village avec une morue séchée. Il est vrai que Mary ne jouissait pas d'une grande popularité. On ne pouvait pourtant s'empêcher d'apprécier sa compagnie. Elle avait une langue acérée qui la rendait très stimulante. «Mary Vance fait partie de nos habitudes, avait un jour affirmé Di Blythe. Nous ne pouvons nous passer d'elle même quand elle nous fait sortir de nos gonds.»

La plupart des jeunes marchaient par couple. Jem accompagnait Faith Meredith, bien entendu, et Jerry Meredith, Nan Blythe. Di et Walter étaient ensemble, plongés dans une conversation profonde que Rilla leur enviait.

Si Carl Meredith accompagnait Miranda Pryor, c'était surtout pour tourmenter Joe Milgrave. Tout le monde savait que Joe éprouvait un fort penchant pour Miranda et que seule sa timidité l'empêchait de profiter des occasions. Il aurait peut-être pu rassembler suffisamment de courage pour cheminer auprès de Miranda s'il avait fait noir, mais il en était tout simplement incapable par ce clair de lune. Il traînait donc à la queue en se disant, sur Carl Meredith, des choses qu'il valait mieux ne pas entendre. Miranda était la fille de Moustaches-sur-la-Lune; si elle n'était pas aussi impopulaire que son père, on ne la recherchait pas non plus très particulièrement car c'était une petite créature pâlotte et neutre, ayant la mauvaise habitude de glousser nerveusement. Elle avait les cheveux blond cendré et de grands yeux de faïence, légèrement à fleur de tête; on aurait dit qu'elle avait éprouvé une grande frayeur dans son enfance et ne s'en était jamais remise. Elle aurait préféré la compagnie de Joe à celle de Carl avec qui elle ne se sentait pas du tout à l'aise, tout en éprouvant une sorte d'honneur d'avoir un étudiant d'université auprès d'elle, fils de pasteur de surcroît.

Shirley Blythe accompagnait Una Meredith; fidèles à leur nature, ils étaient tous deux silencieux. Shirley était un garçon de seize ans placide, sensé, réfléchi et plein d'un humour tranquille. Il était toujours le «petit garçon brun» de Susan avec ses yeux et ses cheveux marron et son teint légèrement hâlé. Il aimait marcher avec Una Meredith parce qu'elle n'essayait jamais de le faire parler et ne l'importunait pas avec de vains bavardages. Una était aussi mignonne et timide qu'à l'époque de la vallée Arc-en-ciel, et ses grands yeux bleu foncé avaient toujours la même expression rêveuse et triste. Elle aimait secrètement Walter Blythe et personne n'en avait jamais rien soupçonné, sauf Rilla qui était favorable à cet amour et espérait que Walter y répondrait. Elle préférait Una à Faith, dont la beauté et l'assurance jetaient les autres filles dans l'ombre, ce que Rilla n'appréciait pas outre-mesure.

Mais à présent, elle se sentait très heureuse. C'était si merveilleux de se promener avec ses amis sur cette route sombre et brillante bordée de sapins et d'épinettes dont le parfum résineux embaumait l'air aux alentours. À l'ouest, derrière les collines, les prés baignaient dans la lumière du couchant. Devant, l'eau du port luisait. Une cloche sonnait dans la petite église de l'autre côté et les notes rêveuses venaient mourir autour des points sombres, couleur d'améthyste. Plus loin, le golfe était encore d'azur et d'argent dans la lumière du crépuscule. Rilla aimait la vie. Elle allait passer une superbe soirée. Elle n'avait aucun sujet d'inquiétude, et ni ses taches de rousseur ni la longueur de ses jambes ne la tourmentaient. La seule chose qui la préoccupait un peu était la crainte que personne ne l'invite à danser. C'était juste bien d'être vivante, d'avoir quinze ans et d'être jolie. Rilla poussa un long soupir de ravissement puis s'interrompit. Jem était en train de raconter à Faith quelque chose à propos de la guerre dans les Balkans.

«Le médecin a eu les deux jambes écrasées et a été abandonné sur le champ de bataille. Alors il a rampé d'un blessé à l'autre aussi longtemps qu'il en a été capable et a fait tout ce qu'il a pu pour soulager leurs souffrances. Pas un seul instant il n'a songé à lui-même. Lorsqu'il est mort, il était en train de nouer un bandage autour de la jambe d'un autre homme. On les a retrouvés là, les mains du médecin mort serraient encore le bandage, l'hémorragie avait été arrêtée et la vie du blessé était sauvée. Quel héros, n'est-ce pas? Je t'assure que quand j'ai lu ça...»

Jem et Faith s'éloignèrent. Gertrude Oliver frissonna soudain. Rilla pressa son bras avec sympathie.

«N'était-ce pas affreux, Mlle Oliver? Je me demande pourquoi Jem raconte des horreurs pareilles un soir comme celui-ci, où tout le monde a envie de s'amuser.»

«Tu trouves ça affreux, Rilla? Moi, je pense au contraire que c'est très beau, que c'est extraordinaire. En entendant une histoire comme celle-là, on a honte d'avoir déjà douté de la nature humaine. Le geste de cet homme était surhumain. Et comme l'humanité répond à l'idéal du renoncement! Quant à la raison qui m'a fait frissonner, je l'ignore. Peut-être quelqu'un marche-t-il sur le lieu sombre et éclairé d'étoiles qui sera ma tombe. C'est ainsi que l'expliquerait la vieille superstition. Eh bien, je refuse de penser à cela par une aussi charmante nuit. Tu sais, Rilla, lorsque vient la nuit, je suis toujours contente de vivre à la campagne. Jamais un citadin ne connaît comme nous le véritable charme de la nuit. Toutes les nuits sont belles à la campagne, même les nuits de tempête. J'aime quand la tempête se déchaîne sur cette vieille grève. Une nuit comme celle-ci est presque trop belle, elle appartient à la jeunesse et aux rêves. J'en ai pratiquement peur.»

«J'ai l'impression d'en faire partie», dit Rilla.

«Ah! oui, tu es suffisamment jeune pour ne pas craindre la perfection. Nous voici arrivées à la Maison de rêve. Elle a l'air bien solitaire, cet été. Les Ford ne sont pas venus?»

«M. et Mme Ford ne sont pas venus, ni Persis. Kenneth est ici, mais il est resté avec sa famille maternelle de l'autre côté du port. Comme il était un peu handicapé, nous ne l'avons pas beaucoup vu.»

«Handicapé? Que lui est-il arrivé?»

«Il s'est cassé la cheville l'automne dernier, au cours d'une partie de football. Il a été immobilisé une bonne partie de l'hiver. Depuis, il boite un peu, mais il se rétablit et pense être bientôt en pleine forme. Il n'est venu que deux fois à Ingleside.»

«Ethel Reese est tout simplement folle de lui, dit Mary Vance. Elle perd la tête dès qu'il est question de lui. Au dernier office du soir qui s'est tenu à l'église de l'autre côté du port, il l'a raccompagnée chez elle et l'air qu'elle se donne depuis aurait de quoi déprimer n'importe qui. Comme si Ken Ford, un garçon de Toronto, pouvait vraiment être intéressé par une campagnarde comme Ethel!»

Rilla rougit. Kenneth Ford aurait pu raccompagner Ethel Reese chez elle une douzaine de fois, cela lui était parfaitement égal! Rien de ce qu'il faisait ne lui importait! Il était un bon ami de Di, Nan et Faith et ne la considérait que comme une enfant à taquiner. Elle détestait Ethel Reese et cette dernière la détestait aussi depuis le jour où Walter avait administré une raclée à Dan à l'époque de la vallée Arc-en-ciel. Mais qu'elle fût une campagnarde n'était pas une raison pour que Kenneth Ford la regarde de haut. Quant à Mary Vance, elle était en train de devenir une vraie commère, et rien d'autre ne l'intéressait que de savoir qui raccompagnait les gens chez eux!

Il y avait une petite jetée à la grève du port en face de la Maison de rêve et deux bateaux y étaient amarrés. Jem Blythe était à la barre de l'un et Joe Milgrave à celle de l'autre. Ce dernier n'ignorait rien des bateaux et il était déterminé à le prouver à Miranda Pryor. Ils firent une course et Joe gagna. D'autres bateaux arrivèrent de l'entrée du port et de l'ouest. On entendait des rires venant de partout. Sur la pointe, le grand phare blanc était tout illuminé, et sa lumière tournante brillait. Une famille de Charlottetown, parente du gardien, passait l'été au phare et donnait ce soir-là une réception où avaient été conviés tous les jeunes de Four

Winds, de Glen St. Mary et de l'autre côté du port. Au moment où le bateau de Jem approcha du phare, Rilla arracha désespérément ses souliers et chaussa ses escarpins argentés derrière le dos de Mlle Oliver. En jetant un coup d'œil, elle avait vu que des garçons se tenaient sur les marches de pierre menant au phare et que celles-ci étaient éclairées par des lanternes chinoises. Elle avait donc décidé de ne pas gravir ces marches dans les grosses chaussures que sa mère avait tenu à lui faire porter pour la route. Les escarpins lui comprimaient abominablement les pieds, mais personne ne s'en serait douté à la voir grimper en souriant, ses beaux yeux sombres brillants et interrogateurs, ses joues lisses tout animées. Au moment même où elle atteignait le sommet, un garçon l'invitait à danser et un instant plus tard, ils étaient dans le pavillon construit du côté de la mer pour les bals. C'était un endroit délicieux; le plafond était décoré de branches de sapin et des lanternes étaient suspendues aux murs. Devant, la mer s'étalait, radieuse et scintillante; à gauche, on apercevait les bosses et les creux des dunes et, à droite, la grève rocailleuse avec ses ombres couleur d'encre et ses anses cristallines. Rilla et son partenaire valsaient au milieu des danseurs. Elle poussa un long soupir de bonheur. Quelle musique ensorcelante Ned Burr du Glen-En-Haut tirait de son violon, une musique évoquant la flûte enchantée du vieux conte qui obligeait tout le monde à danser. Comme la brise qui soufflait du golfe était fraîche! Comme la lune était claire ce soir! C'était la vie, une vie de rêve! Rilla avait l'impression que ses pieds et son âme avaient des ailes.

4

Voici venir le Joueur de pipeau

La première soirée de Rilla fut un triomphe, du moins au début. Tant de garçons l'invitèrent qu'elle dut partager ses danses. Ses escarpins argentés avaient l'air animés d'une vie propre et ils avaient beau lui pincer les orteils et lui faire des ampoules aux talons, cela ne l'empêcha aucunement de s'amuser. Ethel Reese lui fit passer un mauvais quart d'heure en lui faisant mystérieusement signe de la suivre hors du pavillon pour lui chuchoter, en minaudant à sa façon, que sa robe bâillait derrière et qu'il y avait une tache sur le volant. Rilla se précipita dans la pièce qui avait été aménagée pour l'occasion en vestiaire des dames et découvrit que la tache n'était qu'une minuscule marque d'herbe et que la robe bâillait à peine, là où un bouton-pression s'était détaché. Irene Howard le rattacha et lui fit des compliments tout à fait charmants. La condescendance d'Irene flatta Rilla. C'était une jouvencelle de dix-neuf ans qui habitait le Glen-En-Haut et elle semblait apprécier la compagnie de filles plus jeunes. Les envieux prétendaient qu'elle avait ainsi la possibilité d'être une reine sans rivales. Mais Rilla trouvait Irene merveilleuse et était ravie de la protection qu'elle lui accordait. Irene était jolie et avait de la classe. Elle chantait divinement et passait tous les hivers à Charlottetown à étudier la musique. Elle avait une tante à Montréal qui lui envoyait des toilettes adorables. On racontait qu'elle avait vécu un amour malheureux; personne ne savait exactement de quoi il s'agissait, mais ce mystère même lui conférait un attrait particulier. Pour Rilla, les compliments d'Irene couronnaient sa soirée. Elle retourna joyeusement au pavillon et flâna quelques instants dans la lueur des lanternes à l'entrée, regardant les danseurs. Le tourbillon un instant percé, Rilla aperçut Kenneth Ford debout de l'autre côté.

Son cœur arrêta de battre; si c'est physiquement impossible, c'est du moins ce qu'elle crut. Il était donc venu, en fin de compte. Elle avait pensé qu'il ne viendrait pas, bien que cela lui fût parfaitement égal. La verrait-il? La remarquerait-il seulement? Bien entendu, il ne l'inviterait pas à danser, c'était inutile d'en espérer autant. Il la prenait encore pour une gamine. La dernière fois qu'il était venu à Ingleside, trois semaines auparavant, il l'avait appelée l'Araignée. Elle avait pleuré après son départ et l'avait détesté. Pourtant, son cœur arrêta une nouvelle fois de battre lorsqu'elle le vit se diriger vers elle en faisant le tour de la salle. Venait-il vraiment vers elle... vraiment? Oui. Il la regardait, il était à présent près d'elle, il plongeait son regard dans le sien et ses yeux gris foncé avaient une expression que Rilla n'avait jamais vue auparavant. Oh! C'était presque insupportable! Et la vie reprenait comme avant, les danseurs virevoltaient, les garçons qui n'avaient pas de partenaires flânaient dans le pavillon, les couples d'amoureux étaient assis dehors sur les rochers, personne n'avait paru s'apercevoir qu'un événement inouï venait de se produire.

Kenneth était un jeune homme de taille élevée et de belle apparence. La désinvolture de son maintien avait le don de faire paraître les autres garçons raides et maladroits. On disait qu'il était supérieurement intelligent, et le fait qu'il venait d'une ville lointaine et fréquentait une grande université ajoutait à son charme. Il avait également la réputation d'être un briseur de cœurs. Mais cela était sans doute dû à sa voix rieuse et douce qu'aucune fille ne pouvait entendre sans se sentir émue, et à cette façon dangereuse d'écouter comme s'il avait passé sa vie à attendre les paroles de son interlocutrice.

«Bonjour, Rilla-ma-Rilla», dit-il à voix basse.

«Bonzour», répondit Rilla, qui eut aussitôt envie de se jeter la tête la première du haut du phare ou de disparaître de ce monde futile.

Rilla avait zozoté dans sa tendre enfance, mais elle s'était débarrassée de cette habitude en vieillissant. Ce défaut de prononciation ne resurgissait que lorsqu'elle vivait une situation de stress. Il y avait un an qu'elle n'avait pas zozoté. Et voilà qu'à l'instant même où elle désirait si particulièrement paraître mûre et raffinée, il fallait qu'elle se mette à zozoter comme un bébé! C'était trop mortifiant; elle eut l'impression que ses yeux se remplissaient de larmes. Dans un instant, elle se mettrait à pleurnicher, oui, pleurnicher. Elle aurait voulu que Kenneth disparût, qu'il ne fût jamais venu. La fête était gâchée. Tout n'était plus que cendres et poussière.

Et il l'avait appelée «Rilla-ma-Rilla», non pas «l'Araignée», «Petite» ou «Chaton», comme il avait coutume de le faire lorsque, par hasard, il s'apercevait de sa présence. Elle ne lui en voulut pas du tout d'avoir utilisé le surnom affectueux que lui donnait Walter; sa voix grave et caressante le prononçait très bien, en appuyant juste un peu sur le «ma». Tout aurait été parfait si elle ne s'était pas ridiculisée ainsi. Elle n'osait pas lever les yeux de peur de lire dans ceux de Kenneth une expression amusée. Elle les tenait donc baissés; ses cils étaient longs et noirs, ses paupières épaisses et veloutées. L'effet était tout à fait séduisant et Kenneth se dit que, tout compte fait, Rilla allait devenir la plus belle des filles d'Ingleside. Il voulait qu'elle lève encore une fois vers lui son petit regard candide et interrogateur. Il ne faisait aucun doute qu'elle était la reine de la fête.

Mais qu'est-ce qu'il disait? Rilla pouvait à peine en croire ses oreilles.

«Veux-tu m'accorder cette danse?»

«D'accord», répondit Rilla. Elle s'exprima avec une telle volonté de ne pas zozoter qu'elle escamota pratiquement sa réponse. Elle se tortura de nouveau l'esprit. Elle avait parlé d'un ton si décidé, si avide, comme si elle allait lui sauter dessus. Qu'allait-il penser d'elle? Oh! Pourquoi ces choses affreuses arrivaient-elles à une fille lorsqu'elle voulait paraître à son avantage?

Kenneth l'entraîna au milieu des danseurs.

«J'espère que ma cheville boiteuse va tenir le coup pour au moins une danse», dit-il.

«Comment va ta cheville?» demanda Rilla. Oh! Pourquoi n'avait-elle trouvé autre chose à dire? Elle savait parfaitement qu'il était excédé de se faire questionner à propos de sa cheville. Elle l'avait entendu, à Ingleside, dire à Di qu'il était à la veille de porter un écriteau sur la poitrine pour informer tout un chacun que sa cheville allait mieux. Et il fallait qu'elle lui pose cette vieille question.

C'était vrai que Kenneth était fatigué d'entendre parler de sa cheville. Mais la question lui avait rarement été posée par d'aussi jolies lèvres. C'est sans doute pour cela qu'il répondit très patiemment qu'il se rétablissait et que sa cheville ne le dérangeait plus, s'il ne marchait pas ou ne restait pas debout trop longtemps.

«On dit qu'elle sera bientôt aussi robuste qu'avant, mais je devrai renoncer au football cet automne.»

Ils dansèrent, et Rilla se sentit enviée par toutes les filles présentes. Après la danse, ils allèrent sur les rochers. Kenneth dénicha une petite embarcation et ils ramèrent dans le canal au clair de lune jusqu'à la plage; là, ils marchèrent dans le sable. Puis, la cheville de Kenneth commençant à le faire souffrir, ils s'assirent dans les dunes. Kenneth lui parla comme il aurait parlé à Nan ou Di. Submergée par une timidité qu'elle n'arrivait pas à expliquer, Rilla avait de la difficulté à lui répondre. Elle se dit qu'il la trouverait terriblement stupide. Malgré tout, ce moment était vraiment merveilleux: le clair de lune exquis, la mer qui scintillait, les vaguelettes venant mourir sur le sable, la brise fraîche de la nuit qui roucoulait bizarrement dans les herbes sèches sur le sommet des dunes, la musique lointaine qui résonnait au-dessus du canal.

«Une joyeuse lumière lunaire propice aux ébats des sirènes», murmura Kenneth, citant l'un des poèmes de Walter.

Juste lui et elle dans cette splendeur de sons et d'images! Si seulement ses escarpins ne lui pinçaient pas tant les pieds! Et si seulement elle pouvait tenir des propos intelligents comme Mlle Oliver! Ou du moins converser avec lui comme elle le faisait avec les autres garçons! Mais les mots ne venaient pas, elle n'était capable que d'écouter et de balbutier une petite phrase banale ici et là. Mais peut-être ses yeux rêveurs, sa jolie bouche et sa gorge mince parlaient-ils pour elle! Quoi qu'il en soit; Kenneth ne paraissait pas pressé de proposer qu'ils retournent au phare et lorsqu'ils le firent, le souper était déjà commencé. Il lui trouva un siège près de la fenêtre de la cuisine et s'installa près d'elle sur le rebord de la fenêtre pendant qu'elle mangeait ses gâteaux et ses glaces. Rilla regarda autour d'elle en se disant que son premier bal était merveilleux. Jamais elle ne l'oublierait!

Il y eut un peu de chahut près de la porte où étaient massés une bande de garçons. Un jeune homme se fraya un chemin et s'arrêta sur le seuil, regardant autour de lui d'un air plutôt sombre. C'était Jack Elliott qui habitait de l'autre côté du port, un étudiant en médecine de McGill, réservé et peu habitué aux mondanités. Il avait été invité à la soirée et on ne s'attendait pas à ce qu'il vînt car il devait se rendre à Charlottetown ce jour-là et ne rentrer que très tard. Il était pourtant là, et tenait à la main une feuille pliée.

Gertrude Oliver le regarda et frissonna de nouveau. Elle avait finalement apprécié la fête, car elle y avait rencontré un vieil ami de Charlottetown. Comme ce dernier ne connaissait pas grand-monde et qu'il était beaucoup plus âgé que la plupart des invités, il se sentait plutôt isolé et avait été heureux de converser avec cette fille intelligente capable de commenter les événements mondiaux avec autant d'esprit et de vigueur qu'un homme. Toute au plaisir de sa compagnie, Gertrude avait oublié les mauvais pressentiments qu'elle avait eus pendant la journée. Mais voilà que tout lui revenait. Quelles nouvelles Jack Elliott apportait-il? Des bribes d'un ancien poème se présentèrent spontanément à son esprit: *Un bruit de tonnerre résonna dans la nuit. Chut! Écoutez! Ne dirait-on pas un glas qui retentit?* Pourquoi pensait-elle à ces mots? Et pourquoi Jack Elliott se taisait-il, s'il avait quelque chose à dire?

«Demandez-lui ce qui se passe, demandez-lui», pressa-t-elle Allan Daly d'un ton fébrile. Mais quelqu'un d'autre l'avait devancé. Le silence tomba tout à coup sur la pièce. Dehors, le violoniste s'étant arrêté de jouer un instant, le silence régnait aussi. On entendait au loin la plainte profonde de l'océan, indiquant qu'une tempête se déchaînait déjà sur l'Atlantique. Le rire d'une jeune fille s'éleva dans les rochers puis mourut, comme chassé par l'immobilité soudaine.

«L'Angleterre a déclaré la guerre à l'Allemagne aujourd'hui, prononça lentement Jack Elliott. La nouvelle venait d'être télégraphiée lorsque j'ai quitté la ville.»

«Que Dieu nous vienne en aide, chuchota Gertrude Oliver. Mon rêve, c'est mon rêve! La première vague vient de se briser.» Elle regarda Allan Daly et essaya de sourire.

«Est-ce Armageddon?» demanda-t-elle.

«J'en ai bien peur», répondit-il gravement.

Un chœur d'exclamations venait de s'élever autour d'eux, pour la plupart légèrement surprises et vaguement intéressées. Rares étaient les personnes présentes qui saisissaient l'importance du message, et plus rares encore celles qui comprenaient ce que cela signifiait pour elles. Quelques instants plus tard, la danse reprenait et les gazouillements de plaisir étaient aussi forts qu'avant. Gertrude et Allan Daly commentèrent la nouvelle à voix basse et troublée. Devenu pâle, Walter Blythe avait quitté la pièce. Dehors, il croisa Jem qui gravissait en courant les marches de pierre.

«As-tu appris la nouvelle, Jem?»

«Oui. Le Joueur de pipeau est venu. Hourra! Je savais bien que l'Angleterre ne laisserait pas tomber la France. J'essayais de trouver le Capitaine Josiah pour qu'on hisse le drapeau, mais il dit qu'il vaut mieux attendre au lever du soleil. Selon Jack, on va faire appel aux volontaires dès demain.»

«Que de chichis pour rien!» s'exclama Mary Vance avec dédain au moment où Jem passait à toute vitesse devant elle. Elle était assise sur une cage à homards en compagnie de Miller Douglas. En plus d'être dénué de romantisme, ce siège était tout à fait inconfortable, et pourtant Mary et Miller s'y trouvaient parfaitement heureux. Miller était un grand gaillard mal dégrossi pour qui la conversation de Mary Vance était un délice, et ses yeux blancs, une merveille. Aucun des deux ne soupçonnait pourquoi Jem Blythe voulait hisser le drapeau du phare. «Qu'est-ce que ça peut faire qu'il y ait la guerre en Europe? Ça ne nous concerne pas.»

Walter la regarda et eut une vision prémonitoire. Lorsqu'il parla, ce fut comme si quelqu'un d'autre s'exprimait par sa bouche.

«Avant que cette guerre soit finie, dit-il, tous les hommes, toutes les femmes, tous les enfants du Canada l'auront sentie. Toi aussi, Mary, tu seras atteinte jusqu'au cœur. Tu verseras des larmes de sang. Le Joueur de pipeau est venu, et il va jouer jusqu'à ce que sa musique terrible et irrésistible soit entendue dans tous les coins du monde. Il faudra attendre des années avant que cesse la danse macabre, des années, Mary. Et pendant ces années, des millions de cœurs seront brisés.»

«Quelle idée!» s'écria Mary, comme elle le faisait toujours quand elle était à court d'argument. Elle ignorait ce que signifiaient les paroles de Walter, mais se sentait mal à l'aise. Walter Blythe tenait toujours de si étranges propos.

«Tu n'y vas pas un peu fort, Walter? demanda Harvey Crawford qui venait d'arriver. Cette guerre ne va pas durer des années. Ce sera fini dans un mois ou deux. L'Angleterre va effacer l'Allemagne de la carte en criant lapin.»

«Tu penses vraiment qu'une guerre pour laquelle l'Allemagne se prépare depuis vingt ans ne va durer que quelques semaines? reprit Walter d'une voix passionnée. Il ne s'agit pas d'une misérable bagarre dans les Balkans, Harvey. C'est un combat à mort. L'Allemagne veut vaincre ou mourir. Et sais-tu ce qui va arriver si elle gagne? Le Canada va devenir une colonie allemande.»

«Eh bien, j'imagine qu'on va réagir avant d'en être réduits à cette extrémité, rétorqua Harvey en haussant les épaules. Il faudrait d'abord que la marine britannique soit anéantie, et puis n'oublie pas que Miller, ici présent, et moi-même, nous ne le permettrions pas, pas vrai, Miller? Non, les Allemands ne sont pas à la veille de nous conquérir!»

Et Harvey dévala les marches en s'esclaffant.

«C'est incroyable les âneries que vous pouvez raconter, vous autres, les gars!» s'écria Mary Vance, excédée. Elle se leva et entraîna Miller sur la grève. Ils n'avaient pas souvent la possibilité de se parler et Mary était déterminée à ce que leur plaisir ne soit pas gâché par les propos stupides de Walter sur les Allemands, les joueurs de pipeau et autres absurdités du même genre. Ils abandonnèrent donc Walter sur les marches de pierre, à contempler la beauté de Four Winds avec des yeux qui ne la voyaient pas.

La meilleure partie de la soirée était également terminée pour Rilla. Depuis que Jack Elliott avait annoncé cette nouvelle, Rilla avait l'impression que Kenneth ne pensait plus à elle. Elle se sentit soudain abandonnée et malheureuse. C'était encore pire que s'il ne lui avait jamais prêté aucune attention. La vie était-elle ainsi une chose merveilleuse qui vous arrivait pour ensuite vous échapper, dès l'instant où on commençait à y prendre plaisir? Rilla songea pathétiquement qu'elle avait vieilli de plusieurs années en cette seule soirée. C'était peut-être vrai, comment savoir? Il ne faut pas se moquer des angoisses de la jeunesse. Elles sont vraiment douloureuses parce que les jeunes n'ont pas encore appris que «tout passe...»

«Fatiguée?» demanda Kenneth. Le ton était gentil, mais absent, oh! si absent. Qu'elle fût fatiguée ou non, il s'en fichait totalement, pensa-t-elle.

«Kenneth, risqua-t-elle timidement, tu ne crois pas que la guerre va nous toucher, ici, au Canada?»

«Nous toucher? Bien sûr que cela va toucher les chanceux qui pourront y prendre part. Moi, je ne le pourrai pas, à cause de cette satanée cheville. J'appelle ça de la malchance.»

«Je ne vois pas pourquoi nous devrions nous mêler des batailles de l'Angleterre, cria Rilla. Elle n'a absolument pas besoin de nous.»

«Là n'est pas la question. Nous faisons partie de l'Empire britannique. C'est une affaire de famille. Nous devons nous défendre mutuellement. Le pire de cette histoire, c'est que tout sera fini avant que j'aie pu être de quelque utilité.»

«Veux-tu dire que sans ta cheville, tu te porterais vraiment volontaire?» demanda Rilla, incrédule.

«Bien entendu. Ils seront des milliers à le faire. Jem va y aller, j'en mettrais ma main au feu. Quant à Walter, je suppose qu'il n'est pas encore assez fort. Et Jerry Meredith va s'enrôler aussi, c'est évident! Dire que je m'inquiétais de ne pas pouvoir jouer au football cette année!»

Rilla était trop stupéfaite pour répondre. Jem... et Jerry! C'était insensé! Jamais ni son père ni M. Meredith ne le permettraient. Ils n'avaient même pas terminé leurs études. Oh! Pourquoi Jack Elliott n'avait-il pas gardé ses mauvaises nouvelles pour lui?

Mark Warren vint lui demander de lui accorder une danse. Rilla accepta, sachant que Kenneth s'en fichait. Sur la plage, une heure auparavant, il la regardait comme si elle était unique au monde. À présent, elle ne comptait plus. Toutes ses pensées étaient pour ce grand jeu qui serait joué sur des champs de bataille souillés de sang et dont les enjeux étaient des empires, un jeu où les femmes n'auraient aucun rôle. Les femmes, songea tristement Rilla, n'auraient qu'à rester à la maison et à pleurer. Mais tout cela était absurde. Kenneth ne pourrait y aller, il l'admettait lui-même et, Dieu merci, Walter en était incapable. Quant à Jem et Jerry, ils feraient preuve de davantage de bon sens. Elle n'avait pas à s'inquiéter, elle devait s'amuser. Mais comme Mark Warren était empoté! Comme il dansait mal! Pourquoi, grand Dieu, les garçons qui ne connaissaient rien à la danse et, qui plus est, avaient les pieds comme des bateaux s'obstinaient-ils à danser?

Elle dansa avec d'autres, mais son enthousiasme était tombé et elle commençait à prendre conscience que ses escarpins la blessaient terriblement. Kenneth semblait être parti, on ne le voyait plus nulle part. Sa première soirée était gâchée, après lui être apparue si merveilleuse. Elle avait mal à la tête et ses orteils brûlaient. Et le pire était encore à venir. Elle était descendue sur la grève avec des amis de l'autre côté du port. Ils avaient flâné là pendant que les danses se poursuivaient. Fatigués, ils profitaient de la fraîcheur agréable. Rilla resta silencieuse, refusant de prendre part aux conversations animées. Elle fut contente lorsqu'on leur annonça que les bateaux étaient sur le point de partir. Tout le monde se bouscula alors en riant sur les rochers. Quelques couples dansaient encore dans le pavillon, mais la foule s'était dispersée. Rilla chercha des yeux le groupe qui rentrait au Glen mais ne vit personne. Elle courut au phare. Ils n'étaient pas là non plus. Consternée, elle se précipita vers l'escalier de pierre où se pressaient les invités qui venaient de l'autre côté du port. Elle aperçut les bateaux en bas, mais où étaient celui de Jem, celui de Joe?

«Mon Dieu, Rilla Blythe, je te croyais partie depuis

longtemps, dit Mary Vance qui agitait son écharpe en
direction d'une embarcation qui s'éloignait dans le canal,
manœuvrée par Miller Douglas.

«Où sont les autres?» bredouilla Rilla.

«Eh bien, ils sont partis. Jem est rentré il y a une heure,
car Una avait mal à la tête. Et les autres sont partis avec Joe
depuis quinze minutes. Regarde, ils sont en train de con-
tourner la Pointe des Bouleaux. Je ne les ai pas accompagnés
parce que la mer commençait à être mauvaise et je savais que
je serais malade. Ça ne me dérange pas de rentrer à pied. La
maison n'est qu'à un mille et demi. J'étais sûre que tu étais
partie. Où étais-tu?»

«En bas, sur la grève, avec Jem et Mollie Crawford. Oh!
Pourquoi ne m'ont-ils pas cherchée?»

«Ils t'ont cherchée, mais ne t'ont pas trouvée. Alors chacun a cru que tu avais pris l'autre bateau. Ne t'en fais pas. Tu
pourras passer la nuit chez moi et nous téléphonerons à
Ingleside pour leur expliquer la situation.»

Rilla comprit qu'il n'y avait rien d'autre à faire. Ses lèvres
tremblèrent et ses yeux se remplirent de larmes. Elle cligna
rageusement les yeux. Il n'était pas question que Mary Vance
la vît pleurer. Mais avoir été oubliée comme ça! Penser que
personne, pas même Walter, n'avait jugé qu'il valait la peine
de s'assurer qu'elle était bien partie. Puis une pensée épouvantable lui vint à l'esprit.

«Mes chaussures! s'exclama-t-elle. Je les ai laissées dans
le bateau.»

«Eh bien, ma foi, tu es la fille la plus étourdie que je
connaisse, commenta Mary. Tu devras demander à Hazel
Lewison de te prêter une paire de souliers.»

«Jamais! cria Rilla. Je préfère marcher pieds nus.»

Mary haussa les épaules.

«À ta guise. Il faut souffrir pour être belle. Cela t'ap-
prendra à faire plus attention. Bon, eh bien, allons-y.»

Elles se mirent donc en route. Mais marcher sur un
chemin raboteux et caillouteux dans de minces escarpins

argentés à talons hauts n'est pas des plus exaltant. Rilla réussit tout de même à boitiller jusqu'à la route du port. Mais elle fut incapable de faire un pas de plus dans ces exécrables souliers. Elle les enleva donc et enleva aussi ses jolis bas de soie. Marcher pieds nus n'était cependant pas plus plaisant. Elle avait les pieds très sensibles et les cailloux les blessaient. Ses talons couverts d'ampoules brûlaient. Pourtant, la douleur physique n'était rien comparée à l'humiliation qu'elle subissait. Elle était dans de beaux draps! Si Kenneth Ford la voyait à présent, claudiquant comme une fillette au pied bot! Oh! Quelle agréable fin de soirée! Il fallait qu'elle pleure, c'était trop affreux! Personne ne l'aimait, personne ne se souciait d'elle! Elle essuya furtivement ses larmes avec son écharpe, ses mouchoirs ayant pris le même chemin que ses chaussures. Elle ne put cependant s'empêcher de renifler. Cela allait de mal en pis!

«Tu as attrapé un rhume, à ce que je vois, remarqua Mary Vance. Tu aurais dû le prévoir, aussi, quand tu t'es assise sur la grève avec ce vent. Ta mère n'est pas à la veille de t'autoriser de nouveau à sortir, c'est moi qui te le dis! La fête a été très réussie. Les Lewison savent faire les choses, on ne peut pas dire le contraire, même si Hazel Lewison ne me plaît pas plus que ça. Tu aurais dû leur voir l'air, à elle et à cette petite effrontée d'Ethel Reese, quand elles t'ont vue danser avec Ken Ford! Quel don juan, celui-là!»

«Ce n'est pas mon avis», protesta Rilla avec autant d'assurance que ses reniflements le lui permettaient.

«Tu connaîtras mieux les hommes quand tu auras mon âge, répliqua Mary Vance avec condescendance. Tu sais, il ne faut pas croire tout ce qu'ils racontent. Il ne faudrait pas que Ken Ford pense qu'il n'a qu'à laisser tomber son mouchoir pour que tu lui tombes toute rôtie dans le bec. Montre-toi plus fière que ça, petite.»

C'était insupportable de se faire faire la leçon ainsi par Mary Vance! Insupportable de marcher sur ce chemin rocailleux quand on avait les pieds nus et couverts d'ampoules!

Et insupportable de pleurer quand on n'avait pas de mouchoir et qu'on était incapable de s'arrêter!

«Je ne pense pas... snif... du tout... snif snif... à Kenneth», cria Rilla, à la torture.

«Tu n'as pas besoin de sortir de tes gonds, petite. Il faudrait que tu laisses tes aînés te donner des conseils. Je t'ai vue quand tu t'es éclipsée sur la plage avec Ken et je sais combien de temps tu es restée avec lui. Ta mère ne serait pas contente si elle l'apprenait.»

«Je vais tout raconter à ma mère, et à Mlle Oliver, et à Walter, bredouilla Rilla entre ses reniflements. Toi, tu es restée assise des heures sur cette cage à homards avec Miller Douglas, Mary Vance! Qu'est-ce que Mme Elliott dirait si elle le savait?»

«Oh! Je n'ai pas l'intention de me disputer avec toi, dit Mary, reprenant ses distances. Tout ce que je dis, c'est que tu devrais attendre d'avoir grandi pour faire des choses comme ça.»

Rilla cessa d'essayer de camoufler ses larmes. Tout était gâché; même l'heure merveilleusement romantique passée sur la plage avec Kenneth était devenue quelque chose de vulgaire, avait perdu toute sa valeur. Elle détesta Mary Vance.

«Grand Dieu, qu'est-ce qui t'arrive? s'écria Mary, déconcertée. Pourquoi pleures-tu?»

«J'ai tellement mal aux pieds», sanglota Rilla, se cramponnant à ce qui restait de sa fierté. C'est moins humiliant d'admettre qu'on pleure à cause de ses pieds que parce qu'une personne s'est moquée de vous, que vos amis vous ont oubliée et que les autres vous traitent de haut.

«Ça ne m'étonne pas, fit Mary, plutôt gentiment. Il y a un pot de graisse d'oie dans l'armoire de Cornelia et c'est bien plus efficace que toutes les crèmes du monde. Je vais en appliquer sur tes talons avant que tu ailles te coucher.»

De la graisse d'oie sur ses talons! C'était son premier bal, son premier amoureux, sa première idylle au clair de lune, et voilà comme tout cela se terminait!

Dégoûtée de la futilité des larmes, Rilla cessa de pleurer et c'est calme et désespérée qu'elle alla se coucher dans le lit de Mary Vance. Dehors, une aube grisâtre se levait sur les ailes d'une tempête. Tenant parole, le Capitaine Josiah hissa le Union Jack au phare de Four Winds. Contre un ciel couvert, le drapeau se déploya au vent mauvais, semblable à un appel vibrant que rien ne ferait taire.

5

La fièvre du départ

Rilla courut dans l'érablière ensoleillée derrière Ingleside et se réfugia dans son coin favori de la vallée Arc-en-ciel. Elle s'assit sur une pierre couverte de mousse verdâtre, le menton dans ses paumes, et fixa sans le voir l'éblouissant ciel bleu de cet après-midi du mois d'août, si bleu, si paisible, si inchangé, le même ciel qu'elle avait toujours vu au-dessus de la vallée lors des douces journées de la fin de l'été.

Elle avait besoin de solitude. Il fallait qu'elle réfléchisse, qu'elle ajuste ses esprits, si toutefois c'était possible, à ce monde nouveau dans lequel elle semblait avoir été transplantée si brusquement, si complètement qu'elle n'était plus tout à fait sûre de sa propre identité. Était-elle, se pouvait-il qu'elle fût la même Rilla Blythe qui avait dansé au phare de Four Winds six jours plus tôt? Elle avait l'impression d'avoir autant vécu au cours de ces six journées que dans toute sa vie passée, c'est-à-dire si on pouvait mesurer le temps d'après le nombre de nos palpitations cardiaques. Cette soirée-là, avec ses espoirs, ses craintes, ses victoires et ses humiliations, semblait faire à présent partie de l'histoire ancienne. Pouvait-elle vraiment avoir pleuré seulement parce qu'on l'avait oubliée et qu'elle avait dû rentrer à pied avec Mary Vance? Ah! comme la cause de ses larmes lui paraissait à présent triviale et absurde. Elle avait désormais une véritable raison de pleurer, mais elle ne le ferait pas, il ne fallait pas qu'elle pleure. Qu'est-ce que sa mère avait dit, déjà, les lèvres exsangues et le regard fixe, dans une attitude que jamais Rilla ne lui avait vue auparavant?

Lorsque nos femmes manquent de courage
Comment nos hommes peuvent-ils se montrer braves?

Oui, c'était cela. Elle devait faire preuve de courage, comme sa mère, Nan et Faith, Faith qui s'était écriée, les yeux brillants: «Oh! Si seulement j'étais un homme, je partirais, moi aussi!» Mais lorsque ses yeux lui faisaient mal et que sa gorge brûlait comme en ce moment, il fallait qu'elle aille se cacher dans la vallée Arc-en-ciel, pour réfléchir et se rappeler qu'elle n'était plus une enfant. Elle était désormais une femme, et les femmes doivent faire face à de telles réalités. Mais c'était bien de pouvoir se retrouver seule de temps en temps, là où personne ne pouvait la voir et où elle n'avait pas à craindre que les gens la trouvent lâche si, malgré sa volonté, des larmes montaient à ses yeux.

Comme les fougères embaumaient! Comme les grosses branches duveteuses des sapins oscillaient et murmuraient doucement au-dessus d'elle! Comme les clochettes des Arbres amoureux tintaient féeriquement, faisant à l'occasion entendre une note, lorsque la brise soufflait sur elles! Comme la brume évanescente et mauve ressemblait à de l'encens qu'on faisait brûler sur l'autel des collines! Comme les feuilles des érables blanchissaient dans le vent, jusqu'à ce que tout le bosquet parût couvert de pâles fleurs d'argent! Tout était exactement pareil à ce que cela avait été des centaines de fois, et pourtant, on aurait dit que toute la face du monde était changée.

«Comme j'ai été méchante de souhaiter qu'il se passe

quelque chose de dramatique! songea-t-elle. Oh! Si seulement nous pouvions retrouver notre ancienne routine si agréable! Jamais plus je ne m'en plaindrais!»

L'univers de Rilla s'était écroulé le lendemain même de la réception. La famille s'était attardée à la table après le dîner, pour parler de la guerre. C'est alors que le téléphone avait sonné. C'était un appel interurbain de Charlottetown pour Jem. Lorsqu'il eut raccroché, il se tourna, le teint animé et les yeux brillants. Il n'avait pas encore prononcé une parole que sa mère, Nan et Di avaient pâli. Quant à Rilla, elle eut pour la première fois de sa vie la sensation que tout le monde devait entendre battre son cœur et que quelque chose avait agrippé sa gorge.

«Ils font appel aux volontaires en ville, papa, annonça Jem. Plein de gars ont déjà répondu. Je vais le faire ce soir.»

«Oh! Petit Jem», cria Mme Blythe, la voix brisée. Elle ne lui avait pas donné ce surnom depuis le jour où il s'était rebellé contre cette habitude, il y avait des années. «Oh! Non, non, Petit Jem!»

«Je dois le faire, maman. J'ai raison, n'est-ce pas, papa?» demanda Jem.

Le Dr Blythe s'était levé. Il était livide, lui aussi, et sa voix était grave. Pourtant il n'hésita pas un instant.

«Oui, Jem, oui, si c'est ainsi que tu vois la chose, oui...»

Mme Blythe s'était couvert le visage. Walter fixait maussadement son assiette. Nan et Di joignirent leurs mains. Shirley essaya de prendre un air indifférent. Susan resta comme paralysée sur sa chaise, devant sa pointe de tarte à demi mangée.

Jem retourna au téléphone. «Il faut que j'appelle au presbytère. Jerry voudra venir, lui aussi.»

Nan poussa alors un cri comme si on venait de lui plonger un poignard dans le corps et sortit en courant de la pièce. Di la suivit. Rilla se tourna du côté de Walter pour se faire réconforter, mais Walter était perdu dans un rêve qu'elle ne pouvait partager.

«C'est parfait, disait Jem, avec la même désinvolture que s'il était en train d'organiser un pique-nique, j'étais sûr que tu serais d'accord... oui, ce soir... le train de sept heures... retrouve-moi à la gare. À tout à l'heure.»

«Chère Mme Docteur, dit Susan, pincez-moi. Je ne sais plus si je rêve ou si je suis éveillée. Est-ce que ce cher garçon sait ce qu'il dit? Est-ce qu'il veut vraiment aller s'enrôler comme soldat? Vous n'allez quand même pas me dire qu'ils prennent des enfants comme lui! C'est une honte! Mais le docteur et vous ne le permettrez pas.»

«Nous ne pouvons l'en empêcher, fit Mme Blythe d'une voix étranglée. Oh! Gilbert!»

Le Dr Blythe alla se placer derrière Anne et lui prit gentiment la main. Il plongea son regard dans les doux yeux gris de sa femme, ces yeux dans lesquels il avait déjà lu la même supplication douloureuse. Tous deux songèrent à ce jour où, des années auparavant, la petite Joyce était morte à la Maison de rêve.

«Tu voudrais qu'il reste, Anne, alors que les autres y vont et qu'il croit que c'est son devoir? Tu voudrais qu'il soit égoïste et veule?»

«Non... non! Mais... oh! c'est notre fils aîné... il est encore si jeune, Gilbert... J'essayerai de me montrer courageuse... Mais laisse-moi un peu de temps, à présent, c'est impossible. C'est si soudain. Laisse-moi le temps!»

Le docteur et sa femme quittèrent la pièce. Jem était parti, Walter aussi et Shirley se levait pour sortir à son tour. Rilla et Susan se retrouvèrent seules à se dévisager, d'un côté et de l'autre de la table désertée. Rilla n'avait pas encore pleuré, elle était trop étourdie. Puis, elle s'aperçut que Susan pleurait, Susan que jamais elle n'avait vu verser une larme.

«Oh! Susan! Est-ce qu'il va vraiment y aller?» demanda-t-elle.

Susan épongea ses yeux, déglutit et se leva. «Je vais laver la vaisselle. Il faut que ces choses soient faites, même si tout le monde est en train de devenir fou. Allons, chérie, ne pleure pas. Jem va y aller, ça fait aucun doute, mais la guerre sera finie avant qu'il ait eu le temps d'arriver à proximité. Ressaisissons-nous. Il faut pas inquiéter ta pauvre maman.»

«Dans l'*Enterprise* d'aujourd'hui, on écrit que d'après Lord Kitchener, la guerre va durer trois ans», reprit Rilla, perplexe.

«J'connais pas ce Lord Kitchener, rétorqua Susan d'un ton posé, mais j'imagine qu'il n'est pas infaillible. Ton père dit que ce sera l'affaire de quelques mois et j'me fie davantage à son opinion qu'à celle de ton Lord Machin Chouette.»

Jem et Jerry se rendirent à Charlottetown ce soir-là et rentrèrent deux jours plus tard en uniforme. Le village en fut tout excité. À Ingleside, l'atmosphère était désormais tendue, fébrile. Mme Blythe et Nan se montraient merveilleusement braves et souriantes. Mme Blythe et Mlle Cornelia avaient déjà commencé à mettre sur pied une unité de la Croix-Rouge. Le docteur et M. Meredith enrôlaient les hommes dans une société patriotique. Après le premier choc, Rilla réagit, malgré son cœur brisé, au romantisme de la situation. C'était vrai que Jem était superbe en uniforme. C'était valorisant de penser à tous ces jeunes Canadiens répondant si rapidement, vaillamment et généreusement à l'appel de leur pays. Rilla marchait la tête haute devant les filles dont les frères n'avaient pas répondu. Elle écrivit cette citation dans son journal intime :

Agir comme lui, j'aurais voulu le faire,
Eussé-je été fils plutôt que fille de mon père

Elle le pensait vraiment. Si elle était un garçon, c'était évident qu'elle irait, elle aussi. Elle n'en doutait pas le moindrement.

Elle se demanda si c'était très mal de sa part d'être heureuse que Walter ne se fût pas rétabli aussi vite qu'on l'espérait après sa maladie.

«Je ne pourrais tout simplement pas supporter que Walter

s'en aille, écrivit-elle. J'adore Jem, mais Walter est plus important pour moi que n'importe qui au monde, et s'il devait partir, j'en mourrais. Il n'est plus le même depuis quelque temps. C'est à peine s'il m'adresse la parole. Il doit avoir envie d'y aller, lui aussi, et avoir de la peine parce que c'est impossible. Il se tient à l'écart de Jem et de Jerry. Jamais je n'oublierai l'expression de Susan lorsque Jem est arrivé en uniforme. On aurait dit qu'elle allait fondre en larmes, mais elle a simplement dit: "Tu as presque l'air d'un homme dans cet habit, Jem." Jem a éclaté de rire. Ça lui est égal à lui que Susan le considère encore comme un enfant. À part moi, tout le monde a l'air occupé. J'aimerais me rendre utile, mais on dirait qu'il n'y a aucune tâche pour moi. Maman, Nan et Di n'arrêtent pas une minute pendant que j'erre comme une âme en peine. Ce qui me fait le plus mal, c'est de voir les sourires artificiels de maman et de Nan. Les yeux de maman ne rient plus. Alors je me sens coupable quand je ris ou que j'ai envie de rire. Et c'est si difficile pour moi de m'en empêcher, même quand je sais que Jem va devenir soldat. Lorsque je ris, pourtant, je n'éprouve plus le même plaisir. Il se cache quelque chose derrière ce rire qui me fait constamment mal, surtout quand je me réveille, la nuit. Alors je pleure parce que j'ai peur que ce Kitchener de Khartoum ait raison: la guerre va durer des années et Jem sera peut-être... non, je refuse d'écrire le mot. Si je l'écrivais, j'aurais l'impression que cela va vraiment se produire. L'autre jour, Nan m'a dit que plus rien ne serait pareil pour nous désormais. Cela m'a révoltée. Pourquoi les choses ne seraient-elles pas pareilles lorsque la guerre sera finie et que Jem et Jerry seront de retour? Nous aurons alors le cœur léger comme avant et cette histoire ne sera plus qu'un mauvais rêve.

«L'arrivée du courrier est devenue l'événement le plus important de la journée, à présent. Papa saute sur le journal — jamais je ne l'avais vu faire cela avant — et le reste de la famille se presse autour de lui pour lire les gros titres par-dessus son épaule. Susan a beau jurer qu'elle ne croit pas et ne croira jamais un mot de ce que racontent les journaux, cela ne l'empêche pas de venir écouter à la porte de la cuisine avant de repartir en secouant la tête. Elle est tout le temps indignée, mais elle prépare quand même tous les mets préférés de Jem et elle n'a rien dit hier quand elle a trouvé Lundi endormi dans le lit de la chambre d'ami, sur la courte-pointe de Mme Rachel Lynde à motif de feuilles de pommier. "Pauvre bête, la Providence seule sait où ton maître devra dormir dans quelque temps", a-t-elle dit en le chassant gentiment de la pièce. Elle n'a cependant pas changé d'attitude à l'égard de Doc. Elle prétend que dès l'instant où il a vu Jem en uniforme, il est devenu M. Hyde et qu'à son avis, c'est suffisant pour prouver sa véritable nature. Susan est drôle, mais elle est adorable. Shirley dit que la moitié d'elle est un ange et l'autre moitié, un cordon bleu. Il faut dire qu'il est le seul que Susan ne gronde jamais.

«Faith Meredith est extraordinaire. Je crois qu'elle est vraiment fiancée à Jem à présent. Elle a toujours une lumière dans les yeux, mais son sourire est un peu raide et empesé, comme celui de maman. Je me demande si je pourrais démontrer le même courage si j'avais un amoureux qui s'en allait à la guerre. C'est déjà suffisamment triste quand c'est notre frère. Mme Meredith raconte que son fils Bruce a pleuré toute la nuit quand il a appris que Jem et Jerry seraient soldats. Et il voulait savoir si le "K de K" dont parlait son père était le Roi des Rois, le "King of Kings", comme on dit en anglais. C'est un gamin si mignon. Je l'adore, même si les enfants ne m'attirent pas beaucoup. Je n'aime pas du tout les bébés et quand je le dis, les gens me regardent comme si je venais de proférer une insanité. Eh bien, c'est vrai que je ne les aime pas, je l'avoue franchement. Je veux bien regarder un beau bébé bien propre quand il est dans les bras d'une autre personne, mais pour rien au monde je ne voudrais le toucher et cela ne m'intéresse pas une miette. Gertrude Oliver m'a confié qu'elle ressent la même chose que moi et elle est la personne la plus honnête que je connaisse. Elle ne joue jamais de jeu. Elle dit que les bébés l'ennuient jusqu'à ce qu'ils aient atteint l'âge de parler. C'est alors qu'elle commence à les apprécier. Maman, Nan et Di raffolent des poupons et ont l'air de me trouver inhumaine parce que je pense différemment.

«Je n'ai pas revu Kenneth depuis le soir de la réception. Il est venu un soir après le retour de Jem mais j'étais absente. Je ne pense pas qu'il ait mentionné mon nom, du moins personne ne me l'a dit et j'étais décidée à ne pas poser la question. De toute façon, je m'en fous. Tout cela m'est parfaitement égal à présent. Une seule chose importe: Jem, mon beau grand frère Jem, s'est porté volontaire pour le service actif et il part pour Valcartier dans quelques jours. Oh! Je suis si fière de lui!

«J'imagine que s'il n'avait pas mal à la cheville, Kenneth s'enrôlerait, lui aussi. À mon avis, cette blessure est absolument providentielle. Il est le seul fils de sa mère, et quel chagrin elle aurait s'il partait. Les fils uniques ne devraient jamais songer à aller à la guerre!»

Walter se promenait dans la vallée, la tête penchée et les mains derrière le dos. En apercevant Rilla, il fit brusquement volte-face. Puis il changea tout à coup d'idée et s'approcha d'elle.

«À quoi penses-tu, Rilla-ma-Rilla?»

«Tout a tellement changé, répondit mélancoliquement Rilla. Même toi, tu as changé. Nous étions tous si heureux, il y a une semaine, et... et maintenant, je ne me reconnais plus. Je me sens perdue.»

Walter s'assit sur une pierre tout près et prit dans les siennes la petite main implorante de Rilla.

«Je crains que notre univers ne touche à sa fin, Rilla. Nous devons affronter cette réalité.»

«C'est si affreux de penser à Jem, poursuivit Rilla d'une voix plaintive. Il m'arrive d'oublier quelques instants la véritable signification de son départ et de me sentir fébrile et fière. Puis cela me revient comme un vent glacé.»

«J'envie Jem!» s'écria Walter, maussade.

«Tu envies Jem? Oh! Walter, tu n'as pas l'intention de partir toi aussi?»

«Non, répondit Walter, regardant droit devant lui le panorama émeraude de la vallée, non, je ne veux pas y aller. C'est là le problème, Rilla, j'ai peur d'y aller. Je suis un lâche.»

«C'est faux! protesta Rilla avec colère. Juste ciel, n'importe qui aurait peur! Tu pourrais... tu pourrais te faire tuer.»

«Cela me serait égal s'il n'y avait pas la souffrance physique, marmonna Walter. Ce n'est pas la mort elle-même qui me fait peur, c'est la douleur qui la précède. Le pire n'est pas de mourir, mais d'agoniser. J'ai toujours craint la douleur, tu le sais, Rilla. Ce n'est pas ma faute, mais je frémis à la pensée d'être mutilé ou... de perdre la vue. Je ne peux pas affronter cette éventualité, Rilla. Devenir aveugle, ne plus revoir la beauté du monde, le clair de lune sur Four Winds, les étoiles qui scintillent dans les sapins, le brouillard sur le golfe. Je devrais y aller, je devrais vouloir y aller, mais je ne peux pas... cette idée même me fait horreur... et j'ai honte, j'ai tellement honte.»

«Mais Walter, tu ne pourrais pas y aller de toute façon», dit Rilla d'un air éploré. L'idée que Walter finisse par aller à la guerre la rendait malade de terreur. «Tu n'es pas encore assez fort.»

«Je suis rétabli. J'ai retrouvé toute ma forme, depuis un mois. Je pourrais réussir n'importe quel examen, je le sais. Tout le monde pense que je ne suis pas assez fort, et je me cache derrière cette certitude. J'aurais dû naître fille», conclut Walter avec une amertume farouche.

«Même si tu étais suffisamment fort, tu ne devrais pas y aller, sanglota Rilla. Qu'est-ce que maman deviendrait? Le départ de Jem lui brise le cœur. Cela la tuerait si vous partiez tous les deux.»

«Oh! Ne t'inquiète pas, je ne partirai pas. Je te dis que j'ai peur, trop peur. J'aime autant voir la réalité en face. Je me sens soulagé de te l'avoir avoué, Rilla. Je ne l'admettrais devant personne d'autre. Nan et Di me mépriseraient. Mais je déteste tout cela, l'horreur, la souffrance, la laideur. La guerre n'est pas un uniforme kaki ni une parade de soldats. Tout ce que j'ai lu dans les vieux livres d'histoire m'obsède. Je n'arrive pas à fermer l'œil de la nuit tellement je vois tout ce qui est déjà arrivé, je vois le sang, la hideur et la misère. Et une charge de baïonnette! Jamais je ne pourrais affronter cela! Cela me rend malade d'y penser, encore plus malade quand je pense à la donner qu'à la recevoir. Enfoncer une baïonnette dans le corps d'un autre homme!» Walter grimaça et frissonna. «Cela m'obsède, et j'ai l'impression que Jem et Jerry n'y pensent jamais. Ils rient en parlant de "tuer les Allemands"! Mais cela me rend fou de les voir en uniforme. Et ils croient que je suis de mauvais poil parce que je ne peux pas y aller.» Walter éclata d'un rire amer. «Ce n'est pas très agréable de se sentir lâche.»

Mais Rilla l'entoura de ses bras et blottit sa tête contre son épaule. Elle était heureuse qu'il ne veuille pas aller à la guerre et, pendant un instant, elle avait eu si peur. C'était un tel bonheur que Walter lui confie ses problèmes, à elle plutôt qu'à Di. Elle ne se sentait plus si délaissée, si inutile.

«Tu ne me trouves pas méprisable, Rilla-ma-Rilla?» demanda tristement Walter. D'une certaine façon, il souffrait à la pensée que Rilla eût pu le mépriser, autant que si cela avait été Di. Il prenait soudainement conscience à quel point il aimait son adorable petite sœur avec son regard interrogateur et son expression juvénile et troublée.

«Non, pas du tout. Mon Dieu, Walter, des centaines de personnes éprouvent la même chose que toi. Tu connais ce vers de Shakespeare dans notre ancien manuel de lecture de cinquième année: "L'homme courageux n'est pas celui qui ignore la peur."»

«Non, mais "celui dont l'âme noble soumet sa peur". Ce n'est pas mon cas. On ne peut pas se cacher la vérité, Rilla. Je suis un pleutre.»

«Ce n'est pas vrai. Rappelle-toi ta bagarre avec Dan Reese, autrefois.»

«Une seule manifestation de courage ne suffit pas à combler une vie.»

«Walter, une fois, j'ai entendu papa dire que ton problème, c'était ta nature trop sensible et ton imagination trop vive. Tu sens les choses avant qu'elles se produisent, et tu es tout seul pour les sentir, il n'y a personne pour t'aider à les supporter, pour t'en délivrer. Il n'y a rien dont tu doives avoir honte. Lorsque Jem et toi vous êtes brûlé les mains il y a deux ans, quand on a mis le feu aux herbes des dunes, Jem s'est plaint de la douleur deux fois plus que toi. Quant à cette horrible guerre, il y aura suffisamment de soldats pour la faire. Elle ne durera pas longtemps.»

«J'aimerais te croire. Eh bien, c'est l'heure du souper, Rilla. Tu ferais mieux de te hâter. Moi, je n'ai pas faim.»

«Moi non plus. Je serais incapable d'avaler une bouchée. Laisse-moi te tenir compagnie, Walter. Cela fait tellement de bien de discuter de ces choses avec quelqu'un. Les autres me jugent tous trop jeune pour comprendre.»

Ils restèrent donc ainsi dans la vallée jusqu'à ce que l'étoile du soir commence à briller au-dessus de la sapinière à travers un léger nuage gris pâle et qu'une pénombre embaumée et humide envahisse leur refuge sylvestre. Ce fut l'une de ces soirées dont Rilla allait chérir le souvenir toute sa vie. C'était la première fois que Walter s'adressait à elle comme à une femme et non plus comme à une enfant. Ils se réconfortèrent et se remontèrent mutuellement le moral. Walter sentit, du moins pendant cet instant, qu'il n'était plus aussi méprisable d'être terrifié par l'horreur de la guerre. Et Rilla était heureuse qu'il lui confiât ses conflits intérieurs, de sympathiser avec lui et de l'encourager. Elle était enfin importante pour quelqu'un.

De retour à Ingleside, ils trouvèrent des visiteurs assis sur la véranda. M. et Mme Meredith étaient venus du presbytère, et M. et Mme Norman Douglas, de leur ferme. La cousine

Sophia était également présente, assise en retrait avec Susan. Mme Blythe, Nan et Di étaient absentes, mais le Dr Blythe se trouvait à la maison, de même que Dr Jekyll, trônant majestueusement sur la première marche. Bien entendu, tout le monde parlait de la guerre, à l'exception de Dr Jekyll qui tenait son propre conseil et avait cet air arrogant que seuls les chats peuvent avoir. Ces jours-ci, lorsque deux personnes se rencontraient, la guerre était leur sujet de conversation. Le vieux Sandy l'Écossais de l'entrée du port en parlait même quand il était tout seul et hurlait, dans son champ, des malédictions au Kaiser. N'ayant envie de voir personne ni que personne ne le vît, Walter s'éclipsa, mais Rilla s'assit dans les marches, près d'une talle de menthe humide de rosée et dégageant un parfum insistant. C'était une soirée très calme; une lumière crépusculaire inondait le Glen. Rilla se sentait plus heureuse qu'à n'importe quel autre moment de cette affreuse semaine. Elle n'était plus obsédée par la crainte que Walter aille à la guerre.

«Si j'avais vingt ans de moins, j'irais, moi», vociférait Norman Douglas. Ce dernier vociférait toujours quand il était surexcité. «J'ferais voir un chien de ma chienne au Kaiser. Est-ce que j'ai déjà prétendu que l'enfer n'existait pas? C'est sûr qu'il en existe un, il y en a même des douzaines, des centaines, et c'est là que vont aller brûler le Kaiser et toute sa bande.»

«Je savais qu'il y aurait une guerre, dit Mme Norman d'un ton triomphant. Je la voyais venir. J'aurais pu prédire à tous ces stupides Anglais ce qui les attendait. Je vous ai dit, il y a des années, ce que le Kaiser était en train de manigancer, et vous n'avez pas voulu me croire, John Meredith. Vous m'aviez répondu que jamais il n'entraînerait le monde dans une guerre. Qui avait raison, John? Vous ou moi? Dites-le-moi.»

«Je dois admettre que c'est vous.»

«C'est trop tard pour l'admettre, à présent, poursuivit Mme Norman en secouant la tête, l'air d'insinuer que si John

Meredith l'avait admis plus tôt, la guerre aurait peut-être pu être évitée.

«Grâce à Dieu, la marine britannique est préparée», dit le docteur.

«Grâce à Dieu, en effet, approuva Mme Norman. Alors que la plupart des gens avaient l'air complètement aveugles, quelqu'un a eu assez de clairvoyance pour entraîner la marine.»

«L'armée britannique va écraser l'Allemagne, hurla Norman. Attendez de voir la bataille rangée et le Kaiser va s'apercevoir que la vraie guerre, c'est autre chose que de parader dans Berlin avec des moustaches gominées.»

«La Grande-Bretagne n'a pas d'armée, protesta Mme Norman d'un ton véhément. Ne me regarde pas comme ça, Norman. Ce n'est pas ton air indigné qui va transformer les épouvantails en soldats. Les millions d'Allemands ne vont faire qu'une bouchée des cent mille Anglais.»

«Une bouchée qui ne sera pas facile à avaler, insista loyalement Norman. L'Allemagne va se casser les dents dessus. C'est pas toi qui me disais qu'un seul Britannique valait dix étrangers?»

«On raconte, interrompit Susan, que le vieux M. Pryor ne croit pas en cette guerre. D'après ce qu'on m'a dit, il prétend que l'Angleterre n'est entrée en guerre que parce qu'elle est jalouse de l'Allemagne et qu'en réalité, elle se fiche complètement de ce qui arrive à la Belgique.»

«Je crois qu'il raconte des bêtises, dit Norman. En tout cas, moi, je ne l'ai pas entendu dire ça. Quand je l'entendrai, Moustaches-sur-la-lune va passer un mauvais quart d'heure. Kitty Alec, mon incomparable parente, est également de cet avis, d'après ce que j'ai compris. Elle s'abstient de le dire devant moi, cependant. Les gens ne tiennent pas ce genre de propos en ma présence. Ils ont le pressentiment que c'est préférable pour leur santé.»

«J'ai bien peur que cette guerre ne nous ait été envoyée comme un châtiment pour nos péchés, déclara cousine

Sophia, décroisant ses mains sur ses genoux pour les joindre pathétiquement sur sa poitrine. Le monde est méchant et le temps s'écoule.»

«Le pasteur ici présent a à peu près la même idée, gloussa Norman. Pas vrai, pasteur? C'est pour ça que votre sermon de l'autre soir portait sur le texte "Il n'y a pas de rémission des péchés si le sang n'est pas versé". Je n'étais pas d'accord avec vous, j'avais envie de me lever dans mon banc et de vous crier qu'il n'y avait pas une graine de bon sens dans vos paroles, mais Ellen m'a retenu. Depuis mon mariage, j'ai jamais plus le plaisir de m'obstiner avec les pasteurs.»

«Il n'y a pas d'évolution possible si le sang n'est pas versé, répondit M. Meredith de sa voix douce et rêveuse qui avait bizarrement le don de convaincre ses interlocuteurs. À mon avis, tout doit être payé par un sacrifice personnel. C'est le sang qui a marqué chacune des étapes de la douloureuse évolution de notre race. Et voilà qu'il doit encore en couler des torrents. Non, Mme Crawford, la guerre ne nous a pas été envoyée pour nous punir de nos péchés. Je crois que c'est le prix que l'humanité doit payer pour évoluer et connaître un progrès qui vaille ce prix. Nous n'en verrons peut-être pas les résultats, mais ce sera l'héritage que nous léguerons à nos petits-enfants.»

«Si Jerry se fait tuer, serez-vous du même avis?» demanda Norman, qui avait toujours eu son franc-parler et ne voyait aucune raison de changer. «Inutile de me donner des coups de pied dans les tibias, Ellen. Je veux savoir si le pasteur pense vraiment ce qu'il dit ou si ce n'est qu'un effet de rhétorique.»

M. Meredith avait frémi. Il avait passé une heure terrible seul dans son bureau le soir où Jem et Jerry étaient allés en ville. Il répondit néanmoins calmement.

«Peu importe ce que seront mes sentiments, cela ne modifiera pas ma conviction, mon assurance qu'un pays dont les fils sont prêts à donner leur vie quand vient le temps de le défendre sortira grandi de ce sacrifice.»

«Vous le pensez vraiment, pasteur. Je le vois quand les gens sont sincères. C'est un don que j'ai. C'est pour ça que je terrifie la majorité des pasteurs. Mais vous, je ne vous ai jamais pris en flagrant délit de mentir. J'espère que ça ne changera pas, ça me réconcilie avec le fait d'aller à l'église. Ça serait un tel réconfort, pourtant, une telle arme contre Ellen quand elle s'efforce de me civiliser. Bon, eh bien, faut que je traverse voir Ab Crawford une minute. Que les dieux vous bénissent.»

«Le vieux païen», maugréa Susan tandis que Norman s'éloignait à grandes enjambées. Susan n'arrivait pas à comprendre pourquoi Norman Douglas n'était pas foudroyé sur place lorsqu'il se mettait à insulter les ecclésiastiques de cette façon. Mais ce qui était stupéfiant, c'était que M. Meredith semblait apprécier son beau-frère.

Rilla aurait voulu qu'ils abordent un autre sujet que la guerre. Elle n'avait pas entendu parler d'autre chose depuis une semaine et commençait à en être fatiguée. À présent qu'elle ne craignait plus de voir Walter s'enrôler, elle éprouvait une certaine impatience. Mais elle supposa, avec un léger soupir, qu'il lui faudrait subir ce genre de propos pendant encore trois ou quatre mois.

6

Susan, Rilla et le chien Lundi
prennent une résolution

Le grand salon d'Ingleside était enseveli sous des monceaux de coton blanc. Le quartier général de la Croix-Rouge avait fait savoir qu'on aurait besoin de draps et de bandages. Nan, Di et Rilla travaillaient avec acharnement. Mme Blythe et Susan étaient montées à la chambre des garçons où elles vaquaient à une tâche plus personnelle. Les yeux secs, remplis d'angoisse, elles préparaient les bagages de Jem. Il devait partir pour Valcartier le lendemain matin. Elles avaient eu beau s'y attendre, la convocation n'avait pas été moins terrible.

Rilla faufilait l'ourlet d'un drap pour la première fois de sa vie. Après avoir appris le départ de Jem et avoir pleuré tout son soûl dans la pinède de la vallée, elle était allée voir sa mère.

«Maman, je veux faire quelque chose. Comme je ne suis qu'une fille, je ne peux pas participer à la guerre, mais il faut quand même que je me rende utile ici.»

«Nous avons reçu le coton pour les draps, avait répondu Mme Blythe. Tu peux aider Nan et Di à les coudre. Et puis, crois-tu que tu pourrais organiser une unité de la Croix-Rouge des jeunes avec d'autres filles de ton âge? Je pense que vous feriez du meilleur travail si vous n'étiez pas mêlées à des personnes plus âgées.»

«Mais maman, je n'ai aucune expérience dans ce genre de choses.»

«Au cours des prochains mois, nous aurons tous à faire des choses auxquelles nous ne sommes pas habitués, Rilla.»

«Eh bien, je vais essayer, maman, si tu m'expliques comment commencer. J'ai bien réfléchi et j'ai décidé que je devais me montrer aussi brave, héroïque et généreuse que possible», avait déclaré Rilla en appuyant sur les trois adjectifs.

Mme Blythe n'avait pas souri. Peut-être n'en avait-elle pas envie ou peut-être avait-elle senti qu'une détermination véritable se cachait derrière la prose romantique de Rilla. Voilà pourquoi cette dernière ourlait à présent des draps tout en organisant en pensée une Croix-Rouge des jeunes. Elle y prenait même du plaisir... à planifier, bien entendu, non pas à ourler. C'était intéressant et Rilla se découvrit un certain talent d'organisatrice qui l'étonna elle-même. Qui serait la présidente? Pas elle, les autres filles ne l'apprécieraient pas. Irene Howard? Non, d'une certaine façon, Irene ne jouissait pas d'autant de popularité qu'elle le méritait. Marjorie Drew? Non, Marjorie manquait de cran. Elle avait trop tendance à être d'accord avec la dernière personne qui lui donnait son avis. Betty Mead, si pondérée, compétente et diplomate? Oui, Betty était exactement celle qui convenait! Una Meredith serait trésorière et, si on insistait beaucoup, elle-même pourrait occuper le poste de secrétaire. Quant aux différents comités, ils seraient formés par la suite. Rilla savait néanmoins qui devrait composer chacun d'eux. Elles se réuniraient — il n'y aurait pas de goûter, il fallait que Rilla réussisse à faire admettre cette idée à Olive Kirk — et tout se passerait de façon protocolaire. Son livre de comptes rendus aurait une couverture blanche avec une croix rouge. Il serait bien aussi d'avoir un uniforme qu'elles porteraient aux concerts où elles solliciteraient des fonds, quelque chose de simple mais de joli.

«Tu as cousu l'ourlet du haut d'un côté et celui du bas de l'autre», lui fit remarquer Di.

Rilla défaufila ses points en songeant qu'elle détestait la couture. Il serait beaucoup plus valorisant de s'occuper d'une unité des jeunes de la Croix-Rouge.

À l'étage, Mme Blythe parlait avec Susan.

«Vous souvenez-vous de la première fois où Jem m'a tendu ses petits bras en disant "maman"? C'était le premier mot qu'il réussissait à prononcer.»

«Je me rappellerai jusqu'à mon dernier jour tout ce qu'a fait ce cher petit», répondit Susan d'un air lugubre.

«Je n'arrête pas de penser à cette nuit où il m'a appelée en pleurant. Il n'avait que quelques mois. Gilbert ne voulait pas que je me lève. Il disait que le bébé allait bien, qu'il était au chaud et que ce serait lui donner de mauvaises habitudes. J'y suis allée quand même, je l'ai pris et je sens encore l'étreinte de ses petits bras autour de mon cou, Susan. Si je ne m'étais pas levée cette nuit-là, il y a vingt et un ans, et si je n'avais pas pris mon bébé dans mes bras pour le consoler, je ne pourrais pas affronter la perspective de son départ demain matin.»

«J'me demande comment on va faire pour l'affronter de toute façon, chère Mme Docteur. Mais ne me dites pas que ce sera un adieu. Il aura bien un congé avant de s'embarquer pour l'Europe, non?»

«Nous l'espérons mais on ne peut en être sûr. Pour éviter une déception, je me fais à l'idée qu'il ne viendra pas. J'ai décidé de dire au revoir à mon fils avec le sourire, Susan. Il ne faut pas qu'il parte en emportant l'image d'une mère faible et moins courageuse que lui. J'espère que personne de la famille ne va pleurer.»

«En tout cas, moi, je ne vais pas pleurer. Mais pour ce qui est de sourire, c'est la Providence et le fond de mon estomac qui en décideront. Avez-vous de la place pour ce gâteau aux fruits? Et pour les sablés? Et la tarte au mincemeat? Il faut pas que notre cher petit ait faim. Qui sait ce qu'ils ont à manger dans cette province de Québec? On dirait que tout change d'un seul coup, vous ne trouvez pas? Jusqu'au vieux chat du presbytère qui est mort. Et je ne me serais pas plainte, chère Mme Docteur, si notre fauve avait trépassé lui aussi. Il se comporte en M. Hyde depuis le jour où Jem est arrivé en uniforme. Je maintiens que c'est un signe. J'sais pas ce que Lundi va devenir après le départ de Jem. La pauvre bête passe son temps à errer comme une âme en peine. Il a quelque chose de si humain dans le regard que ça me fend le cœur de le voir. Ellen West avait coutume de fulminer contre le Kaiser et tout le monde la prenait pour une cinglée. À présent, j'constate qu'elle avait pas tellement tort.»

Jem Blythe et Jerry Meredith partirent le lendemain matin. Le temps était morne. Il y avait apparence de pluie et de lourds nuages gris s'amoncelaient dans le ciel. Pourtant, tous les habitants du Glen, de Four Winds, de l'entrée du port, du Glen-En-Haut et de l'autre côté du port, à l'exception de Moustaches-sur-la-lune, vinrent les saluer. Tous les membres de la famille Blythe et de la famille Meredith souriaient. Même Susan arborait un sourire, comme la Providence le lui avait ordonné, mais l'effet était plus pénible que des larmes l'auraient été. Faith et Nan étaient très pâles et très courageuses. Rilla se disait qu'elle s'en tirerait à merveille sans cette chose qui l'étranglait dans la gorge et ses lèvres qui tremblaient. Le chien Lundi était aussi présent. Jem avait essayé de lui faire ses adieux à Ingleside mais Lundi avait supplié avec tellement d'éloquence que Jem avait fini par céder et l'avait laissé l'accompagner à la gare. Il se collait aux jambes de Jem en épiant chacun des mouvements de son maître bien-aimé.

«Je ne peux supporter le regard de ce chien», déclara M. Meredith.

«Cette bête est plus intelligente que la majorité des

humains, dit Mary Vance. Miller avait envie de s'enrôler lui aussi, mais j'ai réussi à le convaincre de renoncer à l'idée. Pour une fois, Kitty Alec et moi étions d'accord. C'est un miracle qui n'est sans doute pas à la veille de se reproduire. Voilà Ken, Rilla.»

Rilla savait que Kenneth était là. Elle avait une conscience aiguë de sa présence depuis l'instant où il avait sauté du boghei de Leo West. Il se dirigeait à présent vers elle en souriant.

«Je vois que tu joues à la brave petite sœur souriante. Quelle foule! Eh bien, je repars moi-même chez moi dans quelques jours.»

Un étrange petit vent de consternation que même le départ de Jem n'avait pas causé souffla sur Rilla.

«Pourquoi? Tu as encore un mois de vacances.»

«Oui, mais je ne me sens pas capable de continuer à m'amuser à Four Winds quand le reste du monde est à feu et à sang. Je trouverai peut-être dans ma vieille ville de Toronto un moyen de me rendre utile malgré cette cheville enflée. Je ne veux pas regarder Jem et Jerry, cela me rend malade d'envie de les voir partir. Vous êtes vraiment formidables, vous, les filles: pas de larmes, pas d'air douloureux. Les gars vont partir avec un bon goût dans la bouche. J'espère que Persis et maman vont démontrer autant de cran quand mon tour sera venu.»

«Oh! Kenneth! La guerre sera finie depuis longtemps quand ce sera ton tour, z'en suis sûre.»

Voilà! Elle avait de nouveau zozoté. Encore un grand moment de vie gaspillé! Eh bien, c'était la fatalité! Cela n'avait plus aucune importance de toute façon. Kenneth s'était déjà éloigné, il bavardait avec Ethel Reese, vêtue, à sept heures du matin, de la robe qu'elle avait portée au bal. Elle pleurait. Pourquoi donc, grand Dieu, pleurait-elle? Aucun des Reese ne portait l'uniforme. Rilla aussi avait envie de pleurer, mais elle se retenait. Et qu'est-ce que cette horrible vieille Mme Drew était en train de raconter à sa mère de sa voix plaintive? «Je ne comprends pas comment vous pouvez supporter ça, Mme Blythe. J'en serais jamais capable si c'était mon pauvre garçon qui partait.» Et sa mère, sur qui on pouvait toujours compter, répondit, un éclair dans ses yeux gris: «Cela aurait pu être bien pire, Mme Drew. J'aurais pu être obligée de le presser de partir.» Mme Drew ne comprit pas, mais Rilla saisit ce que sa mère voulait dire. Elle releva la tête. On n'avait pas eu à insister pour que son frère s'enrôle.

Rilla se retrouva toute seule à écouter des bribes de conversation des gens qui passaient devant elle.

«J'ai dit à Mark d'attendre pour voir si on demande d'autres volontaires. Dans ce cas, je le laisserai partir. Mais on ne le fera pas», disait Mme Palmer Burr.

«Je pense que je vais y faire ajouter un corselet de velours tapé», disait Bessie Clow.

«J'ai peur de regarder mon mari et de m'apercevoir qu'il a lui aussi envie d'y aller», disait une jeune mariée de l'autre côté du port.

«Je suis tout simplement terrifiée, s'écriait spontanément Mme Jim Howard. J'ai peur que Jim s'enrôle et j'ai peur qu'il ne s'enrôle pas.»

«La guerre sera finie avant Noël», affirmait Joe Vickers.

«Pourquoi on ne laisse pas ces pays européens se battre entre eux?» se demandait Alexander Reese.

«L'existence de l'Empire britannique est en jeu», répondait le pasteur méthodiste.

«Ces uniformes ont quelque chose de vraiment séduisant», soupirait Irene Howard.

«C'est une guerre commerciale et, tout compte fait, elle ne vaut pas la peine qu'on y sacrifie une seule goutte de notre bon sang canadien», commentait un inconnu habitant à l'hôtel de la plage.

«La famille Blythe le prend bien», remarquait Kate Drew.

«Ces jeunes écervelés ne cherchent que l'aventure», maugréait Nathan Crawford.

«J'ai une confiance absolue en Kitchener», déclarait le médecin de l'autre côté du port.

Au cours de ces dix minutes, Rilla passa à travers une suite étourdissante de sentiments: colère, amusement, dégoût, abattement et inspiration. Oh! Comme les gens étaient... drôles! Comme ils comprenaient peu. «Le prend bien», vraiment! Alors que même Susan n'avait pas fermé l'œil de la nuit! Kate Drew avait toujours été une mégère. Rilla avait l'impression de se trouver dans un cauchemar.

Voilà, le train entrait en gare, sa mère tenait la main de Jem, Lundi la léchait, tout le monde disait au revoir, le train était là. Jem embrassa Faith la première, la vieille Mme Drew poussa un cri hystérique tandis que les hommes, menés par Kenneth, lancèrent un «Hourra!» Rilla sentit Jem lui saisir la main, «Au revoir, l'Araignée», quelqu'un l'embrassa sur la joue, elle pensa que c'était Jerry mais n'en était pas sûre. Puis voilà, ils étaient partis, le train sortait de gare, Jem et Jerry agitaient la main, Anne et Nan continuaient à sourire, comme si elles avaient oublié d'arrêter, Lundi hurlait à la mort tandis que le pasteur méthodiste l'empêchait de courir après le train. Susan agitait son bonnet en criant «Hourra!» avec les hommes. Était-elle devenue folle? Puis le train disparut à un détour de la voie.

Rilla revint à la réalité en poussant un cri étranglé. Tout était soudain si calme. Il ne restait rien d'autre à faire que rentrer à la maison et attendre. Pour commencer, personne ne s'aperçut de l'absence de Lundi. Quand ils en prirent conscience, Shirley retourna sur ses pas pour le chercher. Il trouva le chien couché en boule dans un entrepôt à proximité de la gare. Il essaya de le persuader de rentrer avec lui. Lundi refusa de bouger. Il agita la queue pour montrer qu'il n'était pas fâché, mais aucune cajolerie ne put le faire bouger.

«J'imagine que Lundi a décidé de rester là jusqu'au retour de Jem», expliqua Shirley en essayant de rire lorsqu'il rejoignit les autres. Et c'était exactement ça. Son maître bien-aimé était parti, et un démon déguisé en pasteur méthodiste l'avait délibérément et avec une méchanceté préméditée empêché de le suivre. Il resterait donc là jusqu'à ce que le monstre fumant et grognant qui l'avait emporté le ramène.

Oui, il attendrait là, petit chien fidèle au doux regard mélancolique et interrogateur. Mais il ne savait pas à quel point l'attente serait longue avant qu'il revoie son jeune camarade.

Le docteur s'était rendu au chevet d'un malade ce soir-là. En allant se coucher, Susan entra dans la chambre de Mme Blythe pour s'assurer que sa chère Mme Docteur n'avait besoin de rien. Debout au pied du lit, elle prit un air solennel et déclara: «Chère Mme Docteur, j'ai décidé de devenir une héroïne.»

«Chère Mme Docteur» éprouva une forte envie de rire, ce qui était manifestement injuste, car elle n'avait pas ri lorsque Rilla lui avait fait part d'une décision héroïque semblable. Bien entendu, Rilla était une jeune fille mince, de blanc vêtue, au visage de fleur et aux yeux comme des étoiles brillant d'émotion, alors que Susan était attifée d'une simple chemise de nuit en flanelle grise et portait un bandeau de lainage rouge autour de ses cheveux gris pour prévenir la névralgie. Cela n'aurait pourtant pas dû faire de différence essentielle. N'était-ce pas l'esprit qui comptait? Mme Blythe eut pourtant peine à ne pas éclater de rire.

«J'ai pas l'intention, poursuivit fermement Susan, de me lamenter, de gémir ou de remettre davantage en question la sagesse du Très-Haut comme je l'ai fait ces derniers temps. Geindre ou blâmer la Providence ne nous mène à rien. Il faut qu'on fasse ce qu'on a à faire, qu'il s'agisse de sarcler le potager ou de diriger le gouvernement. Je vais faire mon devoir. Ces chers garçons sont partis à la guerre et ce qui nous reste à faire à nous, les femmes, c'est d'attendre en gardant la tête haute.»

7

Un bébé de la guerre et une soupière

«Liège et Namur, et à présent Bruxelles! s'écria le docteur en secouant la tête. Je n'aime pas ça. Je n'aime pas ça du tout.»

«Découragez-vous pas, cher docteur, ces villes étaient seulement défendues par des étrangers, rétorqua Susan avec superbe. Attendez que les Allemands affrontent l'armée britannique et vous allez voir que ça va être une autre paire de manches.»

Le docteur hocha de nouveau la tête. Peut-être tout le monde partageait-il inconsciemment la conviction de Susan que la «mince ligne grise» était indestructible, capable de résister à l'assaut victorieux de millions d'Allemands. Quoi qu'il en soit, le jour terrible — le premier d'une longue suite — où ils apprirent que l'armée britannique avait été refoulée, ils se dévisagèrent avec ahurissement et consternation.

«Ça... ça ne peut être vrai», bredouilla Nan, trouvant refuge dans une incrédulité temporaire.

«Je savais qu'on aurait de mauvaises nouvelles aujourd'hui, dit Susan, parce que ce chat s'est transformé sans rime ni raison en M. Hyde, ce matin. C'était de mauvais augure.»

«Une armée brisée, battue, mais pas encore démoralisée, marmonna le docteur qui lisait une dépêche de Londres. Est-ce que cela peut vraiment être l'armée anglaise?»

«La guerre n'est pas à la veille de finir», commenta Mᵐᵉ Blythe, désespérée.

La confiance de Susan, après avoir été un instant submergée, réapparut, triomphante.

«Oubliez pas, chère Mᵐᵉ Docteur, que l'armée britannique et la marine britannique sont deux choses différentes. Gardez toujours ça en tête. Et les Russes se sont aussi mis en route, quoique je ne sache pas grand-chose de ces gens et ne puisse par conséquent pas m'y fier.»

«Les Russes n'arriveront pas à temps pour sauver Paris, prédit sombrement Walter. Paris est le cœur de la France et la route est ouverte. Oh! Je voudrais tant...» Il s'interrompit brusquement et sortit de la pièce.

Après avoir été paralysés pendant une journée, les gens d'Ingleside s'aperçurent qu'il était possible de continuer à vivre même quand les nouvelles étaient déprimantes. Susan travailla avec acharnement dans sa cuisine. Le docteur retourna au chevet de ses malades. Nan et Di reprirent leurs activités de la Croix-Rouge tandis que Mᵐᵉ Blythe se rendit à Charlottetown assister à une assemblée de ce même organisme. Quant à Rilla, après s'être soulagée en pleurant comme une Madeleine dans la vallée Arc-en-ciel, elle se souvint de sa décision de devenir une héroïne courageuse. Et, se dit-elle, c'était vraiment un geste héroïque que de s'être portée volontaire pour faire le tour du Glen et de Four Winds avec le vieux cheval gris d'Abner Crawford pour recueillir les fournitures promises à la Croix-Rouge. L'un des chevaux d'Ingleside était blessé et le docteur ayant besoin de l'autre, il ne restait que la picouille des Crawford, une créature placide, pas pressée et au cuir épais qui avait la sympathique habitude de s'arrêter tous les quelques pieds pour chasser une mouche sur une patte avec le sabot de l'autre. Cela s'ajoutant au fait que les Allemands ne se trouvaient plus qu'à cinquante milles de Paris était, pour Rilla, à peine endurable, mais ne l'empêcha pas de se mettre vaillamment en route pour cette corvée qui allait connaître une issue étonnante.

À la fin de l'après-midi, elle se retrouva avec un boghei plein de colis à l'entrée d'un sentier herbeux et cahoteux menant à la grève du port et se demanda s'il valait la peine d'aller jusque chez les Anderson. C'était une famille indigente et il était improbable que Mme Anderson eût quelque chose à donner. D'autre part, son mari, d'origine britannique, et qui travaillait à Kingsport au moment où la guerre avait été déclarée, s'était aussitôt embarqué pour l'Angleterre pour s'y enrôler, sans, il faut bien le dire, être passé par chez lui ni avoir envoyé d'argent pour le représenter. Il était par conséquent possible que Mme Anderson se sentît blessée d'être négligée. Rilla décida donc d'y aller. S'il lui arriva par la suite de souhaiter avoir passé tout droit, tout compte fait, elle ne regretta pas sa décision.

La maison des Anderson était une petite baraque déglinguée blottie dans un bosquet d'épinettes efflanquées près de la grève comme si, honteuse de son apparence, elle voulait se soustraire aux regards. Rilla attacha le canasson gris à la clôture branlante et se dirigea vers la porte. Là, la vision qui s'offrit à ses yeux lui enleva, l'espace d'un instant, la capacité de parler et de bouger.

Par la porte ouverte de la petite chambre qui lui faisait face, Rilla aperçut Mme Anderson qui gisait sur le lit en désordre. Et Mme Anderson était morte. Cela ne faisait aucun doute. Et cela ne faisait aucun doute non plus que la femme obèse, malpropre, à la tignasse roussâtre et au visage rubicond assise près de l'embrasure de la porte en fumant sa pipe d'un air désinvolte était très vivante. Elle se berçait nonchalamment dans le décor misérable sans prêter aucune attention aux vagissements perçants venant d'un berceau posé au milieu de la pièce.

Rilla connaissait cette femme de vue et de réputation.

Elle s'appelait Mme Conover et vivait au village de pêcheurs. Elle était une grand-tante de Mme Anderson et elle buvait tout autant qu'elle fumait. Le premier réflexe de Rilla fut de s'enfuir. Mais cela ne convenait pas. Elle avait beau être répugnante, cette femme avait peut-être besoin d'aide, même si elle ne semblait certes pas plus inquiète qu'il ne le fallait.

«Entre donc», fit Mme Conover en retirant sa pipe de sa bouche et en dévisageant Rilla avec ses petits yeux de rat.

«Est-ce que... est-ce que Mme Anderson est vraiment morte?» s'enquit timidement Rilla en franchissant le seuil.

«Pourrait pas être plus morte, répondit jovialement Mme Conover. Elle a trépassé y a une demi-heure. J'ai envoyé Jen Conover appeler le croque-mort et chercher de l'aide à la grève. T'es bien la fille du docteur, pas vrai?»

«C'est arrivé plutôt soudainement?»

«Ma foi, elle a commencé à dépérir quand ce bon à rien de Jim s'est embarqué pour l'Angleterre et moi j'dis que c'est une pitié qu'il soit parti. D'après moi, la nouvelle lui a donné son coup de mort. Ce bébé est né il y a une quinzaine de jours et depuis, elle est allée de mal en pis. Puis voilà qu'elle est morte aujourd'hui sans que personne s'y attende.»

«Puis-je faire quelque chose pour... pour me rendre utile?» hésita Rilla.

«Bon Dieu, non, à moins que t'aies le tour avec les enfants. Moi, j'l'ai pas. Ce petit chiale sans arrêt, du matin jusqu'au soir. J'm'en occupe pas.»

Sur la pointe des pieds et la mine dégoûtée, Rilla alla se pencher au-dessus du berceau puis repoussa à contrecœur la couverture souillée. Elle n'avait pas l'intention de toucher le bébé, car elle non plus n'avait pas le «tour» avec les enfants. Elle vit un nourrisson affreux au petit visage rouge et chiffonné, emmaillotté dans un vieux morceau de flanelle. Jamais elle n'avait vu un bébé aussi laid. Pourtant, elle se sentit soudain envahie par un sentiment de pitié envers ce misérable petit orphelin.

«Que va-t-il lui arriver?» demanda-t-elle.

«Dieu seul le sait, rétorqua candidement Mme Conover. Min s'en inquiétait beaucoup avant sa mort. Elle me mettait hors de moi à force de gémir sur le sort de son mioche. En tout cas, c'est certainement pas moi qui vais m'en occuper. J'ai dit à Min qu'il faudrait l'envoyer dans un orphelinat jusqu'à ce qu'on voie si Jim revient un jour le prendre. Elle était pas folle de cette idée. Mais c'est comme ça, un point, c'est tout.»

«Mais qui va s'occuper de lui jusqu'à son départ pour l'orphelinat?» insista Rilla, que le sort de l'enfant préoccupait.

«J'suppose que ça va être moi», grogna Mme Conover. Elle posa sa pipe et avala une lampée d'une bouteille noire qu'elle prit sur l'étagère près d'elle. «À mon avis, il vivra pas longtemps. Trop chétif. Min avait pas de résistance et j'imagine qu'il en a pas davantage. Il va sans doute pas nous embêter bien longtemps et ce sera un bon débarras, tu peux me croire.»

Rilla repoussa encore un peu la couverture.

«Seigneur, ce bébé est tout nu!» s'exclama-t-elle, choquée.

«J'me demande bien qui aurait pu l'habiller, rétorqua Mme Conover avec truculence. Moi, j'pouvais pas, j'ai passé tout mon temps à soigner Min. C'est la vieille Mme Billy Crawford qui était ici quand il est né. Elle l'a lavé et l'a enroulé dans cette couverture et Jen s'en est occupée un peu depuis. En tout cas, il a pas froid. Il fait une chaleur à faire fondre un singe de bronze.»

Muette, Rilla regardait le bébé qui pleurait. C'était la première fois qu'elle se trouvait devant une des tragédies de la vie et celle-là lui allait droit au cœur. Elle souffrait horriblement à la pensée de la pauvre mère partie seule dans la vallée de l'ombre en s'inquiétant de l'avenir de son bébé; personne d'autre que cette abominable vieille femme n'était là pour lui dire adieu. Si seulement elle était venue un peu plus tôt! Mais même là, qu'aurait-elle pu faire? Et que pouvait-elle faire à présent? Elle l'ignorait, et pourtant elle devait faire quelque chose. Elle avait beau détester les bébés, elle ne pouvait pourtant pas s'en aller en abandonnant cette malheureuse petite créature à Mme Conover, qui continuait à boire à même la bouteille noire et serait probablement ivre morte avant que quelqu'un arrive.

«Je ne peux pas rester, songea Rilla. M. Crawford m'a dit qu'il fallait que je rentre avant le souper parce qu'il avait besoin de son cheval ce soir. Oh! Qu'est-ce que je peux faire?»

Sous le coup de l'impulsion, elle prit une résolution désespérée.

«Puis-je amener le bébé chez moi?» demanda-t-elle.

«Si ça te chante, pas de problème», répondit aimablement Mme Conover.

«Je... je ne peux pas le porter, reprit Rilla. Je dois conduire le cheval et j'aurais peur de le laisser tomber. Y a-t-il un... panier dans lequel je pourrais l'installer?»

«Pas que je sache. Pour dire vrai, y a pas grand-chose ici. Min était sans le sou et aussi fainéante que Jim. Si t'ouvres ce tiroir là-bas, tu vas trouver du linge de bébé. Prends-le, si t'en as envie.»

Rilla prit les vêtements, de minces petites choses à bon marché que la pauvre mère avait préparées de son mieux. Mais cela ne résolvait pas le problème urgent du transport du bébé. Rilla jeta autour d'elle un regard désemparé. Oh! Si seulement sa mère ou Susan étaient là! Elle aperçut une énorme soupière bleue derrière la commode.

«Puis-je m'en servir pour coucher le bébé?» demanda-t-elle.

«Eh bien, ça m'appartient pas, mais j'imagine que tu peux la prendre. Mais essaye de pas la casser. Jim pourrait en faire toute une histoire si jamais il revient vivant, et comme c'est un bon à rien, il va sûrement revenir. Il avait rapporté cette vieille soupière d'Angleterre, disant que c'était un souvenir de famille. Lui et Min s'en sont jamais servi. Ils ont jamais eu assez de soupe à mettre dedans, mais Jim y tenait comme à la prunelle de ses yeux. Pour certaines choses, il était très méticuleux, mais ça l'inquiétait pas une miette de savoir s'il y avait de quoi à manger à mettre dans les plats.»

Pour la première fois de sa vie, Rilla toucha un bébé. Elle le prit et l'enroula dans une couverture, tremblant de peur de le laisser tomber, ou de le briser. Puis elle l'installa dans la soupière.

«Est-ce qu'il risque de s'étouffer?» demanda-t-elle anxieusement.

«Même si ça lui arrivait, ça aurait pas tellement d'importance», répondit Mme Conover.

Horrifiée, Rilla dégagea la couverture autour de la tête du bébé. Le nourrisson avait cessé de pleurer et clignait des yeux vers elle. Ses grands yeux sombres mangeaient son petit visage chiffonné.

«Expose-le pas au vent, conseilla Mme Conover. Ça pourrait lui couper le respir.»

Et c'est ainsi qu'après être arrivée chez les Anderson convaincue qu'elle avait horreur des bébés, Rilla Blythe en repartait avec un nourrisson dans une soupière sur les genoux.

Elle crut que jamais elle n'arriverait à Ingleside. Aucun son ne montait de la soupière et cela l'inquiétait. D'une certaine façon, elle était contente que le bébé ne pleure pas, mais elle aurait souhaité qu'il fasse entendre à l'occasion un vagissement quelconque prouvant qu'il était toujours en vie. S'il s'était étouffé! Rilla n'osait pas soulever la couverture pour vérifier de peur que le vent qui soufflait à présent très fort ne lui «coupe le respir», perspective épouvantable. Elle se sentit soulagée lorsqu'elle arriva à bon port à Ingleside. Elle apporta la soupière dans la cuisine et la posa sur la table, sous le nez de Susan. Celle-ci y jeta un coup d'œil et, pour la première fois de sa vie, elle fut si totalement abasourdie qu'elle resta sans voix.

«Veux-tu bien m'expliquer de quoi il s'agit?» demanda le docteur en entrant dans la pièce.

Rilla narra toute l'histoire. «Il fallait que je le prenne, papa, conclut-elle. Je ne pouvais tout simplement pas le laisser là-bas.»

«Et qu'est-ce que tu vas faire de ce bébé?» demanda froidement le docteur.

Rilla ne s'était pas vraiment attendue à une question de ce genre.

«Ne... ne pouvons-nous pas le garder ici jusqu'à... jusqu'à ce que nous puissions trouver une solution?» bredouilla-t-elle.

Le docteur Blythe arpenta la cuisine quelques instants pendant que le bébé contemplait les parois blanches de la soupière et que Susan semblait reprendre ses esprits.

Puis le docteur se planta devant Rilla.

«Un jeune bébé apporte beaucoup de travail supplémentaire et de tracas dans une famille, Rilla. Nan et Di partent pour Redmond la semaine prochaine et ni ta mère ni Susan ne peuvent assumer ce souci dans la situation actuelle. Si tu veux garder le bébé ici, tu devras t'en occuper toi-même.»

«Moi? Mais... mais...» Rilla était si ahurie qu'elle bégayait. «Mais je... je ne peux pas!»

«Des filles plus jeunes que toi ont déjà assumé ce genre de responsabilité. Tu pourras compter sur mes conseils et ceux de Susan. Si tu n'en es pas capable, tu devras rendre l'enfant à Meg Conover. Dans ce cas, son espérance de vie ne sera pas très longue, car il est évidemment de constitution délicate et il a besoin de soins particuliers. Je doute même qu'il survive si on l'envoie dans un orphelinat. Mais je ne veux pas imposer ce surcroît de travail à Susan et à ta mère.»

L'air sévère et résolu, le docteur sortit de la pièce. Au fond de son cœur, il savait pertinemment que le petit habitant de la soupière resterait à Ingleside, mais il voulait voir comment Rilla réagirait à la situation.

Celle-ci s'était assise et regardait le bébé, consternée. C'était absurde de croire qu'elle pourrait s'en occuper! Mais quand on pensait à l'angoisse de sa pauvre petite et fragile maman... quand on pensait à cette horrible vieille Mme Conover!

«Qu'est-ce qu'il faut faire avec un bébé, Susan?» demanda-t-elle plaintivement.

«Il faut le garder au sec et au chaud, le laver tous les jours, s'assurer que l'eau n'est ni trop chaude ni trop froide et le nourrir aux deux heures. S'il a une colique, tu lui mets une bouillotte sur le ventre», répondit Susan d'une voix exceptionnellement faible et neutre.

Le bébé se remit à pleurer.

«Il doit avoir faim, il faut que je le nourrisse, dit Rilla, l'air désespérée. Dis-moi ce que je dois lui donner, Susan.»

Sous la supervision de Susan, Rilla prépara une ration de lait et d'eau et alla chercher un biberon dans le bureau du docteur. Puis elle retira le bébé de la soupière et le fit boire. Elle descendit du grenier une vieille corbeille qui lui avait servi dans sa propre petite enfance et y déposa le bébé endormi. Elle rangea la soupière dans le garde-manger puis s'assit pour réfléchir à la question.

Après avoir bien pesé le pour et le contre, elle alla voir Susan quand le bébé se réveilla.

«Je vais voir ce que je peux faire, Susan, annonça-t-elle. Je ne peux rendre ce pauvre petit à Mme Conover. Montre-moi comment le laver et l'habiller.»

Encore une fois supervisée par Susan, Rilla lui donna son bain. Pour l'instant, Susan n'osait pas l'aider autrement que par ses conseils, car le docteur était dans le salon et pouvait surgir n'importe quand. Elle savait par expérience que quand le docteur disait qu'une chose devait être faite, il parlait sérieusement. Rilla serra les dents et assuma sa responsabilité. Le nombre de rides et de replis qu'un bébé pouvait avoir était une chose incroyable. Et mon Dieu, il était si petit qu'on avait peine à le tenir. S'il fallait qu'il glisse dans l'eau! Il gigotait tellement! Si seulement il cessait de hurler comme ça! Comment un être aussi minuscule pouvait-il faire un tel boucan? On devait entendre ses cris perçants de la cave au grenier.

«Est-ce que je lui fais vraiment si mal, Susan?» demanda-t-elle piteusement.

«Non, ma chérie. La plupart des nouveau-nés ont horreur de l'eau. Tu as vraiment le tour pour une débutante. Garde toujours une main dans son dos et reste calme.»

Rester calme! Rilla suait à grosses gouttes. Lorsque le bébé fut séché, vêtu et temporairement calmé avec un autre biberon, elle était exténuée.

«Qu'est-ce que je vais en faire cette nuit, Susan?»

Prendre soin d'un bébé durant la journée était déjà une rude épreuve, mais continuer à s'en occuper durant la nuit était tout simplement inimaginable.

«Pose la corbeille sur un fauteuil près de ton lit et garde-le bien couvert. Comme tu devras le nourrir une ou deux fois pendant la nuit, tu ferais mieux de monter le réchaud. Si tu n'y arrives pas, appelle-moi et je t'aiderai, que le docteur soit d'accord ou non.»

«Mais s'il pleure, Susan?»

Le bébé ne pleura pas. Il se montra même étonnamment calme, peut-être parce que son pauvre petit estomac ne criait désormais plus famine. S'il dormit presque toute la nuit, Rilla, pour sa part, ne put fermer l'œil. Elle avait peur de s'endormir et craignait qu'un malheur n'arrive au bébé. Elle prépara le biberon de trois heures, farouchement déterminée à ne pas faire appel à Susan. Oh! Était-ce un rêve? Était-ce possible qu'elle se fût mise dans de si mauvais draps? Cela lui était égal que les Allemands fussent près de Paris, quant à elle, ils pouvaient aussi bien avoir envahi la ville, si seulement le bébé ne pleurait pas, ne s'étouffait pas, n'avait pas de convulsions. Car les bébés avaient bien des convulsions? Oh! Pourquoi avait-elle oublié de demander à Susan ce qu'il fallait faire dans ce cas? Elle songea avec amertume que si son père se préoccupait de la santé de sa mère et de Susan, celle de sa fille le laissait indifférent. Croyait-il qu'elle pourrait continuer à vivre sans sommeil? Mais elle n'allait pas reculer maintenant, non jamais. Elle s'occuperait de cette détestable petite créature même si cela devait la tuer. Elle se procurerait un livre sur le soin des bébés et ne dépendrait de personne. Jamais elle n'irait demander de conseils à son père. Jamais elle n'ennuierait sa mère. Elle ne ferait appel à Susan qu'en dernier recours. On verrait bien de quoi elle était capable!

Rentrant à la maison après deux jours d'absence, Mme Blythe reçut le choc de sa vie lorsqu'elle demanda à Susan où était Rilla et se fit répondre d'une voix neutre:

«En haut, chère Mme Docteur. Elle est allée coucher son bébé.»

8

Rilla prend une décision

Les familles, tout comme les individus, s'habituent vite à de nouvelles conditions de vie et les acceptent sans se poser de questions. Après une semaine, ce fut comme si le bébé Anderson avait toujours vécu à Ingleside. Rilla fit de l'insomnie pendant trois nuits, puis elle retrouva le sommeil, se réveillant automatiquement pour assumer sa tâche au moment prévu. Elle baignait, nourrissait et habillait le bébé aussi adroitement que si elle avait fait cela toute sa vie. Elle n'aimait pourtant pas davantage ni le bébé ni sa responsabilité. Elle continuait à le manipuler du bout des doigts comme s'il s'était agi d'un quelconque lézard, d'une variété particulièrement fragile. Néanmoins, cela ne l'empêchait pas de bien faire son travail et il n'y avait pas de poupon plus propre ni mieux soigné dans tout Glen St. Mary. Elle prit même l'habitude de le peser tous les jours et d'inscrire son poids dans son journal intime. Il lui arrivait pourtant de se demander pathétiquement quel destin malveillant l'avait conduite sur le chemin des Anderson lors de cette journée fatidique. Shirley, Nan et Di ne la taquinaient pas autant qu'elle l'avait craint. Ils avaient tous l'air simplement éberlués qu'elle eût adopté un bébé de guerre. Il est également possible que le docteur eût donné ses instructions. Bien entendu, Walter ne l'avait jamais taquinée à propos de rien. Il lui dit un jour qu'elle était formidable.

«Il t'a fallu davantage de courage pour prendre ce nouveau-né de cinq livres qu'il en faudrait à Jem pour affronter un millier d'Allemands, Rilla-ma-Rilla. Si seulement j'avais la moitié de ton cran», dit-il tristement.

Rilla se sentit très fière de l'approbation de Walter. Elle écrivit néanmoins mélancoliquement dans son journal, ce soir-là:

«Je voudrais pouvoir aimer un peu ce bébé. Cela faciliterait les choses. Mais je ne l'aime pas. J'ai déjà entendu des gens dire qu'on s'attache à un bébé dont on prend soin, mais ce n'est pas mon cas, je n'éprouve aucune attirance à son égard. Il m'embarrasse et me nuit dans tout ce que je fais. Il me garde prisonnière, surtout maintenant que j'essaie de faire démarrer une unité des jeunes de la Croix-Rouge. Et je n'ai pas pu aller à la soirée chez Alice Crow hier soir alors que j'en mourais d'envie. Bien sûr, papa n'est pas vraiment intransigeant et je peux toujours me libérer une heure ou deux le soir quand c'est nécessaire, mais je savais qu'il n'accepterait pas que je m'absente la moitié de la soirée et laisse le bébé aux soins de maman ou de Susan. Je suppose que c'était préférable puisque, à une heure environ, le petit a eu une colique ou quelque chose du genre. Comme il ne se débattait pas et ne se raidissait pas, je savais qu'il ne s'agissait pas, selon Morgan, d'un caprice. Il n'avait pas faim non plus et aucune épingle ne le piquait. Il a hurlé jusqu'à en avoir le visage tout noir. Je me suis donc levée, j'ai fait chauffer de l'eau et j'ai mis une bouillotte sur son ventre. Il a hurlé encore plus fort en levant ses pauvres petites jambes décharnées. J'ai eu peur de l'avoir brûlé mais j'en doute. Alors j'ai marché de long en large dans la chambre en le tenant dans mes bras, même si le bouquin de Morgan sur le soin des nourrissons prétend qu'il ne faut jamais faire ça. J'ai dû marcher des milles et j'étais si fatiguée, découragée et en colère. Oui, j'étais vraiment en colère. S'il avait été plus grand, je l'aurais secoué. Papa était allé visiter un malade, maman avait la migraine et Susan est en rogne parce que lorsqu'elle n'est pas du même avis que Morgan, c'est à lui que je préfère me fier; j'étais donc décidée à ne rien lui demander à moins que ce ne fût indispensable.

«C'est finalement Mlle Oliver qui est venue. À cause du bébé, elle partage désormais la chambre de Nan et cela me brise le cœur. Je m'ennuie tellement de nos longues conversations nocturnes. Ces moments étaient les seuls où je pouvais l'avoir pour moi toute seule. J'étais vraiment gênée que les cris du bébé l'aient réveillée, car elle a tellement de choses à supporter à présent. M. Grant est à Valcartier, lui aussi, et Mlle Oliver en éprouve un terrible chagrin, même si elle ne le fait pas voir. Elle pense qu'il ne reviendra jamais et cela me bouleverse de voir ses yeux. Ils sont si tragiques. Elle a pris la petite peste sur ses genoux, l'a couchée sur le ventre et lui a tapoté doucement le dos. Le bébé a cessé de hurler et s'est endormi aussitôt. Il a dormi comme un loir le reste de la nuit, mais moi, je n'ai pu fermer l'œil. J'étais trop épuisée.

«L'organisation de mon unité de la Croix-Rouge m'occasionne de terribles difficultés. J'ai réussi à faire élire Betty Mead présidente et je suis secrétaire, mais c'est Jen Vickers qui a été nommée trésorière et je la méprise. C'est le genre de fille à appeler par leur prénom toutes les personnes intelligentes, belles ou distinguées qu'elle connaît, mais elle le fait derrière leur dos. Elle est hypocrite et sournoise. Una s'en fiche, bien entendu. Elle est d'accord pour faire tout ce qui se présentera et les titres la laissent indifférente. C'est un ange alors que moi, je suis à la fois angélique et diabolique. J'aimerais que Walter s'éprenne d'elle, mais il n'a pas l'air de s'intéresser à elle de cette façon, bien que je l'aie déjà entendu la comparer à une rose-thé. C'est vrai qu'elle a tout d'une fleur. Elle est si gentille et si conciliante qu'elle se laisse dominer. Mais moi, je ne permets à personne de dominer Rilla Blythe, je vous en "passe un papier", pour reprendre l'expression de Susan.

«Comme je m'y attendais, Olive avait décidé qu'on servirait une collation lors de nos réunions. Nous avons eu toute une prise de bec à ce sujet. La majorité s'est prononcée contre l'idée et à présent, la minorité boude. Irene Howard était pour la collation et depuis, elle se montre très froide avec moi et cela me chagrine. Je me demande si maman et Mᵐᵉ Elliott ont également des problèmes dans leur propre unité. Je suppose que oui, mais elles gardent leur sang-froid. Moi, je rage et je pleure, mais je le fais quand je me retrouve seule; ce journal me sert de soupape. Une fois calmée, je me jure que je vais leur montrer de quel bois je me chauffe. Je ne boude jamais. J'ai horreur des gens qui boudent. De toute façon, notre unité est sur pied, nous allons nous réunir une fois par semaine et nous allons toutes apprendre à tricoter.

«Shirley et moi sommes retournés à la gare hier pour essayer de convaincre Lundi de revenir à la maison. Nous n'avons pas réussi. Toute la famille a vainement essayé. Trois jours après le départ de Jem, Walter l'a ramené de force dans le boghei et l'a enfermé pendant trois jours. Mais Lundi a entrepris une grève de la faim et il a hurlé comme un démon nuit et jour. Nous avons été obligés de le libérer, sinon il serait mort de faim.

«Nous avons donc décidé de le laisser en paix. Papa s'est entendu avec le boucher près de la gare pour qu'il lui donne des os et des restes. De plus, l'un d'entre nous va presque tous les jours lui porter quelque chose à manger. Il reste couché dans l'entrepôt et chaque fois qu'un train entre en gare, il se précipite sur le quai. Il tourne en agitant la queue autour de toutes les personnes qui descendent. Puis, quand le train repart et qu'il comprend que Jem n'est pas revenu, il retourne à contrecœur au hangar, l'air déçu, et se recouche pour attendre patiemment le train suivant. Un jour, des gamins ont lancé des pierres à Lundi et le vieux Johnny Mead, qui n'avait jamais accordé d'attention à quoi que ce soit, a attrapé une hache dans l'étal du boucher et les a poursuivis dans tout le village.

«Kenneth Ford est retourné à Toronto. Il est venu à Ingleside avant-hier soir pour nous dire au revoir. J'étais absente. Comme le bébé a besoin de vêtements et que Mme Meredith avait offert de m'aider à les coudre, j'étais allée au presbytère. Ken a demandé à Nan de saluer l'Araignée de sa part et de me dire de ne pas l'oublier complètement, absorbée que je suis par mes devoirs maternels. Qu'il ait pu me laisser un message aussi frivole et insultant prouve bien que notre belle heure sur la plage ne signifiait absolument rien pour lui et je n'ai pas l'intention de penser de nouveau à lui.

«Fred Arnold était au presbytère et m'a raccompagnée à la maison. C'est le fils du nouveau pasteur méthodiste. Il est très gentil et intelligent et, sans son nez, il serait même assez joli garçon. Son nez est vraiment affreux. Lorsqu'il dit des banalités, on ne le remarque pas trop, mais quand il se met à parler de poésie et d'idéaux, le contraste entre son nez et ses propos est si flagrant que j'ai peine à ne pas éclater de rire. C'est injuste, parce que ses propos étaient tout à fait charmants, et si ç'avait été quelqu'un comme Kenneth Ford qui les avait dits, j'aurais été conquise. Quand je l'écoutais les yeux baissés, j'étais fascinée. Mais dès que j'ai levé la tête et vu son nez, le charme a été rompu. Il voudrait s'enrôler lui aussi, mais c'est impossible parce qu'il n'a que dix-sept ans. Nous avons croisé Mme Elliott au village et elle n'aurait pas eu l'air plus horrifiée si elle m'avait surprise à marcher avec le Kaiser lui-même. Mme Elliott déteste les méthodistes et tout ce qu'ils font. Papa dit que c'est une obsession chez elle.»

Vers le premier septembre, Ingleside et le presbytère connurent un véritable exode. Faith, Nan, Di et Walter partirent pour Redmond. Carl retourna à son école de l'entrée du port et Shirley, à Queen's. Rilla demeura seule à Ingleside et elle se serait beaucoup ennuyée si elle en avait eu le temps. Walter lui manquait énormément. Leur conversation dans la vallée Arc-en-ciel les avait beaucoup rapprochés, et Rilla avait pris l'habitude de discuter avec son frère de problèmes qu'elle n'avait jamais confiés à personne d'autre. Mais le bébé et la Croix-Rouge l'occupaient tellement qu'elle avait rarement une minute pour s'ennuyer. Une fois au lit, il lui arrivait parfois de verser une larme sur l'absence de Walter, sur l'entraînement de Jem à Valcartier et le trivial message d'adieu de Kenneth, mais elle s'endormait généralement avant que cela se transforme en torrent.

«Veux-tu que je m'organise pour envoyer le bébé à Hopetown?» demanda un jour le docteur, deux semaines après l'arrivée du bébé à Ingleside.

L'espace d'un instant, Rilla fut tentée d'accepter. Le bébé pouvait être envoyé à Hopetown où on veillerait convenablement sur lui. Quant à elle, elle retrouverait sa liberté le jour et sa tranquillité la nuit. Pourtant... pourtant la pauvre jeune maman avait tant souhaité qu'il ne soit pas envoyé à l'orphelinat! Rilla ne pouvait s'empêcher de penser à elle. Et ce matin même, découvrant que le bébé avait engraissé de huit onces depuis son arrivée à Ingleside, Rilla s'était sentie si fière!

«Tu... tu disais qu'il ne survivrait peut-être pas si on l'envoyait à Hopetown», dit-elle.

«C'est vrai. D'une certaine façon, les soins en institution, si adéquats qu'ils soient, ne sont pas toujours suffisants dans le cas d'enfants délicats. Mais tu sais ce que cela implique de le garder ici, Rilla.»

«Je m'en occupe depuis deux semaines et il a pris une demi-livre, s'écria Rilla. Je crois que nous ferions mieux d'attendre des nouvelles de son père. Il ne souhaite peut-être pas voir son enfant envoyé dans un orphelinat pendant qu'il se bat pour son pays.»

Le docteur et Mme Blythe échangèrent un sourire amusé et satisfait derrière le dos de Rilla. Et on ne reparla plus d'Hopetown.

Ensuite, le sourire du docteur s'effaça: les Allemands

étaient à vingt milles de Paris. Des histoires abominables commençaient à être relatées dans les journaux à propos d'actes commis dans la Belgique suppliciée. La vie devint difficile pour les aînés d'Ingleside.

«Nous dévorons les nouvelles de la guerre, confia Gertrude Oliver à Mme Meredith, en essayant vainement de rire. Nous étudions les cartes et écrasons toute l'armée allemande en quelques mouvements stratégiques bien dirigés. Mais Papa Joffre ne profite pas de nos conseils et c'est pourquoi Paris... Paris doit tomber.»

«Les Allemands y arriveront-ils vraiment? Est-ce qu'une main puissante n'interviendra pas?»

«À l'école, je me sens comme dans un rêve, poursuivit Gertrude. Ensuite, je rentre à la maison, je m'enferme dans ma chambre et je marche de long en large. Je suis en train de creuser un sentier dans le tapis de Nan. Nous sommes si horriblement proches de cette guerre.»

«Ces Allemands sont rendus à Senlis. Plus rien ni personne ne pourra sauver Paris désormais», geignit cousine Sophia. Ayant pris l'habitude de lire les journaux, elle avait appris davantage sur la géographie du nord de la France au cours de sa soixante et onzième année que pendant ses années d'écolière, bien que sa prononciation des noms de villes ne se fût pas améliorée.

«Je fais confiance au Très-Haut et à Kitchener, dit Susan d'un air buté. Je vois qu'il y a un type nommé Bernstoff aux États qui prétend que la guerre est terminée et que les Allemands l'ont gagnée et j'ai entendu dire que Moustaches-sur-la-lune prétend la même chose et que ça lui fait plaisir. Je leur répondrais à tous deux que Perrette s'est repentie d'avoir compté ses poulets avant qu'ils aient été couvés et que certains ours ont vécu longtemps après qu'on eut vendu leur peau.»

«Pourquoi la marine anglaise ne bouge-t-elle pas plus que ça?» insista cousine Sophia.

«Même la marine britannique ne peut pas naviguer sur la

terre ferme, Sophia Crawford. Je n'ai pas perdu espoir et je vais continuer à espérer en Tomascow et Mobbage et tous ces noms on ne peut plus barbares. Chère Mme Docteur, pouvez-vous me dire comment on prononce R-h-e-i-m-s? Est-ce Rimes, Reems, Rames ou Rems?»

«Je pense que ça ressemble davantage à Rhangs, Susan.»

«Oh! Ces noms français!» maugréa Susan.

«On dit que les Allemands ont pratiquement détruit l'église de Rheims, soupira cousine Sophia. Moi qui croyais que les Allemands étaient chrétiens.»

«C'est déjà épouvantable de détruire une église, mais ils ont fait bien pire en Belgique, rétorqua sombrement Susan. Quand j'ai entendu le docteur lire dans le journal qu'ils passaient les bébés au fil de la baïonnette, j'ai pensé "Oh! S'il fallait qu'ils fassent ça à notre petit Jem!" J'étais en train de brasser la soupe quand j'ai eu cette pensée et je me suis alors dit que si seulement je pouvais lancer cette casserole de soupe bouillante au visage du Kaiser, ma vie n'aurait pas été inutile.»

«Demain... demain, nous apprendrons qu'ils ont envahi Paris», dit Gertrude, les lèvres serrées. On aurait dit que son âme était liée au bûcher, brûlant de toute la détresse du monde. En plus du fait que cette guerre la touchait person-nellement, elle était torturée par la pensée que Paris tombe-rait aux mains des hordes impitoyables qui avaient brûlé Louvain et détruit la merveille de Rheims.

Le lendemain et le surlendemain apportèrent cependant les nouvelles du miracle de la Marne. Rilla revint du bureau de poste au pas de course en agitant l'*Enterprise* avec ses gros titres rouges. Susan sortit hisser le drapeau, les mains trem-blantes. Le docteur tournait en rond en marmonnant «Merci, mon Dieu». Mme Blythe se mit à pleurer, puis à rire, puis à pleurer de nouveau.

«Dieu a étendu Sa main et a dit aux envahisseurs: "Vous n'irez pas plus loin"», commenta M. Meredith ce soir-là.

Rilla chantonnait dans sa chambre en couchant le bébé.

Paris était sauvé, la guerre était finie, l'Allemagne avait été vaincue, Jem et Jerry reviendraient bientôt. Les nuages noirs avaient été balayés.

«Que je ne te prenne pas à avoir une colique par une nuit si heureuse, dit-elle au bébé. Si tu oses en avoir, je te remets dans ta soupière et t'expédie à Hopetown par le premier train de marchandises. Tu as de beaux yeux et tu es moins rougeaud et plissé qu'avant, mais tu n'as pas un poil sur le coco, tes mains ressemblent à de petites serres et je ne t'aime pas plus qu'avant. Pourtant, j'espère que ta pauvre petite maman sait que tu es bien au chaud dans un panier coussiné avec un biberon de lait aussi riche que Morgan le permet plutôt que de dépérir avec la vieille Meg Conover. Et j'espère qu'elle ignore que j'ai failli te noyer le premier matin quand Susan n'était pas là et que je t'ai échappé dans l'eau. Pourquoi faut-il que tu sois si glissant? Non, je ne t'aime pas et ne t'aimerai jamais, mais je vais quand même faire de toi un poupon convenable et coquet. Tu vas commencer par devenir aussi dodu que doit l'être tout enfant qui se respecte. Je n'ai pas envie d'entendre les gens s'écrier: "Qu'il est maigrichon, le bébé de Rilla Blythe", comme la vieille Mme Drew l'a dit hier à la réunion de la Croix-Rouge. Si je ne peux pas t'aimer, j'ai néanmoins l'intention d'être fière de toi.»

9

La mésaventure de Doc

«La guerre ne sera pas terminée avant le printemps prochain», déclara le Dr Blythe lorsqu'il devint évident que la longue bataille de l'Aisne était un échec.

«Quatre mailles à l'endroit, une maille à l'envers», murmurait Rilla entre les dents, tout en balançant d'un pied le berceau du bébé. Si Morgan n'approuvait pas l'emploi de berceaux, Susan le recommandait et il valait la peine de sacrifier quelques principes pour garder Susan de bonne humeur. Elle déposa un instant son tricot et s'écria: «Oh! Pourrons-nous supporter cela aussi longtemps?» puis reprit sa chaussette et continua à tricoter. Deux mois auparavant, cette même Rilla se serait ruée dans la vallée Arc-en-ciel pour pleurer.

Mlle Oliver soupira et Mme Blythe se tordit les mains pendant un instant. Puis Susan dit d'un ton bref: «Eh bien, il ne nous reste plus qu'à nous mettre à l'ouvrage. On m'a dit qu'en Angleterre la devise est de travailler comme d'habitude et j'ai décidé d'en faire la mienne. Je vais me rappeler que Kitchener est à la barre et que Joffre fait de son mieux pour les Français. Je vais préparer cette boîte de gâteaux pour petit Jem et finir ma paire de chaussettes aujourd'hui. Je tricote une chaussette par jour. Même cousine Sophia s'est mise au tricot, chère Mme Docteur, et c'est une bonne chose parce qu'elle pense moins à nous dire des choses déprimantes quand elle a les mains occupées avec les aiguilles plutôt que croisées sur la poitrine. Elle pense qu'on va tous être des Allemands à la même date l'an prochain, mais je lui réponds qu'il faudrait plus d'un an pour me transformer en Allemande. Saviez-vous que Rick MacAllister s'est enrôlé, chère Mme Docteur? On raconte que Joe Milgrave le ferait aussi s'il n'avait pas peur que Moustaches-sur-la-lune ne lui refuse la main de Miranda.»

«Le fils de Billy Andrew va devenir soldat, ainsi que le fils unique de Jane et le petit Jack de Diana, dit Mme Blythe. Le fils de Priscilla est parti du Japon et celui de Stella, de Vancouver, de même que les deux garçons du révérend Jo. Philippa m'a écrit que ses fils ne sont pas indécis comme elle et qu'ils sont partis sans hésiter.»

«Jem pense qu'ils sont à la veille de partir et qu'il ne pourra pas obtenir de congé pour venir si loin avant son départ, parce qu'ils devront s'embarquer à quelques heures d'avis», annonça le docteur en passant la lettre à sa femme.

«C'est injuste! s'écria Susan, indignée. Sir Sam Hughes se fiche-t-il complètement de nos sentiments? Quelle idée, envoyer ce cher petit en Europe sans même nous laisser lui jeter un dernier regard! À votre place, cher docteur, j'écrirais une lettre ouverte à ce sujet.»

«C'est peut-être mieux comme ça, dit la mère, déçue. Je ne crois pas que je pourrais supporter de me séparer encore une fois de lui. Oh! Si seulement... mais non, je ne le dirai pas. À l'instar de Susan et de Rilla, conclut Mme Blythe avec un petit rire, j'ai décidé de devenir une héroïne.»

«Vous êtes toutes formidables, dit le docteur. Je suis fier de mes femmes. Même Rilla, mon lis des champs, qui dirige de main de maître une unité de la Croix-Rouge et qui a sauvé une jeune vie canadienne. C'est du bon travail. Rilla, fille d'Anne, quel nom vas-tu donner à ton bébé de guerre?»

«J'attends de recevoir des nouvelles de Jim Anderson, répondit celle-ci. Il veut sans doute nommer lui-même son enfant.»

Mais l'automne s'écoula sans qu'on entende parler de Jim Anderson, qui n'avait jamais écrit un mot depuis son départ d'Halifax et que le sort de sa femme et de son enfant semblait laisser totalement indifférent. Rilla décida alors d'appeler l'enfant James et Susan suggéra d'y ajouter Kitchener. C'est ainsi que James Kitchener Anderson se retrouva avec un nom passablement plus imposant que lui-même. Si la famille Blythe lui donna rapidement le diminutif de Jims, Susan s'obstina à l'appeler invariablement «petit Kitchener».

«Jims, c'est pas un prénom pour un enfant chrétien, chère Mme Docteur, remarqua-t-elle d'un air désapprobateur. Cousine Sophia prétend que c'est trop criard et pour une fois, je lui donne raison, même si je ne lui ferai pas le plaisir de le dire ouvertement. Quant au marmot, il commence à avoir l'air d'un bébé, et je dois admettre que Rilla est fantastique avec lui. Je ne vais pourtant pas flatter son orgueil en le disant devant elle. Chère Mme Docteur, jamais de ma vie je n'oublierai la première fois que j'ai vu ce bébé, enroulé dans une couverture sale au fond d'une soupière. Ça en prend beaucoup pour éberluer Susan Baker, mais je l'ai vraiment été cette fois-là, je vous en passe un papier. Pendant un moment, j'ai cru que je perdais la boule et que j'avais des visions. Puis j'ai pensé: "Non, j'ai jamais entendu dire qu'on pouvait avoir des visions de soupière. Ça doit donc être réel", et j'ai repris confiance. Quand j'ai entendu le docteur dire à Rilla qu'elle devrait s'occuper du bébé, j'ai cru qu'il plaisantait parce que pas un instant j'ai pensé qu'elle voudrait le faire ou qu'elle en serait capable. Mais vous voyez ce qui s'est passé: elle est en train de devenir une femme. Quand il faut faire quelque chose, on y arrive, chère Mme Docteur.»

Un jour d'octobre, cette affirmation trouva une nouvelle confirmation. Le docteur et sa femme s'étaient absentés. À l'étage, Jims faisait sa sieste et Rilla était avec lui, tricotant avec une inlassable vigueur quatre mailles à l'endroit, une maille à l'envers. Susan et cousine Sophia étaient assises sur la véranda à écosser des haricots. Le village baignait dans une atmosphère de paix et de tranquillité. Des nuages brillants et argentés flottaient dans le ciel et la vallée Arc-en-ciel était nimbée d'une brume automnale, violette et légère. L'érablière arborait ses couleurs flamboyantes tandis que les nuances délicates de la haie d'églantier qui bordait la cour émerveillaient le regard. Aucune lutte ne semblait pouvoir déchirer le monde et le cœur confiant de Susan s'abandonna un instant à l'oubli de tout, même si elle n'avait pratiquement pas fermé l'œil, la nuit précédente, songeant au petit Jem sur l'Atlantique que traversait la première armée canadienne. Même cousine Sophia paraissait moins mélancolique que d'habitude et admettait que la journée était parfaite, quoiqu'il ne fît aucun doute que ce temps couvait quelque chose et qu'il devait se préparer une terrible tempête.

«C'est trop calme, affirma-t-elle. Ça ne durera pas.»

Et comme pour lui donner raison, elles entendirent derrière elles un vacarme infernal. Il est pratiquement impossible de décrire la confusion de coups et de cliquetis, de cris et de hurlements étouffés qui venaient de la cuisine, auxquels s'ajoutait parfois un bruit fracassant. Susan et cousine Sophia se dévisagèrent, ahuries.

«Veux-tu bien me dire ce qui se passe ici?» bredouilla cousine Sophia.

«Ce doit être le Dr Hyde qui a fini par devenir fou, marmonna Susan. J'ai toujours su que ça arriverait.»

Rilla arriva en courant par la porte du salon.

«Que s'est-il passé?» demanda-t-elle.

«J'en sais rien, mais ton espèce de bête démoniaque y est sûrement pour quelque chose, répondit Susan. Ne t'approche pas de lui, au moins. J'vais ouvrir la porte et jeter un coup d'œil. Tiens, encore de la vaisselle cassée. J'ai toujours dit que le Malin était en lui et j'en démordrai pas.»

Susan ouvrit la porte et regarda. Le plancher était jonché de débris de vaisselle, car il semblait que la fatale tragédie se fût produite dans le bahut où la panoplie de bols et de casseroles de Susan était rangée en un ordre étincelant. Un chat frénétique courait autour de la pièce, la tête prise dans une vieille boîte de saumon. Aveugle, il se débattait en hurlant et en jurant, cognant sauvagement la boîte de conserve contre tout ce qu'il trouvait sur son chemin et essayant vainement de s'en libérer avec ses pattes.

La scène était si cocasse que Rilla éclata de rire. Susan la regarda avec reproche.

«Je ne vois rien de drôle là-dedans. Cette bête a cassé le grand bol bleu que ta maman avait apporté des Pignons verts à son mariage. Mais il faut penser à une façon de retirer la tête du chat de cette boîte.»

«Essaie pas de le toucher, s'exclama cousine Sophia. Enferme-le dans la cuisine et envoie quelqu'un chercher Albert.»

«J'ai pas l'habitude d'envoyer chercher Albert pour régler les problèmes de famille, rétorqua hautainement Susan. Cet animal endure le martyre et quoi que je puisse penser de lui, j'peux pas supporter de le voir souffrir comme ça. Éloigne-toi, Rilla, pour l'amour du petit Kitchener, et je vais voir ce que je peux faire.»

Susan entra intrépidement dans la cuisine, attrapa un vieux ciré du docteur et après beaucoup d'efforts, elle réussit à le jeter sur le chat et la boîte de conserve. Puis elle se servit de l'ouvre-boîte pendant que Rilla tenait enroulé dans le manteau le fauve qui se débattait. Jamais on n'avait entendu de pareils hurlements à Ingleside. Une fois délivré, Doc était plein de rage et d'indignation. De toute évidence, il pensait que ceci était un coup monté pour l'humilier. Il remercia Susan par un regard haineux et se rua hors de la cuisine pour se réfugier dans la jungle de la haie d'églantiers où il passa le reste de la journée à bouder. Susan balaya d'un air sombre les débris de vaisselle.

«Les Boches eux-mêmes auraient pas fait de pareils dégâts, commenta-t-elle amèrement. Le monde est tombé pas mal bas quand une honnête femme peut plus laisser sa cuisine sans surveillance deux minutes sans qu'un vilain félin ne vienne la ravager en se fourrant la tête dans une boîte de saumon!»

10

Les ennuis de Rilla

À octobre succédèrent les sombres journées de novembre et de décembre. Le monde trembla sous le choc des combats. Anvers tomba, la Turquie entra en guerre, la vaillante petite Serbie rassembla ses efforts pour assener un coup mortel à son oppresseur. Et à des milliers de milles, dans le paisible village de Glen St. Mary blotti dans les collines, les cœurs palpitaient d'espoir et de terreur selon les mouvements des différentes armées.

«Il y a quelques mois, remarqua Mlle Oliver, nous pensions et parlions en termes de Glen St. Mary. Et voilà que nous pensons et parlons en termes de stratégies militaires et d'intrigues diplomatiques.»

Chaque jour, il n'y avait plus qu'un seul événement important: l'arrivée du courrier. Même Susan admettait qu'à partir du moment où le boghei du facteur s'engageait sur le petit pont entre la gare et le village jusqu'à celui où les journaux étaient arrivés et lus, elle était incapable de travailler convenablement.

«Il faut alors que j'prenne mon ouvrage et que je tricote jusqu'à ce que les journaux soient arrivés, chère Mme Docteur.

Une fois que j'ai vu les gros titres, que les nouvelles soient bonnes ou mauvaises, je me calme et je peux retourner à mes occupations. C'est regrettable que le courrier arrive toujours au moment où on est en train de préparer le dîner et, à mon avis, le gouvernement devrait s'occuper de ça. Mais l'assaut sur Calais a été un échec, je le savais, et c'est pas cette année que le Kaiser mangera son repas de Noël à Londres. Eh bien, il faut que je bouge cet après-midi et que j'emballe le gâteau de Noël de petit Jem. Le cher enfant sera content s'il n'est pas enterré dans la boue avant de le recevoir.»

Jem campait dans la plaine de Salisbury et, malgré la boue, ses lettres étaient gaies et amusantes. Walter se trouvait à Redmond et les lettres qu'il envoyait à Rilla étaient loin d'être joyeuses. Craignant de lire qu'il avait fini par s'enrôler, Rilla ne les ouvrait jamais sans un serrement de cœur. La détresse de son frère la rendait malheureuse. Elle aurait voulu l'entourer de ses bras pour le consoler, comme elle l'avait fait dans la vallée Arc-en-ciel. Elle détestait tous ceux qui étaient responsables du malheur de Walter.

«Il va s'enrôler, j'en suis sûre, murmura-t-elle un après-midi dans la vallée, en lisant une de ses lettres. Il va le faire, et je ne pourrai pas le supporter.»

Walter lui racontait que quelqu'un lui avait envoyé une enveloppe contenant une plume blanche.

«Je le méritais, Rilla. J'avais l'impression que je devais la porter pour proclamer à tout Redmond quel froussard je suis. Les garçons de ma classe s'enrôlent. Chaque jour, deux ou trois d'entre eux joignent les rangs. Il y a des jours où je me résigne à suivre leur exemple, puis je m'imagine en train de transpercer un homme de ma baïonnette, le mari, le fiancé ou le fils d'une femme, peut-être le père de jeunes enfants, je me vois couché sur un champ de bataille, blessé et mutilé, assoiffé sur une terre froide et détrempée, entouré de morts et d'agonisants, et je sais alors que jamais je ne serai capable de faire la guerre. L'idée même m'est intolérable. Comment pourrais-je alors affronter la réalité? Il m'arrive de regretter d'être né. La vie m'avait toujours paru si merveilleuse, et voilà qu'elle est devenue hideuse. Sans tes lettres, Rilla-ma-Rilla, tes lettres adorables, lumineuses, joyeuses, amusantes, drôles et confiantes, je crois que je me découragerais. Et les lettres d'Una! Una est tellement courageuse, n'est-ce pas? Tant de bonté et de fermeté se cachent sous une apparence timide et mélancolique. Elle n'a pas ton sens de l'humour, mais quand je lis ses lettres, j'ai l'impression que je pourrais aller au front. Non pas qu'elle me parle d'y aller, ni qu'elle insinue que je devrais m'enrôler, ce n'est pas son genre. Mais c'est l'esprit même de ses lettres, leur personnalité. Pourtant, je n'irai pas. Ton frère et l'ami d'Una est un lâche.»

«Oh! Je n'aime pas que Walter écrive ces choses. Cela me fait mal. Il n'est pas un lâche, non, il ne l'est pas!»

Elle regarda tristement la petite vallée boisée et les champs en friche, gris et solitaires. Toutes ces choses lui rappelaient Walter. Des feuilles rouges persistaient sur les églantiers sauvages qui avaient poussé le long d'un méandre du ruisseau; les perles de la pluie fine qui était tombée un peu plus tôt scintillaient sur leurs tiges. Walter avait un jour décrit tout cela dans un poème. Le vent soupirait et frissonnait dans les fougères brunes et givrées avant de se perdre, plein de tristesse, au fil de l'eau. Un jour, Walter avait dit qu'il aimait la mélancolie du vent de l'automne en novembre. Les Arbres amoureux s'enlaçaient toujours aussi fidèlement et la Dame blanche, à présent devenue un gros arbre aux branches blanchies, se dressait toujours aussi dignement contre un ciel de velours gris. C'était Walter qui les avait baptisés autrefois et, en novembre dernier, un jour qu'il se promenait dans la vallée avec Rilla et Mlle Oliver, contemplant la Dame dépouillée de ses feuilles que surmontait une jeune lune argentée, il avait remarqué: «Un bouleau blanc est une ravissante jeune fille païenne qui n'a jamais perdu le secret du Paradis terrestre: elle n'éprouve aucune honte à être nue.» Mlle Oliver lui avait répondu de mettre cette réflexion dans un poème. C'est ce qu'il avait fait et il leur avait lu son poème le lendemain, un petit texte plein de fantaisie. Oh! Comme ils étaient heureux, alors!

Eh bien, se dit Rilla en se relevant, la récréation est finie. Jims était sur le point de se réveiller, il fallait lui préparer son repas, repasser ses chemisettes, assister à la réunion du comité de la Croix-Rouge ce soir-là, terminer son nouveau tricot... ce serait le plus joli de tous, plus beau même que celui d'Irene Howard. Elle devait rentrer et se mettre à l'ouvrage. Elle était occupée du matin jusqu'au soir, ces derniers temps. Ce petit gredin de Jims exigeait beaucoup de son temps. Mais il grandissait, cela ne faisait aucun doute. Parfois, Rilla était sûre qu'il embellissait vraiment, ce n'était pas un vœu pieux mais une réalité absolue. Il lui arrivait d'être fière de lui et d'autres fois, l'envie de lui donner une fessée la démangeait. Mais jamais elle ne l'embrassait ni même ne désirait le faire.

«Les Allemands ont pris Lodz aujourd'hui», annonça Mlle Oliver un soir de décembre alors qu'elle cousait ou tricotait en compagnie de Mme Blythe et de Susan dans le salon douillet. Cette guerre me permet à tout le moins de développer mes connaissances en géographie. Toute maîtresse d'école que j'étais, il y a trois mois, j'ignorais tout à fait qu'il existait un endroit nommé Lodz sur terre. Si on avait mentionné ce nom devant moi, cela n'aurait suscité aucun intérêt chez moi. Et voilà qu'à présent je connais tout sur cet endroit: son étendue, sa position et son importance militaire. Hier, j'ai été anéantie lorsque j'ai appris que les Allemands l'avaient pris lors de leur deuxième assaut vers Varsovie. Je me suis réveillée en pleine nuit, le cœur serré d'inquiétude. Cela ne m'étonne pas que les bébés pleurent lorsqu'ils se réveillent, la nuit. À ce moment-là, tout opprime mon âme et tous les nuages sont noirs.»

«Moi, quand j'me réveille la nuit et que j'suis incapable de me rendormir, commenta Susan qui tricotait en lisant, je passe le temps en torturant le Kaiser. La nuit dernière, je l'ai fait frire dans de l'huile bouillante et comme j'me rappelais les bébés belges, ça m'a beaucoup réconfortée.»

«Nous devons aimer nos ennemis, Susan», coupa le docteur, solennel.

««Nos ennemis peut-être, pas ceux du roi George, cher docteur», rétorqua Susan d'un ton écrasant. Elle était si fière d'avoir ainsi coupé le sifflet au docteur qu'elle souriait même en astiquant les verres. Susan avait toujours refusé d'astiquer la verrerie, mais elle s'était mise à le faire récemment, car cela lui permettait de s'attarder dans la salle à manger et d'apprendre les nouvelles de guerre. Pas une dépêche ne lui échappait. «Pouvez-vous me dire, Mlle Oliver, comment on prononce M-l-a-w et B-z-u-r-a et P-r-z-e-m-y-s-l?»

«Le dernier nom est un mystère que personne ne semble avoir encore résolu, Susan. Quant aux deux autres, je peux seulement essayer de le deviner.»

«Ces noms étrangers sont loin d'être décents, à mon avis», fit Susan, dégoûtée.

«J'imagine que, pour les Autrichiens et les Russes, Saskatchewan et Musquodoboit doivent paraître tout aussi saugrenus, Susan», remarqua Mlle Oliver.

Rilla était dans sa chambre; elle confiait à son journal les tracas de son âme.

«Cette semaine, tout a été de travers pour moi. C'était en partie de ma faute et en partie pas, mais j'ai été aussi malheureuse dans les deux cas.

«Je suis allée en ville l'autre jour pour acheter un nouveau chapeau d'hiver. C'était la première fois que personne n'insistait pour venir le choisir avec moi et j'ai vraiment eu l'impression que maman avait cessé de me considérer comme une enfant. J'ai déniché le plus joli chapeau, tout simplement adorable. Il était en velours de cette riche teinte de vert qui me va à merveille, convenant tout à fait à mes cheveux et à mon teint. C'est une couleur qui fait ressortir les reflets roux de mes cheveux et ce que Mlle Oliver appelle mon teint "laiteux". Il ne m'était arrivé qu'une seule fois auparavant de tomber sur cette nuance précise de vert. À douze ans, j'avais un petit chapeau de feutre de cette couleur et toutes les filles

de l'école en étaient folles. Eh bien, dès que j'ai vu ce chapeau, j'ai su que c'était celui qu'il me fallait, et je l'ai acheté.
Il coûtait scandaleusement cher. Je n'écrirai pas le prix dans
ce journal parce que je ne veux pas que mes descendants
sachent à quel point j'ai été coupable en payant un tel prix
pour un chapeau, surtout en temps de guerre, quand tout le
monde est ou doit se montrer économe.

«De retour à la maison, j'ai de nouveau essayé le chapeau
dans ma chambre et j'ai alors été assaillie de remords. Bien
entendu, il m'allait à ravir. Pourtant, il me semblait trop sophistiqué pour aller à l'église et à nos petites sorties tranquilles au village, bref, il paraissait trop voyant. Je n'avais pas
eu cette impression chez la modiste, mais ici, dans ma petite
chambre blanche, c'était différent. Et quand je pensais au prix
exorbitant et aux Belges affamés! Lorsque maman a vu le chapeau et l'étiquette, elle m'a simplement regardée. Maman est
une spécialiste du regard.

«"Penses-tu, Rilla, m'a-t-elle demandé posément, beaucoup trop posément, que tu as été sage de dépenser autant
d'argent pour un chapeau, surtout maintenant que les be-
soins du monde sont si grands?"

«"Je l'ai payé avec mon argent de poche, maman!" me
suis-je exclamée.

«"Là n'est pas la question. Ton allocation est basée sur le
principe d'un montant raisonnable pour chacune des choses
dont tu as besoin. Si tu paies un article trop cher, il faudra
que tu te prives pour d'autres et ce n'est pas une solution.
Mais si tu penses avoir bien agi, Rilla, je n'ai rien à ajouter. Je
te laisse t'arranger avec ta conscience."

«Je préférerais que maman ne me laisse pas m'arranger avec
ma conscience! D'ailleurs, que pouvais-je faire? Je ne pouvais
rapporter le chapeau, je l'avais porté à un concert, en ville, il
fallait donc que je le garde. Je me suis sentie si mal à l'aise
que la colère m'a envahie, une colère froide, calme, mortelle.

«"Maman, ai-je dit hautainement, je suis désolée que tu
désapprouves mon achat..."

«"Ce n'est pas exactement le chapeau que je désapprouve, a répondu maman, quoique je le trouve d'un goût douteux pour une si jeune fille, mais c'est le prix que tu l'as payé."

«Le fait d'être interrompue n'ayant pas apaisé ma colère, j'ai poursuivi, encore plus froide, plus calme et plus mortelle qu'avant, ignorant les paroles de maman.

«"... mais je dois le garder. Je te promets cependant de ne pas acheter d'autre chapeau avant trois ans ou la fin de la guerre, si elle dure plus que trois ans. Même toi..." — le ton sarcastique sur lequel j'ai prononcé ce "toi"! — "tu ne peux pas dire que le prix était trop élevé s'il est réparti sur trois ans."

«"Tu seras très fatiguée de ce chapeau avant cela", a remarqué maman en souriant d'un air de défi qui signifiait qu'elle ne me croyait pas capable de tenir le coup.

«"Fatiguée ou non, je vais le porter jusque-là", ai-je déclaré. Puis je me suis ruée dans ma chambre et j'ai pleuré d'avoir adopté un ton sarcastique avec maman.

«Je déteste déjà ce chapeau. Mais j'ai dit que je le porterais trois ans ou pendant toute la durée de la guerre et c'est ce que je ferai. Je vais tenir parole, quoi qu'il m'en coûte. C'est là une des choses qui est allée de travers cette semaine. La deuxième est que je me suis querellée avec Irene Howard, ou qu'elle s'est querellée avec moi, non, nous nous sommes querellées toutes les deux.

«L'unité des jeunes de la Croix-Rouge s'est réunie ici hier. La réunion devait avoir lieu à deux heures et demie mais Irene est arrivée une heure à l'avance parce que quelqu'un lui avait offert de la conduire en voiture du Glen-En-Haut. Depuis l'histoire de la collation, Irene ne s'est jamais montrée gentille avec moi. De plus, je suis certaine qu'elle est frustrée de ne pas être la présidente. Mais comme j'avais décidé que tout se passerait bien, je n'en faisais pas de cas. Lorsqu'elle est arrivée hier, elle avait l'air si aimable que j'ai espéré qu'elle avait passé par-dessus sa déception et que nous redeviendrions des amies comme avant. Une fois assise, Irene commença pourtant aussitôt à me chercher noise. J'ai vu qu'elle jetait un regard noir à mon nouveau sac à tricot. Toutes les filles avaient toujours dit qu'Irene était jalouse et je refusais de les croire.

«Son premier geste fut de se précipiter sur Jims. Elle prétend qu'elle adore les bébés. Elle l'a donc sorti de son berceau et l'a embrassé sur tout le visage alors qu'elle sait parfaitement bien que j'ai horreur de ça. Ce n'est pas hygiénique. Après l'avoir dérangé jusqu'à ce qu'il commence à faire des caprices, elle m'a regardée en faisant entendre un petit rire méchant mais c'est pourtant d'une voix suave, oh! si suave, qu'elle a remarqué: "Mon Dieu, très chère Rilla, tu avais l'air de penser que j'étais en train d'empoisonner le bébé."

«"Pas du tout, Irene, ai-je répondu tout aussi mielleusement, mais tu sais ce que dit Morgan: pour ne pas transmettre de germes à un bébé, il ne faut l'embrasser que sur le front. C'est la règle que j'applique dans le cas de Jims."

«"Juste ciel, suis-je si contaminée?" s'est-elle exclamée d'un ton plaintif. Je savais qu'elle se moquait de moi et je commençais à bouillir intérieurement, sans le laisser paraître. J'étais déterminée à ne pas me brouiller avec Irene. Elle s'est ensuite mise à faire sauter Jims sur ses genoux. Selon Morgan, c'est à peu près la pire chose que l'on puisse faire à un bébé et jamais je ne permets à personne de le faire. Mais Irene l'a fait sauter et ce bébé exaspérant a aimé cela. Il a souri pour la première fois de sa vie. Il a quatre mois et il n'avait jamais souri auparavant. Maman et Susan avaient eu beau essayer, jamais elles n'avaient pu lui arracher le moindre sourire. Et voilà qu'il souriait parce qu'Irene Howard le faisait sauter! Quelle gratitude! J'admets que ce sourire l'a métamorphosé. Ses joues se sont creusées de deux adorables fossettes et ses grands yeux marron semblaient tout joyeux. Irene a fait tout un plat de ces fossettes et j'ai trouvé cela complètement idiot. On aurait vraiment dit qu'elle se considérait comme leur créatrice. J'ai continué à coudre sans enthousiasme et Irene en a bientôt eu assez de faire sauter Jims et l'a remis dans son berceau. Cela ne lui a pas plu; il s'est mis à pleurer et a été grognon le reste de l'après-midi alors que si Irene l'avait laissé tranquille, il aurait été un ange. Irene l'a regardé et m'a demandé: "Est-ce qu'il pleure souvent comme ça?" comme si c'était la première fois qu'elle entendait un bébé pleurer. Je lui ai expliqué patiemment que les nourrissons doivent pleurer tant de minutes par jour pour développer leurs poumons. C'est Morgan qui l'affirme. "Si Jims ne pleurait pas, il faudrait que je le fasse pleurer au moins vingt minutes", ai-je conclu.

«"Oh! Vraiment?" s'est écriée Irene, l'air incrédule. Si mon livre n'avait pas été dans ma chambre, je le lui aurais montré et cela lui aurait cloué le bec. Ensuite, elle a dit que Jims n'avait pas beaucoup de cheveux, que jamais elle n'avait vu un marmot de quatre mois aussi chauve. Bien entendu, je le savais. Mais le ton sur lequel elle m'a dit ça sous-entendait que c'était ma faute s'il n'avait pas de cheveux. J'ai répliqué que, pour ma part, j'avais vu des douzaines de bébés aussi chauves et Irene a dit: "Oh! Ça va, je ne voulais pas t'offenser", alors que je n'étais pas offensée. Cela a continué comme ça pendant le reste de l'heure. Irene me lançait de petites pointes sans arrêt. Les filles avaient toujours prétendu qu'elle était rancunière et qu'elle se vengeait quand on l'avait vexée. J'avais toujours refusé de le croire. J'avais l'habitude de considérer qu'elle était parfaite, et cela m'a fait beaucoup de peine de découvrir qu'elle pouvait s'abaisser à ce point. Mais j'ai caché mes sentiments et continué à coudre une chemise de nuit pour un enfant belge. Alors Irene m'a répété une chose absolument méchante et dégoûtante que quelqu'un avait dite sur Walter. Je ne veux pas l'écrire, je n'en suis pas capable. Elle a évidemment affirmé que cela l'avait rendue furieuse, mais elle n'avait pas à me répéter une chose pareille. Elle ne l'a fait que pour me blesser. J'ai éclaté. "Comment oses-tu venir ici me répéter une telle infamie sur mon frère? me suis-je écriée. Je ne te le pardonnerai jamais, jamais. Ton propre frère ne s'est pas enrôlé et il ne projette absolument pas de le faire!"

«"Mon Dieu, Rilla, ce n'est pas moi qui ai dit cela, c'est Mme Burr. Et je lui ai répondu..."»

«"Je ne veux pas savoir ce que tu lui as répondu. Ne m'adresse plus jamais la parole, Irene Howard!"»

«Je n'aurais évidemment pas dû dire ça, mais je n'ai pas pu me retenir. Ensuite, les autres filles sont arrivées toutes en même temps, alors j'ai été obligée de me calmer et faire de mon mieux pour me montrer une bonne hôtesse. Irene a passé le reste de l'après-midi avec Olive Kirk et c'est à peine si elle m'a jeté un regard en partant. Je présume qu'elle a l'intention de me prendre au mot et je m'en fiche parce que je ne veux pas être l'amie d'une fille capable de répéter une telle calomnie à propos de Walter. Cela ne m'empêche pourtant pas de me sentir malheureuse. Nous nous étions toujours si bien entendues et jusqu'à récemment, Irene était charmante avec moi. Une autre illusion perdue! J'ai l'impression que l'amitié sincère n'existe pas...

«Papa a demandé à Joe Mead de construire une petite niche pour Lundi dans un coin du hangar. Nous avions pensé qu'il reviendrait peut-être à la maison lorsqu'il commencerait à faire froid, mais il refuse obstinément de quitter cet entrepôt, même pour quelques minutes. Il reste à son poste et va à la rencontre de chacun des trains qui arrivent. Nous avons donc dû faire quelque chose pour lui faciliter la vie. Joe a construit la niche de façon à ce que Lundi puisse voir le quai lorsqu'il est couché dedans. Nous espérons qu'il va accepter de l'occuper. Lundi est devenu célèbre. Un journaliste de l'*Enterprise* est venu de la ville; il l'a photographié et a écrit un article sur son attente fidèle. L'article a été publié dans l'*Enterprise* et reproduit dans tous les journaux du Canada. Le pauvre petit Lundi s'en balance: Jem est parti et Lundi ignore où et pourquoi, mais il attend son retour. D'une certaine façon, cela me réconforte; c'est stupide, je suppose, mais j'ai l'impression que Jem va vraiment revenir, sinon Lundi ne l'attendrait pas.

«Jims est dans son berceau à côté de moi et il ronfle.

C'est parce qu'il a attrapé un rhume qu'il renifle, pas à cause des adénoïdes. Irene avait le rhume hier et en embrassant Jims comme elle l'a fait, elle lui a transmis son microbe. Il n'est plus aussi encombrant. Sa colonne vertébrale s'est raffermie et il peut s'asseoir. À présent, il adore prendre son bain et, le visage imperturbable, il éclabousse tout autour de lui au lieu de se débattre en hurlant. Ce soir, je l'ai chatouillé un peu en le déshabillant. Jamais je ne le ferais sauter, mais Morgan ne défend pas de chatouiller les bébés. Je voulais simplement voir s'il me sourirait comme à Irene. Il l'a fait et ses fossettes sont apparues. Quel dommage que maman ne l'ait pas vu!

«J'ai terminé ma sixième paire de chaussettes aujourd'hui. C'est Susan qui a tricoté le talon des trois premières paires. Puis j'ai pensé que c'était un peu lâche de ma part et j'ai appris à le faire toute seule. J'ai horreur de ça mais, depuis le 4 août dernier, j'ai fait tant de choses que je déteste qu'un peu plus ou un peu moins ne fait pas une grande différence. J'ai simplement pensé aux plaisanteries que fait Jem sur la boue dans la plaine de Salisbury et je me suis mise à l'ouvrage.»

11

Clair-obscur

À Noël, les garçons et les filles fréquentant l'université revinrent chez eux et Ingleside retrouva pour quelque temps sa gaieté. Mais tous n'étaient pas présents: pour la première fois, un convive manquait autour de la table de Noël. Jem, ce grand gaillard à la mâchoire volontaire et au regard intrépide, était au loin et Rilla eut l'impression que la vue de sa place vide était au-dessus de ses forces. Susan avait absolument tenu à dresser son couvert comme d'habitude. Elle avait placé le petit rond de serviette tarabiscoté dont il se servait depuis son enfance et le bizarre gobelet des Pignons verts que tante Marilla lui avait offert. Il n'avait jamais perdu l'habitude de s'en servir.

«Le cher petit aura sa place, avait dit Susan, inébranlable. Ça ne doit pas vous faire de peine, chère Mme Docteur, parce que vous pouvez être sûre qu'il est ici en esprit et qu'il y sera en chair et en os à Noël l'an prochain. Attendez seulement l'assaut fatal que nos troupes vont donner au printemps et vous verrez que la guerre sera finie dans le temps de le dire.»

Tout le monde essaya de penser comme elle, mais une

ombre se glissa dans leur volonté de faire fête. Walter fut d'humeur calme et morne pendant toute la durée des vacances. Il fit lire à Rilla une cruelle lettre anonyme qu'il avait reçue à Redmond, une lettre faisant davantage preuve de méchanceté que d'indignation patriotique.

«Quoi qu'il en soit, elle ne dit que la vérité, Rilla.»

Rilla la lui arracha des mains et la jeta au feu.

«Elle ne contient pas un mot de vrai, protesta-t-elle avec ferveur. Walter, tu es devenu morbide. C'est ce que Mlle Oliver dit d'elle-même quand elle jongle trop longtemps sur un sujet.»

«À Redmond, je ne peux penser à autre chose, Rilla. La guerre enflamme l'esprit de tous les étudiants. Quand un gars normalement constitué et en âge d'être soldat ne s'enrôle pas, il est considéré comme un lâche et traité comme tel. J'avais toujours été le chouchou de M. Milne, le professeur d'anglais. À présent qu'il a deux fils en uniforme, son attitude à mon égard a changé, je l'ai senti.»

«C'est injuste. Tu n'es pas fait pour la guerre.»

«Physiquement, je le suis. Je suis en pleine forme. C'est mon cœur qui n'est pas fait pour la guerre et c'est une souillure et un déshonneur. Allons, il ne faut pas pleurer, Rilla. Je n'irai pas, si c'est cela qui te fait peur. La musique du Joueur de pipeau résonne dans mes oreilles jour et nuit, mais je ne peux pas le suivre.»

«Si tu y allais, tu briserais le cœur de maman et le mien, sanglota Rilla. Oh! Walter, c'est déjà suffisant qu'un garçon de la famille soit soldat!»

Ces vacances la rendirent malheureuse, même si la présence de Nan, de Di, Walter et Shirley l'aidèrent à supporter la situation. Elle reçut également un livre de Kenneth Ford, accompagné d'une lettre dont certaines phrases enflammèrent ses joues et accélérèrent ses battements cardiaques. Le dernier paragraphe la fit cependant déchanter.

«Ma cheville se porte comme un charme. Dans environ deux mois, je serai suffisamment en forme pour m'enrôler,

Rilla-ma-Rilla. Ce sera toute une émotion de porter l'uniforme, je t'assure. Le petit Ken pourra enfin regarder le
monde en face sans se sentir inférieur aux autres hommes.
Comme je ne boitais plus, j'ai trouvé la vie pénible, ces derniers temps. Les gens qui n'étaient pas au courant de la situation me regardaient en ayant l'air de me considérer comme
un déserteur. Eh bien, ils n'auront plus longtemps la possibilité de le faire!»

«Je hais cette guerre», dit Rilla avec amertume en contemplant l'érablière toute rose et dorée dans le crépuscule
hivernal.

«L'année 1914 s'en est allée, remarqua le Dr Blythe au
jour de l'An. Son soleil s'était levé dans la joie et s'est couché dans le sang. Que nous réserve 1915?»

«La victoire!» s'écria Susan, laconique, pour une fois.

«Croyez-vous vraiment que nous allons gagner la guerre,
Susan?» demanda sombrement Mlle Oliver. Elle était venue
de Lowbridge passer la journée à Ingleside. Elle voulait voir
Walter et les filles avant leur départ pour Redmond. D'humeur mélancolique et cynique, elle avait tendance à voir le
mauvais côté des choses.

«Si je crois qu'on va gagner la guerre? s'exclama Susan.
Non, chère Mlle Oliver, je ne le crois pas, je le sais. On doit
se contenter de mettre notre confiance en Dieu et de fabri-
quer des canons.»

«Parfois, je pense que les canons sont plus fiables que
Dieu», rétorqua Mlle Oliver d'un air provocateur.

«Non, non, ma chère, c'est faux. Les Allemands avaient
des canons à la bataille de la Marne, pas vrai? Mais la Providence a réglé leur cas, ne l'oubliez jamais. Pensez-y quand
vous êtes tentée de douter. Accrochez-vous à votre fauteuil
et répétez: "Les canons sont peut-être bons, mais le Très-
Haut est encore meilleur et Il est de notre côté, quoi qu'en
dise le Kaiser." Ma cousine Sophia a, comme vous, tendance
à se laisser abattre. "Oh! Seigneur, qu'est-ce qu'on va faire si
les Allemands débarquent ici?" m'a-t-elle demandé en

gémissant hier. "Les enterrer, ai-je répondu du tac au tac. On ne manque pas d'espace pour les cercueils." Cousine Sophia m'a trouvée irrévérencieuse, mais je ne le suis pas, chère Mlle Oliver, je suis tout simplement calme et je fais confiance en la marine britannique et en nos soldats canadiens."

«Je déteste aller me coucher, maintenant, déclara Mme Blythe. Avant, j'adorais passer une demi-heure dans mon lit à imaginer toutes sortes de choses folles et joyeuses avant de m'endormir. J'imagine encore des choses, mais elles sont tellement différentes.»

«Moi, je suis plutôt contente quand vient l'heure d'aller au lit, dit Mlle Oliver. J'aime la noirceur parce que je peux être moi-même dans le noir. Il n'est plus nécessaire de sourire ou de tenir des propos courageux. Mais quelquefois je ne contrôle plus mon imagination et, comme vous, je vois des choses terribles, les années de malheur qui nous attendent.»

«Je remercie le ciel de n'avoir jamais eu d'imagination, dit Susan. On m'a épargné ça. Je lis dans ce journal que l'héritier du trône a de nouveau été tué. Peut-on espérer qu'il va rester mort, cette fois? Je vois aussi que ce Woodrow Wilson va rédiger une nouvelle note. Je me demande», conclut-elle avec cette ironie mordante qu'elle s'était mise depuis peu à utiliser quand elle parlait de l'infortuné président, «si l'instituteur de cet homme est toujours vivant.»

Jims eut cinq mois en janvier et Rilla célébra cet anniversaire en raccourcissant ses vêtements.

«Il pèse quatorze livres, annonça-t-elle triomphalement. Selon Morgan, c'est le poids idéal pour un bébé de cinq mois.»

Personne ne doutait plus que Jims embellissait. Ses petites joues fermes et rondes étaient légèrement colorées, il avait de grands yeux limpides et des menottes creusées de fossettes à la racine de chaque doigt. Ses cheveux avaient même commencé à pousser, au grand soulagement de Rilla, quoiqu'elle n'en dît rien. C'était un duvet pâle et doré qu'on voyait distinctement sous certains éclairages. Jims était un bon bébé, qui dormait et digérait en général conformément aux décrets de Morgan. Il souriait à l'occasion mais n'avait encore jamais ri, malgré tous les efforts déployés en ce sens. Cela préoccupait Rilla, car Morgan affirmait qu'habituellement les bébés rient à voix haute entre le troisième et le cinquième mois. Jims avait maintenant cinq mois, et l'idée de rire ne semblait pas lui venir à l'esprit. Pourquoi? Était-il anormal?

Un soir, Rilla rentra tard après avoir assisté à une assemblée de recrutement au village où elle avait récité des textes patriotiques. C'était la première fois qu'elle acceptait de déclamer en public. Elle craignait de zézayer, ce qui lui arrivait parfois lorsqu'elle était nerveuse. Elle avait commencé par refuser lorsqu'on lui avait proposé de déclamer à l'assemblée du Glen-En-Haut. Par la suite, elle s'était interrogée sur son attitude. Était-ce lâche? Qu'en penserait Jem s'il l'apprenait? Après s'être torturé l'esprit pendant deux jours, elle avait téléphoné à la présidente de la Société patriotique pour dire qu'elle acceptait. Elle s'était exécutée et avait zézayé plusieurs fois. Blessée dans son amour-propre, elle était restée réveillée une partie de la nuit. Le surlendemain soir, elle avait récidivé à l'entrée du port. Depuis, elle avait déclamé à Lowbridge et au hameau de l'autre côté du port, résignée aux zézaiements occasionnels. À part elle, personne ne semblait y prêter attention. Et elle était si sincère, si implorante! Elle avait les yeux si brillants! Plus d'une recrue s'était enrôlée parce que les yeux de Rilla semblaient la fixer lorsqu'elle demandait avec passion si les hommes pouvaient espérer une mort plus noble que celle qu'ils auraient en combattant pour les cendres de leurs ancêtres et les temples de leurs dieux, ou lorsqu'elle assurait son auditoire, avec une intensité émouvante, qu'une seule heure de gloire vaut bien toute une vie sans honneur. Même le balourd Miller Douglas fut un soir si enflammé que Mary Vance dut lui parler pendant une bonne heure avant de le ramener à la raison. Mary Vance remarqua amèrement que si Rilla Blythe avait autant souffert qu'elle l'avait prétendu lorsque Jem était parti pour le front, elle ne presserait pas les frères et les amis des autres filles d'aller l'y rejoindre.

Le soir dont il est question, Rilla se sentait lasse et tran-sie; elle était bien contente de se blottir dans son nid, bien au chaud sous les couvertures, tout en se demandant triste-ment, comme d'habitude, ce que pouvaient faire Jem et Jerry. Enfin réchauffée, elle était sur le point de céder au sommeil lorsque Jims se mit soudain à pleurer sans s'arrêter. Rilla se pelotonna dans son lit, déterminée à le laisser faire. Les enseignements de Morgan la justifiaient. Jims était au chaud, il était physiquement confortable puisque ses pleurs n'étaient pas des pleurs de douleur et son petit ventre était aussi plein qu'il le fallait. Dans ces circonstances, ce serait le gâter que d'y prêter attention et il était hors de question qu'elle le fasse. Il pouvait s'époumoner jusqu'à tomber de sommeil.

Puis, l'imagination de Rilla se mit à la tourmenter. Sup-posons, pensa-t-elle, que je sois une minuscule créature sans défense âgée de seulement cinq mois, que mon père soit quelque part en France et que ma pauvre petite maman, après s'être tant inquiétée de moi, repose à présent dans le cimetière. Supposons que je sois couchée dans un panier au milieu d'une grande pièce sombre, sans une seule lueur, et qu'il n'y ait personne à des milles à la ronde, d'après ce que je peux distinguer. Supposons qu'il n'existe pas un seul être humain au monde pour m'aimer, car un père qui ne m'a même jamais vue ne peut pas m'aimer beaucoup, surtout qu'il n'a jamais envoyé un mot à mon sujet. Est-ce que je ne pleurerais pas, moi aussi? Est-ce que je ne me sentirais pas si seule, si abandonnée, si effrayée qu'il faudrait que je pleure?

Rilla se redressa. Elle sortit le petit Jims de sa corbeille et l'installa dans son propre lit. Les mains du pauvre petit étaient toutes froides. Mais il cessa bientôt de pleurer. Et alors, comme elle le serrait contre elle dans le noir, Jims éclata soudain de rire, un vrai rire gazouillant, ravi, délicieux.

«Oh! Toi, mon cher petit trésor! s'exclama Rilla. Tu es donc si heureux de sentir que tu n'es pas tout seul, perdu dans une grande chambre noire?» Puis elle comprit qu'elle avait envie de l'embrasser et elle le fit. Elle embrassa sa petite tête satinée et parfumée, sa petite joue potelée, ses menottes froides. Elle avait envie de le serrer et de le câliner comme elle le faisait avec les chatons. Elle semblait envahie par un sentiment tendre et merveilleux, un incontrôlable désir de protéger. Jamais auparavant elle n'avait éprouvé cela.

Quelques minutes plus tard, Jims dormait profondément et, pendant que Rilla écoutait sa respiration douce et régulière et sentait contre elle le petit corps chaud et satisfait, elle comprit qu'enfin elle aimait son bébé de guerre.

«Il est devenu si adorable», songea-t-elle, somnolente, avant de glisser elle aussi dans les bras de Morphée.

En février, Jem, Jerry et Robert Grant se trouvant dans les tranchées, une nouvelle tension vaguement menaçante s'ajouta à la vie d'Ingleside. En mars, Ypres, ou «Yiprez», comme le prononçait Susan, acquit une signification plus amère. La liste quotidienne des morts et des blessés avait commencé à paraître dans les journaux et personne, à Ingleside, ne répondait plus au téléphone sans avoir des frissons dans le dos, car cela pourrait bien être le chef de gare appelant pour dire qu'un télégramme venait d'arriver d'outre-mer. Personne, à Ingleside, ne se réveillait plus le matin sans se demander avec appréhension ce que la journée pouvait réserver.

«Et dire que j'avais coutume d'avoir si hâte au matin», soupirait Rilla.

On continuait pourtant à assumer les tâches quotidiennes et il se passait rarement une semaine sans qu'on voie un des garçons du Glen, la veille encore un écolier turbulent, se transformer en soldat.

«C'est frisquet ce soir, chère Mme Docteur», fit remarquer Susan qui venait de rentrer. C'était un crépuscule clair et étoilé de l'hiver canadien. «Je me demande si les garçons sont au chaud dans les tranchées.»

«On rapporte tout à cette guerre, s'écria Gertrude Oliver. On ne peut pas y échapper, même quand on parle de la pluie et du beau temps. Moi-même, je ne sors jamais dans le noir et le froid de la nuit sans penser aux hommes dans les tranchées, non seulement aux nôtres, mais à tous les hommes. Je ressentirais la même chose même si je ne connaissais personne au front. Quand je me pelotonne dans mon lit douillet, j'ai honte de jouir d'un tel confort. J'ai l'impression que c'est mal d'être bien quand tellement de gens souffrent.»

«J'ai rencontré Mme Meredith au magasin, reprit Susan. Elle m'a dit que Bruce les préoccupe beaucoup, il prend les choses tellement à cœur. Il s'est endormi en pleurant pendant une semaine en pensant aux Belges affamés. "Oh! Maman, qu'il lui a dit d'un ton suppliant, c'est sûr que les bébés n'ont pas faim, oh! pas les bébés, maman! Dis-moi seulement que les bébés n'ont pas faim, maman!" Et elle ne le pouvait pas parce que ce n'était pas vrai et elle est au bout de son rouleau. Ils font tout ce qu'ils peuvent pour lui cacher les choses, mais il les découvre et devient alors inconsolable. Moi-même, ça me brise le cœur de lire des choses à ce sujet, chère Mme Docteur, et j'arrive pas à me consoler en me disant que ces histoires sont fausses. Mais il faut pas perdre courage. Jack Crawford dit qu'il va à la guerre parce qu'il est fatigué de cultiver la terre. J'espère qu'il va trouver le changement agréable. Et Mme Richard Elliott se ronge les sangs parce qu'elle n'arrêtait pas de reprocher à son mari d'enfumer les rideaux du salon. À présent qu'il s'est enrôlé, elle voudrait ne jamais lui en avoir parlé. Moustaches-sur-la-lune jure qu'il n'est pas proallemand, mais il se définit comme un pacifiste. Dieu sait ce qu'il entend par là. C'est certainement rien de respectable, sinon Moustaches-sur-la-lune ne le serait pas, vous pouvez en être sûre. Il prétend que la grande victoire britannique à New Chapelle a coûté plus cher qu'elle ne le valait et il a interdit à Joe Milgrave d'approcher de chez lui parce qu'il a hissé le drapeau de son père en apprenant la nouvelle. Avez-vous remarqué, chère Mme Docteur, que le tsar a changé le nom de Prish en Premysl, ce qui prouve que cet homme a de la jugeote même s'il est Russe? Joe Vickers m'a raconté avoir vu quelque chose de très bizarre dans le ciel, ce soir, au-dessus de la route de Lowbridge. Croyez-vous que ça pouvait être un zeppelin, chère Mme Docteur?»

«Cela me semble plutôt improbable, Susan.»

«Eh bien, je me sentirais plus rassurée si Moustaches-sur-la-lune ne vivait pas au village. On m'a dit l'avoir vu dernièrement faire d'étranges manœuvres avec une lanterne dans sa cour. Certaines personnes pensent qu'il envoyait des signaux.»

«À qui donc, ou à quoi?»

«Ah! C'est bien ça le mystère, chère Mme Docteur. À mon avis, le gouvernement ferait bien de tenir ce type à l'œil s'il veut pas qu'on se retrouve un beau soir tous assassinés dans nos lits. À présent, je vais juste parcourir les journaux avant d'aller écrire une lettre au petit Jem. Deux choses que je n'avais jamais faites avant, chère Mme Docteur: écrire des lettres et lire les nouvelles politiques. Et voilà que je m'y applique régulièrement et, en fin de compte, j'trouve même quelque chose d'intéressant à la politique. J'arrive pas encore à comprendre les intentions de ce Woodrow Wilson, mais j'compte bien éclaircir le mystère un jour ou l'autre.»

Scrutant le journal à la recherche de Wilson et de politique, Susan tomba sur quelque chose qui la troubla et s'exclama d'un ton d'amère déception:

«Finalement, ce maudit Kaiser n'a qu'un furoncle!»

«Ne jurez pas, Susan», interrompit le Dr Blythe en allongeant le visage.

«C'est pas jurer que de dire maudit, cher docteur. J'ai toujours cru que jurer voulait dire prononcer en vain le nom du Très-Haut.»

«Eh bien, ce n'est pas... hum... raffiné», se reprit le docteur en faisant un clin d'œil à Mlle Oliver.

«Non, cher docteur, le diable et le Kaiser, si toutefois il s'agit de deux personnes différentes, ne sont pas raffinés. On ne peut donc pas parler d'eux en termes polis. Je m'en tiens donc à ce que j'ai dit. Vous remarquerez cependant que jamais je n'utilise de telles expressions quand la jeune Rilla se trouve dans les parages. Et je maintiens que les journaux n'ont pas le droit de donner de l'espoir aux gens en disant que le Kaiser a une pneumonie pour avouer finalement qu'il n'avait rien d'autre qu'un furoncle. Un furoncle, vraiment! J'aimerais qu'il en soit couvert de la tête aux pieds.»

Susan se dirigea à grandes enjambées vers la cuisine et s'installa pour écrire à Jem. D'après certains passages de la lettre reçue de lui ce jour-là, elle estimait qu'il avait besoin de réconfort.

«Ce soir, nous sommes dans un vieux cellier, papa, écrivait-il, dans l'eau jusqu'aux genoux. Des rats partout, pas de feu, le bruit de la pluie qui tombe, plutôt sinistre. Mais ça pourrait être pire. J'ai reçu le colis de Susan aujourd'hui; tout était impeccable et nous nous sommes régalés. Jerry est quelque part au front et il dit que les rations sont plus mauvaises que le fricot de tante Martha. Ici, c'est acceptable, quoique monotone. Dis à Susan que je donnerais ma solde d'un an pour une bonne platée de ses biscuits faces de singe. Mais que cela ne l'incite pas à m'en envoyer parce qu'ils ne se conservent pas.

«Nous sommes sous le feu depuis la dernière semaine de février. Hier, un gars de la Nouvelle-Écosse a été tué à côté de moi. Un obus a sauté près de nous et quand les dégâts ont été ramassés, il était étendu, mort, mais pas du tout mutilé. Il avait juste l'air un peu ahuri. C'était la première fois que je me trouvais près de quelque chose de ce genre et la sensation était loin d'être agréable, mais on s'habitue vite aux horreurs ici. Seules les étoiles n'ont pas changé, pourtant on dirait qu'elles ne sont jamais à leur place.

«Que maman ne s'inquiète pas, je vais très bien, je suis en pleine forme et content d'être ici. Quelque chose doit être balayé de la terre, c'est tout, comme une émanation de l'enfer qui autrement envenimerait la vie pour toujours. Il faut le faire, papa, qu'importe le temps qu'il faudra et le prix à payer, c'est le message que je veux que tu transmettes de ma part aux gens de Glen St. Mary. Ils ne comprennent pas encore ce qui s'est déréglé. Moi non plus, je ne comprenais pas quand je me suis enrôlé. Je croyais que ce serait une partie de plaisir. Eh bien, c'est loin de l'être! Mais je suis là où je dois être, il n'y a pas de doute. Quand j'ai vu ce qu'on avait fait aux maisons, aux jardins et aux gens, ma foi, papa, j'ai eu l'impression de voir une horde de barbares envahir la vallée Arc-en-ciel, le village et le jardin d'Ingleside. Il y avait des jardins ici, des jardins séculaires, absolument splendides. Que sont-ils devenus? Des espaces ravagés, profanés! Nous combattons pour que d'autres garçons et filles puissent jouer en sécurité dans ces chers vieux endroits où nous avons été si heureux, enfants. Nous combattons pour préserver et protéger toutes les choses belles et saines.

«Quand l'un de vous ira à la gare, qu'il donne à Lundi une double ration de caresses de ma part. Quand je pense à ce fidèle petit chien qui m'attend là-bas! Honnêtement, papa, certaines de ces nuits sombres et froides dans les tranchées, tu ne peux pas savoir combien cela me réchauffe le cœur et me remonte le moral de penser qu'à des milliers de milles d'ici, à la vieille gare de Glen St. Mary, un petit chien tacheté partage ma veille.

«Dis à Rilla que je suis bien content que son bébé de guerre se porte si bien et rappelle à Susan que je combats vaillamment contre les Allemands et les morpions.»

«Chère Mme Docteur, chuchota Susan d'un ton solennel, qu'est-ce que c'est, des morpions?»

Mme Blythe chuchota à son tour la réponse, puis, devant les protestations indignées de Susan, elle expliqua: «C'est toujours comme ça dans les tranchées, Susan.»

Susan secoua la tête et, dans un silence lugubre, elle alla rouvrir le colis qu'elle avait préparé pour Jem et y glissa un peigne fin.

12

Les jours de Langemarck

«Comment le printemps peut-il venir et être aussi beau au milieu de tant d'horreur, écrivit Rilla dans son journal. Lorsque le soleil brille, que les chatons jaunes et duveteux apparaissent aux branches des saules le long du ruisseau et que le jardin se met à embellir, je n'arrive pas à prendre conscience que des choses aussi effrayantes se passent dans les Flandres. C'est pourtant la réalité!

«La semaine dernière a été terrible pour nous tous, avec les nouvelles que nous avons eues des combats autour d'Ypres et des batailles de Langemarck et de Saint-Julien. Nos soldats canadiens ont eu une conduite remarquable... le général French dit même qu'ils ont "sauvé la situation" lorsque les Allemands ont surgi. Ce n'est pourtant ni de la fierté ni de la joie que je ressens, mais seulement une angoisse lancinante au sujet de Jem, de Jerry et de M. Grant. Les journaux publient tous les jours la liste des morts et des blessés, et il y en a tant! Je ne peux me résoudre à les lire tellement j'ai peur de tomber sur le nom de Jem, car il est arrivé que des gens y découvrent le nom de leur fils avant d'avoir reçu le télégramme officiel. Quant au téléphone, j'ai pendant un jour ou deux tout simplement refusé d'y répondre parce que je pensais ne pas pouvoir supporter l'instant horrible entre celui où je dirais "Allô" et celui où j'entendrais la réponse. J'avais l'impression que ce moment durait cent ans tellement je craignais d'entendre: "Il y a un télégramme pour le Dr Blythe." Après m'être dérobée ainsi quelque temps, j'ai eu honte de laisser toute cette angoisse à maman et à Susan et je me force maintenant à répondre. Ce n'est pourtant pas plus facile. Gertrude enseigne, corrige les devoirs et prépare les examens comme elle l'a toujours fait, mais je sais que les Flandres hantent toutes ses pensées. Ses yeux me bouleversent.

«Kenneth est lui aussi dans l'armée, à présent. D'après ce qu'il m'a écrit, il a un grade de lieutenant et s'attend à partir outre-mer vers le milieu de l'été. Il n'y avait pas grand-chose d'autre dans sa lettre, il semble ne penser à rien d'autre qu'à son départ. Je ne le reverrai pas avant qu'il parte, je ne le reverrai peut-être jamais. Je me demande parfois si cette soirée à Four Winds n'était pas un rêve. C'est bien possible, on dirait que cela s'est passé dans une autre vie vécue il y a longtemps et que tout le monde l'a oublié, sauf moi.

«Walter, Nan et Di sont arrivés de Redmond hier soir. Lorsque Walter est descendu du train, Lundi s'est précipité à sa rencontre, fou de joie. Je suppose qu'il croyait que Jem serait là, lui aussi. Le premier instant passé, il a cessé de prêter attention à Walter et à ses caresses et s'est contenté de rester là à remuer nerveusement la queue en regardant derrière Walter les gens qui sortaient. Ses yeux m'ont fait mal au cœur, car je ne pouvais m'empêcher de penser que Lundi ne verrait peut-être jamais Jem descendre à nouveau de ce train. Ensuite, quand tous les passagers furent sortis, Lundi leva les yeux vers Walter et lécha sa main comme pour dire: "Je sais que ce n'est pas ta faute s'il n'est pas là, pardonne-moi d'être déçu", avant de repartir en trottinant vers son hangar de sa drôle de petite démarche qui fait paraître ses pattes arrière s'éloigner du point où se dirigent ses pattes avant.

«Nous avons une fois de plus essayé de le convaincre de rentrer avec nous. Di s'est même penchée pour l'embrasser entre les yeux en lui disant: "Mon vieux Lundi, tu ne veux pas venir avec nous juste pour la soirée?" et Lundi lui a réellement répondu: "Je regrette, mais c'est impossible. J'ai rendez-vous ici avec Jem, tu sais, et il y a un train qui arrive à huit heures."

«C'est bon que Walter soit de retour, bien qu'il semble morose et triste tout comme à Noël. Mais je vais l'aimer très fort, lui remonter le moral et le faire rire comme avant. On dirait que Walter m'est chaque jour de plus en plus cher.

«L'autre soir, Susan a fait remarquer, comme par inadvertance, que les fleurs de mai avaient poussé dans la vallée Arc-en-ciel. J'ai risqué un œil vers maman pendant qu'elle disait cela. Son visage a changé et elle a poussé un drôle de petit cri étranglé. La plupart du temps, maman est si courageuse et gaie qu'on ne peut savoir comment elle se sent à l'intérieur. Mais de temps à autre, une petite chose est trop difficile à supporter et nous pouvons voir ce qui se cache sous la surface. "Des fleurs de mai! s'est-elle écriée. Jem m'a apporté des fleurs de mai, l'an dernier!" Puis elle s'est levée et est sortie de la pièce. J'aurais pu me précipiter vers la vallée et lui rapporter une brassée de fleurs de mai, mais je savais que ce n'était pas cela qu'elle souhaitait. Quand Walter est arrivé hier soir, il s'est glissé dehors et a cueilli pour maman toutes celles qu'il a pu trouver. Personne ne lui avait rien dit, il s'est tout simplement rappelé que Jem avait coutume de rapporter les premières à maman et il l'a fait à sa place. Cela prouve combien il est tendre et attentionné. Et il se trouve pourtant des gens pour lui envoyer des lettres cruelles!

«C'est bizarre que nous puissions poursuivre notre routine comme si rien de ce qui se passe outre-mer ne nous concernait, comme si n'importe quel jour ne pouvait nous apporter une nouvelle épouvantable. C'est pourtant possible et nous le faisons. Susan sarcle le jardin, elle et maman font le ménage de la maison et nous, les jeunes de la Croix-Rouge, sommes en train d'organiser un spectacle au bénéfice des Belges. Nous répétons depuis un mois et des gens sans parole ne cessent de nous causer des problèmes. Miranda Pryor avait promis de jouer un rôle dans une saynète et une fois qu'elle l'eut appris, son père s'est interposé et lui a interdit de le faire. Ce n'est pas que je blâme Miranda, mais je pense vraiment qu'elle devrait faire preuve d'un peu plus de cran, quelquefois. Si elle faisait à l'occasion valoir son point de vue, elle pourrait faire entendre raison à son père, car il n'a personne d'autre pour tenir sa maison, et que deviendrait-il si elle se mettait en grève? À la place de Miranda, je trouverais bien un moyen d'amadouer Moustaches-sur-la-lune. J'irais même jusqu'à le fouetter, ou le mordre, s'il n'y avait rien d'autre à faire. Mais comme Miranda est une fille docile et obéissante, elle n'est pas sortie du bois.

«Je n'ai réussi à trouver personne d'autre pour jouer son rôle, parce que personne ne l'aimait. C'est donc moi qui devrai le jouer. Olive Kirk fait partie du comité du concert et elle s'oppose à tout ce que je propose. Mais je suis quand même arrivée à convaincre Mme Channing de sortir de la ville pour venir chanter. Comme elle chante magnifiquement, elle attirera toute une foule et nous ferons encore un profit sur le cachet que nous devrons lui verser. Olive Kirk trouvait que nos talents locaux étaient suffisants, mais Minnie Clow refuse de chanter dans les chœurs parce que la présence de Mme Channing la rendrait trop nerveuse. Et Minnie est notre seule bonne alto! Je suis parfois si exaspérée que je suis tentée de me laver les mains de toute l'affaire. Mais après avoir trépigné de rage dans ma chambre quelques minutes, je me calme et je tente une nouvelle démarche. Je suis actuellement morte d'inquiétude à la pensée que les Reese ont peut-être la coqueluche. Ils ont tous attrapé un rhume terrible et cinq d'entre eux ont un rôle important au programme. Que ferai-je si leur rhume dégénère en

coqueluche? Le solo de violon de Dick Reese est une de nos
pièces de résistance, Kit Reese apparaît dans chacun des
tableaux et les trois fillettes font une adorable parade avec le
drapeau. Je me tue depuis trois semaines à les faire répéter et
il semble à présent que je me sois donné tout ce mal pour
rien.

«Jims a sa première dent depuis aujourd'hui. Je suis très
contente parce qu'il a presque neuf mois et Mary Vance
insinuait qu'il était très en retard dans ce domaine. Il a commencé à se traîner mais il ne rampe pas comme la plupart des
bébés. Il trotte à quatre pattes en transportant les objets dans
sa bouche comme un petit chien. En tout cas, personne ne
peut prétendre qu'il soit en retard pour ça, puisque Morgan
affirme qu'en moyenne, les bébés se traînent à dix mois. Il
est si mignon, quel dommage ce serait si son père ne le
voyait jamais! Ses cheveux poussent bien, et j'ai même
espoir qu'il frise.

«Pendant quelques minutes, tandis que j'écrivais à propos
de Jims et du concert, j'ai oublié Ypres, les gaz nocifs et les
listes de blessés. Voilà que cela me revient, avec encore plus
de vigueur. Oh! Si seulement nous étions sûrs que Jem va
bien! Avant, j'étais si furieuse quand il m'appelait l'Araignée. Et s'il arrivait à présent en sifflotant dans le couloir,
criant "Bonjour, l'Araignée" comme il avait l'habitude de le
faire, je trouverais que c'est le plus joli sobriquet du monde.»

Rilla rangea son journal et sortit dans le jardin. C'était
une soirée de printemps idéale. Les longs marais verdoyants
tournés vers la mer étaient baignés d'ombre et, plus loin,
s'étendaient les prairies du couchant. Le port était radieux,
violet ici, azur là, opalescent partout ailleurs. L'érablière se
teintait d'un vert brumeux. Rilla jeta autour d'elle un regard
mélancolique. Le printemps avait coutume d'être une saison
si émouvante. Cette année, il brisait le cœur. Les matins
mauve pâle, les étoiles jonquille et la brise dans le vieux pin,
toutes ces choses causaient désormais une douleur distincte.
La vie redeviendrait-elle sereine un jour?

«Cela fait du bien de revoir le clair de lune à l'Île-du-Prince-Édouard, dit Walter en rejoignant Rilla. J'avais, pour ainsi dire, oublié que l'océan était si bleu, les chemins, si rouges et les recoins dans la forêt si sauvages, si peuplés de lutins. C'est vrai, les elfes les habitent toujours. Je t'assure que je pourrais en dénicher une foule sous les violettes de la vallée Arc-en-ciel.»

Pendant un instant, Rilla se sentit heureuse. Cela ressemblait au Walter d'autrefois. Elle espéra qu'il était en train d'oublier certaines choses qui le troublaient.

«Et tu ne trouves pas que le ciel est bleu au-dessus de la vallée? continua-t-elle sur le même ton. Bleu, bleu, il faudrait prononcer cent fois le mot bleu pour réussir à exprimer son intensité.»

Susan arriva, la tête enveloppée dans un châle, des outils de jardin plein les mains. Furtif, le regard sauvage, Doc l'épiait dans les bosquets de spirées.

«Le ciel est peut-être bleu, dit-elle, mais ce chat s'est comporté en M. Hyde toute la journée, ce qui veut dire qu'on aura probablement de la pluie ce soir. De plus, j'ai du rhumatisme dans l'épaule.»

«Il pleuvra peut-être, mais ne pense pas aux rhumatismes, Susan, pense aux violettes», rétorqua gaiement Walter, trop gaiement même, songea Rilla.

Susan considéra qu'il manquait de sympathie.

«Vraiment, mon cher Walter, j'comprends pas ce que t'entends par penser aux violettes, reprit-elle sèchement, et les rhumatismes sont pas un sujet de plaisanterie, comme tu t'en apercevras peut-être un jour. J'espère ne pas être du type à passer mon temps à me plaindre de mes bobos, surtout à présent que les nouvelles sont si terribles. Les rhumatismes ont rien de drôle, mais j'me rends compte que c'est pas comparable à être gazé par les Boches.»

«Oh! mon Dieu, non!» s'exclama farouchement Walter. Il fit volte-face et retourna à la maison.

Susan secoua la tête. Elle désapprouvait totalement ce

genre d'effusion. «J'espère que sa mère l'entendra pas parler comme ça.»

Rilla était debout, immobile, au milieu des jonquilles en boutons, les yeux pleins de larmes. Sa soirée était gâchée. Elle détestait Susan qui avait blessé Walter. Et Jem... Jem avait-il été gazé? Était-il mort sous la torture?

«Je ne peux supporter davantage cette attente», dit-elle avec désespoir.

Elle dut pourtant la supporter comme les autres encore une semaine. Puis, on reçut une lettre de Jem. Il allait bien.

«Je m'en suis tiré sans une égratignure, papa. Je ne comprends pas encore comment nous y sommes arrivés, moi et les autres. Tu as sûrement lu tout cela dans les journaux, je ne suis pas capable de l'écrire. Mais les Boches ne sont pas passés, et ils ne passeront pas. Jerry a été assommé par un éclat d'obus, mais il n'a eu qu'une commotion. Il était sur pied quelques jours plus tard. Grant est sain et sauf, lui aussi.»

Nan reçut une lettre de Jerry Meredith. «J'ai repris conscience à l'aube, écrivait-il. Je ne savais pas ce qui m'était arrivé, mais je pensais que j'étais fichu. J'étais tout seul et j'avais peur, terriblement peur. Il y avait des morts tout autour de moi, couchés dans ces horribles champs gris et ravagés. J'avais si soif. Je pensais à David et à l'eau de Bethléem, et à notre ancienne source dans la vallée Arc-en-ciel sous les érables. J'avais l'impression de la voir à quelques pas de moi, et toi qui riais, de l'autre côté. Je croyais que tout était fini pour moi. Et cela m'était égal. Honnêtement, je m'en fichais. Je ne ressentais qu'une affreuse peur enfantine de la solitude et de ces morts autour de moi, et c'était comme si je me demandais comment cela avait pu m'arriver, à moi. Ensuite, on m'a trouvé et on m'a soigné et j'ai bientôt découvert que je n'avais aucun mal. Je retourne dans les tranchées demain. On a besoin de tous les hommes disponibles là-bas.»

«Le rire est disparu de la terre, déclara Faith, venue raconter les nouvelles qu'elle avait reçues. Je me souviens d'avoir autrefois dit à la vieille Mme Taylor que nous vivions dans un monde de rire. Ce n'est plus vrai, à présent.»

«Le monde est un cri d'angoisse», ajouta Gertrude Oliver.

«Il faut continuer à rire un peu, dit Mme Blythe. Un bon rire vaut une prière parfois, parfois seulement», ajouta-t-elle dans un souffle. Il ne lui avait pas été facile de rire au cours des trois semaines qu'elle venait de vivre, elle, Anne Blythe, pour qui le rire avait toujours été une seconde nature. Et ce qui lui faisait le plus mal, c'était de constater combien Rilla riait peu désormais, elle qui avait coutume de s'esclaffer sans rime ni raison. Sa jeunesse serait-elle donc si triste? Pourtant, comme elle devenait forte et intelligente, comme elle devenait femme! Comme elle tricotait et cousait avec patience, et faisait preuve de doigté pour diriger sa chambranlante unité des jeunes de la Croix-Rouge! Comme elle était merveilleuse avec Jims!

«Elle pourrait vraiment pas faire mieux pour cet enfant si elle en avait élevé une douzaine, chère Mme Docteur, commenta solennellement Susan. J'm'attendais pas à grandchose de sa part quand elle est arrivée ici avec cette soupière!»

13

Rilla pile sur son orgueil

«J'ai très peur, chère Mme Docteur, dit Susan, revenant un jour de la gare où elle était allée porter des os charnus au chien Lundi, qu'il soit arrivé quelque chose d'effrayant. Moustaches-sur-la-lune est descendu du train de Charlotte-town et il avait l'air de bonne humeur. J'me rappelle pas l'avoir jamais vu sourire en public. Évidemment, il est possible qu'il ait conclu une bonne affaire lors d'une vente de bétail, mais j'ai le terrible pressentiment que les Boches ont réussi à passer quelque part.»

Susan était peut-être injuste en associant le sourire de M. Pryor au naufrage du *Lusitania*, dont la nouvelle se répandit une heure plus tard avec la distribution du courrier. Mais ce soir-là, les garçons du village, que la conduite du Kaiser rendaient furieux, allèrent comme un seul homme casser toutes les fenêtres de la maison de l'infortuné Moustaches.

«J'dis pas qu'ils aient eu raison, et j'dis pas qu'ils aient eu tort non plus, commenta Susan en apprenant la chose. Mais je dis que j'aurais moi-même bien volontiers lancé quelques cailloux dans ses vitres. Une chose est sûre: Moustaches-sur-

la-lune, qui se trouvait au bureau de poste lorsque la nouvelle est arrivée, a déclaré devant témoins que les gens qui
ne pouvaient rester chez eux après avoir reçu un avertisse-
ment ne méritaient pas un meilleur sort. Norman Douglas en
a pratiquement l'écume aux lèvres. "Si le diable n'attrape pas
ceux qui ont coulé le *Lusitania*, hurlait-il l'autre soir au
magasin Carter, à quoi sert-il?" Norman Douglas a beau avoir
toujours cru que tous ceux qui ne sont pas de son avis sont
avec le diable, un type comme lui doit bien avoir raison de
temps en temps. Bruce Meredith est tourmenté par les bébés
noyés. Et il paraît qu'il a demandé une faveur spéciale dans
ses prières vendredi dernier et qu'il ne l'a pas obtenue; ça l'a
beaucoup perturbé. Mais quand il a appris le naufrage du
Lusitania, il a dit à sa mère qu'il comprenait maintenant
pourquoi Dieu n'avait pas exaucé sa prière: il avait trop à
faire avec les âmes des personnes qui ont coulé avec le bateau. Le cerveau de ce petit a cent ans de plus que son corps,
chère Mme Docteur. Quant au naufrage du *Lusitania*, c'est un
terrible malheur, peu importe l'angle sous lequel on considère la chose. Mais Woodrow Wilson va rédiger une note à
ce sujet, alors pourquoi s'en faire? Quel président!»

Mary Vance vint un soir annoncer aux gens d'Ingleside
qu'elle ne s'opposait plus à ce que Miller Douglas s'enrôle.

«Cette histoire du *Lusitania*, c'est plus que je peux supporter, expliqua-t-elle. Si le Kaiser se met à noyer des bébés
innocents, il est grand temps que quelqu'un aille lui montrer
de quel bois on se chauffe. Il faut en finir avec lui. J'ai mis du
temps à le comprendre, mais ça y est, maintenant. C'est pourquoi j'ai dit à Miller que, pour ma part, il pouvait y aller. Ce
n'est pourtant pas ça qui va convaincre la vieille Kitty Alec.
Tous les bateaux du monde pourraient bien être coulés et les
bébés noyés que ça ne lui ferait ni chaud ni froid. Mais je suis
fière de dire que c'est moi et pas elle qui ai retenu Miller. Je
me suis peut-être illusionnée... en tout cas, on verra bien.»

Et on vit, en effet. Lorsque, le dimanche suivant, Miller
Douglas entra avec Mary Vance dans l'église de Glen St.

Mary, il portait l'uniforme. Mary était si fière de lui que ses yeux scintillaient. Joe Milgrave, qui se trouvait derrière, sous le jubé, regarda Miller et Mary, puis Miranda Pryor, et il poussa un si profond soupir que tous les gens dans un périmètre de trois bancs l'entendirent et comprirent la raison de son trouble. Walter Blythe ne soupira pas. Mais Rilla, qui scrutait son visage avec inquiétude, y surprit une expression qui lui déchira le cœur. Cela la tourmenta pendant toute la semaine qui suivit, tandis qu'extérieurement, elle était obsédée par le prochain spectacle de son unité de la Croix-Rouge et les préoccupations qu'il suscitait. Le rhume des Reese ne s'étant pas développé en coqueluche, cela faisait une angoisse de moins. Mais d'autres choses étaient encore en suspens, et la veille même du spectacle, on reçut une lettre de Mme Channing; elle s'excusait de ne pouvoir venir chanter, mais son fils, qui se trouvait à Kingsport avec son régiment, avait attrapé une pneumonie et elle devait se rendre immédiatement auprès de lui. Les membres du comité du spectacle se regardèrent, consternées. Qu'est-ce qu'on allait faire?

«Voilà ce qui arrive quand on dépend de l'aide extérieure», persifla Olive Kirk.

«Il faut trouver une solution, dit Rilla, trop découragée pour réagir à la malveillance d'Olive. Nous avons annoncé le spectacle partout, les gens vont venir en foule, il y aura même un groupe de la ville, et nous n'avions déjà pas beaucoup de musique. Il faut absolument que quelqu'un remplace Mme Channing.»

«Je ne sais pas qui tu pourras trouver à la dernière minute, dit Olive. Irene Howard aurait pu le faire, mais elle n'acceptera probablement pas après la façon dont elle a été insultée par notre société.»

«Comment notre société aurait-elle pu l'insulter?» demanda Rilla de ce qu'elle appelait sa voix pâle et froide. Froideur et pâleur n'affectèrent toutefois aucunement Olive.

«Tu l'as offensée, rétorqua sèchement cette dernière. Irene m'a tout raconté. Elle en était toute chavirée. Tu lui as interdit de te reparler, et Irene m'a confié qu'elle ne pouvait tout simplement pas imaginer ce qu'elle avait pu dire ou faire pour mériter un pareil traitement. C'est pourquoi elle n'est jamais revenue à nos réunions et s'est jointe à la Croix-Rouge de Lowbridge. Ce n'est pas moi qui la blâmerais et je ne vais certainement pas lui demander de s'abaisser pour nous sortir de ce pétrin.»

«Vous ne vous attendez pas à ce que ce soit moi qui le lui demande, gloussa Amy MacAllister, l'autre membre du comité. Cela fait une éternité qu'Irene et moi ne nous adressons plus la parole. Irene se sent toujours offusquée par quelqu'un. Mais je dois admettre qu'elle chante magnifiquement et les gens l'écouteraient avec autant de plaisir que Mme Channing.»

«Cela ne changerait rien même si tu le lui demandais, affirma Olive d'un ton lourd de sous-entendus. Un jour, peu après que nous eûmes commencé à planifier ce spectacle, en avril dernier, j'ai rencontré Irene en ville et lui ai demandé de nous aider. Elle m'a répondu qu'elle en serait ravie mais qu'elle ne voyait pas comment elle pourrait le faire après la conduite de Rilla à son égard, vu que Rilla est chargée du programme. Alors voilà la situation. Notre spectacle va être un bel échec.»

Rilla rentra chez elle et alla s'enfermer dans sa chambre, bouleversée. Il était hors de question qu'elle s'humilie en demandant pardon à Irene Howard! Irene avait eu autant tort qu'elle-même et elle avait raconté partout des versions vraiment mesquines et déformées de leur querelle, y faisant figure d'une victime injustement blessée. Rilla serait incapable de faire valoir son propre point de vue, car l'affront fait à Walter lui liait la langue. La majorité des gens croyaient donc qu'Irene avait été maltraitée, sauf quelques filles qui ne l'aimaient pas et prenaient le parti de Rilla. Et pourtant, le spectacle auquel elle avait consacré tant d'efforts allait être un échec. Les quatre solos que Mme Channing devait chanter étaient le clou du programme.

«Qu'est-ce que vous en pensez, Mlle Oliver?» demanda-t-elle, désespérée.

«Je crois que c'est Irene qui devrait s'excuser, répondit-elle. Mais ce n'est malheureusement pas mon avis qui comblera les vides du programme.»

«Si j'allais humblement demander pardon à Irene, elle accepterait de chanter, j'en suis sûre, soupira Rilla. Elle adore se produire en public. Mais je sais qu'elle va me traiter avec hauteur et j'aimerais mieux faire n'importe quoi plutôt que de lui demander pardon. C'est pourtant ce que je devrais faire, je suppose. Si Jem et Jerry peuvent affronter les Boches, je suis sûrement capable de faire face à Irene Howard, de ravaler ma fierté et de lui demander une faveur pour le salut des Belges. Pour le moment, j'ai l'impression d'en être incapable, et pourtant, j'ai l'intuition qu'après le souper, vous allez me voir traverser la vallée Arc-en-ciel en direction du Glen-En-Haut.»

Le pressentiment de Rilla se concrétisa. Après le repas, elle revêtit sa jolie robe de crêpe bleu ornée de perles, car sa vanité était encore plus difficile à vaincre que sa fierté et Irene avait la manie de critiquer l'apparence des autres filles. De plus, comme Rilla l'avait un jour déclaré à sa mère, alors qu'elle n'avait que neuf ans: «C'est plus facile de bien se conduire quand on porte de beaux vêtements.»

Rilla se coiffa avec soin et jeta sur ses épaules un long imperméable, car elle craignait une averse. Elle ne pensait pourtant qu'à l'entretien désagréable qui l'attendait et répétait mentalement son rôle. Elle aurait voulu que tout soit fini, et ne jamais avoir tenté d'organiser un spectacle pour venir en aide aux Belges, et ne s'être jamais disputée avec Irene. Somme toute, un silence méprisant aurait été une réponse beaucoup plus efficace à l'affront fait à Walter. Elle avait été folle et puérile de s'emporter comme elle l'avait fait. Eh bien, elle se montrerait plus sage à l'avenir, mais entre-temps, elle devait passer à travers une humiliation très amère et Rilla Blythe n'en avait pas plus envie que personne d'entre nous.

Le soleil se couchait lorsqu'elle atteignit la maison des Howard, une résidence prétentieuse aux avant-toits ornés d'arabesques blanches et arborant des fenêtres à encorbellement de tous les côtés. Mme Howard, une femme corpulente et volubile, accueillit Rilla avec effusion et la fit patienter dans le salon pendant qu'elle allait chercher Irene. Rilla retira son imperméable et se regarda d'un œil critique dans le miroir au-dessus de la cheminée. Les cheveux, le chapeau et la robe étaient satisfaisants, rien ne clochait. Rilla se rappelait comme elle avait coutume de trouver spirituels et amusants les commentaires mordants qu'Irene faisait sur les autres filles. Eh bien, son tour était venu d'en être la cible.

Voilà Irene qui arrivait, pomponnée, ses cheveux couleur paille coiffés à la toute dernière mode, embaumant un parfum de prix.

«Comment ça va, Mlle Blythe? s'enquit-elle avec affabilité. Je ne m'attendais pas au plaisir de ta visite.»

Rilla s'était levée pour prendre le bout des doigts glacés d'Irene et, en se rasseyant, elle vit quelque chose qui la désarçonna temporairement. Irene l'aperçut aussi et un petit sourire amusé et impertinent apparut sur ses lèvres et y resta tant que dura l'entretien.

Rilla portait à un pied une élégante chaussure à boucle de métal et un bas de fine soie bleue. Son autre pied était chaussé d'une bottine robuste un peu fatiguée et d'un bas de fil noir! Pauvre Rilla! Elle avait changé, ou avait plutôt commencé à changer de chaussures et de bas après avoir mis sa robe. Voilà ce qui arrivait quand on faisait une chose avec ses mains et une autre avec sa tête. Oh! Dans quelle posture ridicule elle se trouvait, surtout en présence d'Irene, qui fixait les pieds de Rilla comme si elle n'avait jamais vu de pieds auparavant! Et dire qu'elle avait un jour trouvé Irene parfaitement bien élevée! Tout ce que Rilla s'était préparée à dire s'était effacé de sa mémoire. S'efforçant en vain de camoufler ses malheureux pieds sous sa chaise, elle bafouilla directement sa question.

«Ze suis venue te demander une faveur, Irene.»

Et voilà, elle avait zézayé! Oh! Elle s'était attendue à être humiliée, mais pas à ce point! Vraiment, il y avait des limites!

«Oui?» demanda Irene d'un ton froid et interrogateur, levant un instant ses yeux globuleux et insolents vers le visage écarlate de Rilla pour les baisser de nouveau, comme incapable de détacher son regard fasciné de la bottine usée et de l'escarpin élégant.

Rilla rassembla ses esprits. Elle ne zézayerait pas, elle se montrerait calme et posée.

«Mme Channing ne peut pas chanter parce que son fils est malade à Kingsport, alors je suis venue te demander, au nom du comité, si tu aurais la bonté de la remplacer.»

Rilla détacha si bien chacune de ses paroles qu'elle avait l'air de réciter une leçon.

«Ça m'a tout l'air d'une invitation de dernière minute, non?» insinua Irene en esquissant un sourire déplaisant.

«Olive Kirk t'a demandé de participer lorsque nous avons commencé à organiser le spectacle, et tu as refusé», répondit Rilla.

«Mon Dieu, ce n'était pas facile pour moi, tu ne crois pas? demanda plaintivement Irene. Après que tu m'eus ordonné de ne plus t'adresser la parole? Cela nous aurait mis toutes deux dans une situation plutôt embarrassante, pas vrai?»

Le moment de l'humiliation était venu.

«Je te demande pardon de ce que je t'ai dit, Irene, prononça Rilla sans broncher. Je n'aurais jamais dû te parler comme ça et je le regrette depuis. Veux-tu me pardonner?»

«Et chanter à ton spectacle?» poursuivit Irene, d'une voix suave et insultante.

«Si tu veux dire, répondit Rilla, piteuse, que je ne te demanderais pas de m'excuser si ce n'était du spectacle, tu as peut-être raison. Mais c'est également vrai que, depuis que c'est arrivé, j'ai eu le sentiment que je n'aurais jamais dû te parler comme je l'ai fait et que je l'ai regretté tout l'hiver. C'est tout ce que je peux dire. Si tu crois ne pas pouvoir me pardonner, je suppose qu'il n'y a rien à ajouter.»

«Oh! Rilla, ne m'envoie pas promener comme ça, supplia Irene. Bien sûr que je te pardonne, même si j'en ai beaucoup souffert, tu ne peux pas savoir à quel point. J'en ai pleuré pendant des semaines, alors que je n'avais rien dit, rien fait!»

Rilla eut envie de répliquer mais elle ravala ses paroles. Somme toute, il ne servait à rien de tenir tête à Irene et les Belges mouraient de faim.

«Tu penses que tu pourrais nous donner un coup de main au spectacle?» se força-t-elle à demander. Oh! Si seulement Irene pouvait cesser de regarder cette bottine! Rilla l'entendait déjà raconter l'anecdote à Olive Kirk.

«Je ne vois pas comment je pourrais le faire à la dernière minute, protesta Irene. Je n'ai pas le temps d'apprendre quelque chose de nouveau.»

«Oh! Tu connais plein de jolies chansons que personne au Glen n'a jamais entendues», dit Rilla, sachant que cette objection n'était qu'un prétexte car Irene avait pris des leçons en ville pendant tout l'hiver.

«Mais je n'ai pas d'accompagnateur», poursuivit Irene.

«Una Meredith peut le faire», suggéra Rilla.

«Oh! Je ne peux pas le lui demander, soupira Irene. Nous ne nous sommes pas adressé la parole depuis l'automne. Elle s'est montrée si hargneuse avec moi au moment du concert de l'École du dimanche que j'ai renoncé à lui parler.»

Juste ciel, Irene était-elle en froid avec tout le monde? Quant à la possibilité qu'Una fût hargneuse avec qui que ce soit, c'était si cocasse que Rilla eut peine à ne pas éclater de rire à la face d'Irene.

«Mlle Oliver est une pianiste incomparable et elle est capable de jouer n'importe quel accompagnement à la première lecture, proposa Rilla, au désespoir. Elle jouera pour toi et tu pourras répéter tes chansons sans problème demain soir avant le concert, à Ingleside.»

«Mais je n'ai rien à me mettre. Ma nouvelle robe du soir n'est pas encore arrivée de Charlottetown et il serait hors de question que je porte la vieille à un événement aussi chic. Elle est trop défraîchie et démodée.»

«Nous donnons ce spectacle, prononça lentement Rilla, pour venir en aide aux enfants belges qui meurent de faim. Tu ne crois pas que, pour eux, tu pourrais porter une robe défraîchie une fois dans ta vie, Irene?»

«Oh! Tu n'as pas l'impression qu'il y a de l'exagération dans les comptes rendus que nous recevons sur la situation en Belgique? reprit Irene. Je suis sûre qu'ils ne peuvent réellement mourir de faim au vingtième siècle. Les journalistes ont tendance à s'emballer.»

Rilla conclut qu'elle s'était suffisamment humiliée. Après tout, elle avait son amour-propre. Elle décida de cesser de plaider sa cause et tant pis pour le spectacle.

«Je suis désolée que tu ne puisses nous aider, dit-elle en se levant, mais comme cela t'est impossible, nous devrons nous en tirer sans toi.»

Mais cela ne convenait pas du tout à Irene. Elle voulait à tout prix chanter à ce spectacle et toutes ses hésitations n'étaient destinées qu'à donner davantage d'éclat à son consentement. En outre, elle désirait vraiment se réconcilier avec Rilla. L'adoration désintéressée et généreuse que lui vouait Rilla avait été douce à son cœur. Et Ingleside était un endroit charmant à visiter, surtout quand un bel étudiant comme Walter s'y trouvait. Elle cessa de regarder les pieds de Rilla.

«Ma chère Rilla, ne sois pas si prompte. Je désire réellement vous aider, si je peux m'organiser pour le faire. Assieds-toi et discutons.»

«Je regrette, mais c'est impossible. Je dois rentrer tôt, il faut que j'aille coucher Jims, tu sais.»

«Oh! oui, le bébé que tu élèves selon des règles établies dans un livre. C'est tout à fait gentil de ta part de le faire alors que tu détestes tellement les enfants. Comme tu étais fâchée quand je l'ai embrassé! Mais oublions tout ça et redevenons des amies, d'accord? Quant au spectacle, j'imagine que je pourrai me rendre en ville par le train du matin pour chercher ma robe et revenir par le train de l'après-midi. Je serai bien à temps pour le concert, si tu demandes à Mlle Oliver de m'accompagner au piano. Moi, j'en serais incapable. Elle est si terriblement hautaine et distante que je suis tout simplement paralysée devant elle.»

Rilla ne gaspilla pas de temps et d'énergie à défendre Mlle Oliver. Elle remercia froidement Irene devenue soudain affable et affectueuse, et elle s'en alla. Elle se sentait soulagée que l'entretien fût terminé. Pourtant, elle savait qu'elle ne pourrait être l'amie d'Irene comme avant. Elle pourrait tout au plus se montrer cordiale. Elle n'en souhaitait pas davantage. Tout l'hiver, malgré d'autres préoccupations plus sérieuses, elle avait éprouvé un léger regret en songeant à son amie perdue. Ce sentiment avait à présent disparu. Irene n'était pas de la race de Joseph, comme l'aurait dit Mme Elliott. Rilla ne prétendait pas avoir surpassé Irene. Si l'idée lui avait traversé l'esprit, elle aurait considéré que c'était absurde puisqu'elle n'avait pas encore dix-sept ans alors qu'Irene en avait vingt. C'était pourtant la vérité. Irene était exactement pareille à ce qu'elle avait été un an auparavant, à ce qu'elle serait toujours. Mais pendant cette année, le caractère de Rilla avait changé, mûri et s'était approfondi. Elle voyait Irene avec une perspicacité déconcertante; sous son apparente gentillesse, elle discernait toute sa frivolité, son tempérament vindicatif, déloyal et essentiellement mesquin. Irene avait perdu pour toujours sa fidèle adulatrice.

Mais Rilla dut traverser le chemin du Glen-En-Haut et pénétrer la solitude de la vallée Arc-en-ciel éclairée par la lune avant de retrouver sa tranquillité d'esprit. Elle fit une pause sous un grand prunier sauvage, spectralement blanc dans sa floraison, et éclata de rire.

«Une seule chose importe à présent: il faut que les Alliés

gagnent la guerre, dit-elle à voix haute. Il est donc indiscutable que le fait que je sois allée voir Irene Howard avec des souliers et des bas dépareillés est absolument insignifiant. Néanmoins, moi, Bertha Marilla Blythe, je jure solennellement devant la lune ici présente», et Rilla leva d'un geste théâtral la main vers l'astre en question, «que je ne quitterai plus jamais ma chambre avant d'avoir examiné attentivement mes deux pieds.»

14

L'heure de la décision

Susan laissa le drapeau flotter au mât d'Ingleside toute la journée du lendemain en l'honneur de l'entrée en guerre de l'Italie.

«Et il était temps, chère Mme Docteur, considérant la façon dont les choses ont commencé à se passer sur le front russe. Quoi que vous puissiez dire, ces Russes vont cahin-caha, même si le grand-duc Nicolas prétend le contraire. C'est peut-être une bonne chose que l'Italie ait fini par se ranger du bon côté, mais j'peux pas prédire si ça va porter chance aux Alliés tant que j'en saurai pas plus long sur les Italiens. Ça va pourtant faire réfléchir ce vieux païen de François Joseph. Tout un empereur, celui-là! Il a un pied dans la tombe et il continue à comploter un meurtre pur et simple», conclut Susan en pétrissant son pain avec la même vigueur qu'elle aurait déployée pour battre François Joseph s'il avait eu la malchance de tomber entre ses griffes.

Walter était allé en ville par le premier train et Nan offrit de s'occuper de Jims afin de libérer Rilla pour la journée. Cette dernière avait fort à faire ce jour-là; elle devait décorer la salle municipale et régler cent détails de dernière minute. La soirée était belle, même si on avait entendu M. Pryor souhaiter qu'il tombe des clous en donnant délibérément un coup de pied au chien de Miranda. Rilla se hâta de rentrer se changer. Étonnamment, tout avait fini par bien tourner. Au rez-de-chaussée, Irene répétait ses chansons avec Mlle Oliver. Fébrile et heureuse, Rilla avait même oublié le front ouest pendant un instant. Voir les efforts déployés pendant des semaines connaître une si heureuse conclusion lui donnait un sentiment de victoire. Elle savait que bien des gens avaient cru et insinué que Rilla Blythe n'aurait jamais le tact ni la patience nécessaires pour organiser un spectacle. Eh bien, elle leur avait prouvé le contraire! Elle se trouva très jolie. L'excitation rosissait légèrement ses joues rondes et laiteuses, estompant ses taches de rousseur, et ses cheveux luisaient d'un éclat acajou. Les ornerait-elle de fleurs de pommier ou d'un fil de perles? Après avoir hésité, elle opta pour les fleurs et piqua le petit bouquet blanc derrière son oreille gauche. Puis, elle jeta un dernier coup d'œil à ses pieds. Oui, elle portait les deux escarpins. Elle embrassa Jims endormi — quel adorable petit visage rose, chaud et satiné! — et dévala la colline jusqu'à la salle de fête. Les gens s'y pressaient déjà, elle serait bientôt bondée. Le spectacle allait connaître un brillant succès.

Les trois premiers numéros furent donnés sans anicroche. Rilla se trouvait dans la petite loge derrière l'estrade, contemplant le port au clair de lune et répétant ses textes. Elle était seule, les autres interprètes se trouvant dans une pièce plus spacieuse, de l'autre côté de la scène. Elle sentit soudain l'étreinte de deux bras nus et doux autour de sa taille; puis Irene déposa un baiser léger sur sa joue.

«Tu es adorable, Rilla, tu as l'air d'un ange, ce soir. Tu as du cran. Je croyais que tu aurais tellement de peine que Walter se soit enrôlé que tu ne pourrais pas le supporter. Mais te voilà, aussi froide qu'un concombre. Je voudrais bien avoir la moitié de ton courage.»

Rilla resta figée. Elle n'éprouvait aucune émotion, elle

n'éprouvait rien. Il n'existait tout simplement plus d'émotion possible.

«Walter... s'est enrôlé?» s'entendit-elle demander. Ensuite, le petit rire faux d'Irene résonna à son oreille.

«Mon Dieu, tu l'ignorais? Je pensais que tu le savais, évidemment, sinon j'aurais évité d'en parler. J'ai le don de me mettre les pieds dans les plats, pas vrai? Oui, c'est pour ça qu'il s'est rendu en ville aujourd'hui, il me l'a dit en descendant du train, ce soir. Je suis la première personne à l'avoir appris. Il ne porte pas encore l'uniforme, on en manque, présentement, mais il le recevra dans un jour ou deux. J'ai toujours dit que Walter avait autant de courage que n'importe qui. Je t'assure que j'étais fière de lui, Rilla, lorsqu'il m'a confié ce qu'il avait fait. Oh! Rick MacAllister vient de terminer sa déclamation. Je dois me hâter. J'ai promis de jouer dans le prochain chœur. Alice Clow a une telle migraine.»

Irene était partie, Dieu merci! Rilla était de nouveau seule, regardant fixement l'immuable et magique beauté du clair de lune sur Four Winds. Elle recommençait à éprouver des émotions; une douleur physique l'assaillit de façon si aiguë qu'elle eut l'impression d'être déchirée.

«Je ne peux pas le supporter», dit-elle. Puis vint l'horrible pensée qu'elle le pourrait peut-être et qu'elle en avait pour des années à souffrir.

Il fallait qu'elle parte, qu'elle rentre chez elle, qu'elle soit seule. Elle ne pouvait pas aller parader dans des marches militaires, lire des textes et jouer dans des saynètes. La moitié du spectacle serait gâchée, mais cela n'avait pas d'importance, rien n'avait d'importance. Était-ce bien elle, Rilla Blythe, cet être torturé qui s'était senti si comblé quelques minutes auparavant? Pourquoi était-elle incapable de pleurer comme elle l'avait fait lorsque Jem leur avait annoncé son départ? Si elle pleurait, peut-être que cette horrible chose qui semblait avoir pris possession de sa vie même disparaîtrait. Mais aucune larme ne monta à ses yeux. Où étaient son écharpe et son manteau? Il fallait qu'elle sorte et aille se cacher comme un animal mortellement blessé.

Était-ce lâche de s'enfuir de cette façon? La question lui apparut soudain comme si quelqu'un venait de la poser. Elle songea aux ruines du front des Flandres, à son frère et à son compagnon de jeux qui défendaient ces tranchées sous le feu. Qu'est-ce qu'ils penseraient d'elle si elle fuyait devant sa responsabilité, l'humble petite responsabilité consistant à mener à terme le projet entrepris pour la Croix-Rouge? Mais elle était incapable de rester là, tout simplement incapable. Et pourtant, n'était-ce pas sa mère qui avait dit, au moment du départ de Jem: «Si les femmes manquent de courage, comment demander aux hommes de ne pas avoir peur?» Mais ceci... ceci était insupportable.

À mi-chemin de la porte, elle s'arrêta et retourna à la fenêtre. Irene était en train de chanter. Sa voix magnifique, la seule chose vraiment belle qu'elle possédât, s'éleva, claire et douce dans tout l'édifice. Rilla savait que le prochain numéro était la fanfare des filles. Serait-elle capable d'aller y jouer? Elle avait mal à la tête et sa gorge brûlait. Oh! Pourquoi Irene lui avait-elle appris cette nouvelle, alors que cela ne pouvait lui faire aucun bien? Irene avait agi avec une cruauté délibérée. Rilla se rappela avoir vu, ce jour-là, sa mère la regarder plusieurs fois d'un air très étrange. Elle avait été trop occupée pour chercher à comprendre la signification de ce regard. Elle comprenait, à présent. Sa mère savait pourquoi Walter était allé en ville mais elle avait préféré attendre la fin du spectacle pour l'annoncer à Rilla. Quelle force de caractère elle avait!

«Je dois rester ici et accomplir mon devoir», dit Rilla en pressant ses mains glacées.

Elle vécut le reste de la soirée comme dans un rêve fiévreux. Si son corps était en contact avec une foule de gens, son âme était seule dans sa chambre de torture. Elle joua néanmoins dans la fanfare et récita ses textes sans se tromper. Elle revêtit même un grotesque costume de vieille

Irlandaise et joua dans un sketch le rôle que Miranda Pryor n'avait pu tenir. Elle ne réussit pourtant pas à donner à son accent du terroir un piquant aussi irrésistible qu'aux répétitions, et elle récita ses textes avec moins de fougue et de conviction que d'habitude. Debout devant l'auditoire, elle ne voyait qu'un seul visage, celui du beau jeune homme aux cheveux sombres assis à côté de sa mère. Il lui semblait voir le même visage dans les tranchées, livide sous les étoiles, amaigri dans un cachot. Elle voyait s'effacer l'éclat de ses yeux et cent autres choses horribles, debout, là, sur l'estrade pavoisée, et son propre visage était plus blanc que les fleurs laiteuses dont était parée sa chevelure. Entre ses apparitions, elle marchait de long en large dans la petite loge. Oh! Ce spectacle finirait-il?

La fin arriva. Olive Kirk se précipita vers elle pour lui apprendre en jubilant qu'on avait recueilli cent dollars. «C'est bien», répondit machinalement Rilla. Finalement, grâce au ciel, elle fut loin de tous ces gens. Walter l'attendait à la porte. Il glissa silencieusement son bras sous le sien et ils partirent ensemble sur la route éclairée par la lune. Les grenouilles coassaient dans les marécages et les prés sombres et argentés s'étalaient autour d'eux. Cette nuit de printemps était charmante et pleine de signes. Rilla eut l'impression que la beauté du soir était une insulte à sa douleur. À partir de maintenant, elle haïrait le clair de lune.

«Tu es au courant?» demanda Walter.

«Oui, Irene m'a tout dit», répondit Rilla d'une voix étranglée.

«Nous ne voulions pas t'apprendre la nouvelle avant la fin de ta soirée. J'ai compris que tu le savais quand je t'ai vu jouer dans la fanfare. Il fallait que je le fasse, petite sœur. Il ne m'était plus possible de me supporter moi-même depuis le naufrage du *Lusitania*. Lorsque j'ai imaginé les corps de ces femmes et de ces enfants morts flottant dans l'eau impitoyable et glacée, eh bien, j'ai ressenti une sorte de nausée devant la vie. J'avais envie de quitter un monde où de telles choses peuvent se produire, je voulais secouer pour toujours cette maudite poussière de mes pieds. Puis j'ai compris que je devais aller à la guerre.»

«Il y a déjà tant de soldats...»

«Là n'est pas la question, Rilla-ma-Rilla. C'est pour moi-même que j'y vais, pour sauver mon âme. Si je ne le fais pas, je vais devenir quelqu'un de petit, de mesquin, d'inerte. Ce serait encore pire que la cécité, les mutilations ou toutes ces choses que je craignais.»

«Tu pourrais... te faire tuer», reprit Rilla en se détestant d'oser dire ça, car elle savait que c'était là des paroles faibles et lâches, mais elle se sentait déchirée après la tension vécue pendant la soirée.

«Qu'elle vienne vite ou lentement,
C'est toujours la mort qui vient finalement,
cita Walter. Ce n'est pas la mort que je crains, je te l'ai dit il y a longtemps. On peut parfois payer trop cher pour vivre, petite sœur. Il y a tant de laideur dans cette guerre que je dois faire ma part pour la chasser du monde. Je vais aller combattre pour la beauté de la vie, c'est là mon devoir. Il existe peut-être des devoirs plus nobles, mais c'est le mien. Je dois cela au Canada et à la vie même, et il faut que je paie ce prix. Ce soir, pour la première fois depuis le départ de Jem, j'ai retrouvé ma fierté, Rilla. Je pourrais composer un poème, ajouta-t-il en riant, alors que j'ai été incapable d'écrire une ligne depuis le mois d'août. Ce soir, je suis plein de poésie. Sois courageuse, petite sœur, tu l'étais tellement lorsque Jem est parti.»

«C'était... différent», répondit Rilla d'un ton saccadé, car elle devait s'arrêter après chaque mot pour ne pas éclater en sanglots convulsifs. «J'aimais Jem, bien sûr, mais lorsqu'il est parti, nous pensions que la guerre serait bientôt terminée... et tu es tout pour moi, Walter.»

«Il faut que tu aies du courage si tu veux m'aider, Rilla-ma-Rilla. Je me sens exalté, ce soir, la victoire remportée sur moi-même m'enivre, mais cela ne sera pas toujours pareil, et j'aurai alors besoin de ton aide.»

«Quand pars-tu?» demanda-t-elle, voulant connaître le pire tout de suite.

«Pas avant une semaine. Alors, nous irons au camp d'entraînement à Kingston. Je suppose que nous serons en Europe vers la mi-juillet. Nous ne le savons pas encore.»

Une semaine, seulement une semaine encore avec Walter! Elle ne voyait pas comment elle pourrait survivre à cela.

Lorsqu'ils atteignirent la barrière d'Ingleside, Walter s'arrêta sous les vieux pins et attira Rilla contre lui.

«Il y avait des jeunes filles aussi gentilles et pures que toi en Belgique et dans les Flandres, Rilla-ma-Rilla. Et même toi, tu sais quel a été leur destin. Il faut faire en sorte que ce genre de choses ne puisse plus se reproduire tant que le monde durera. Tu vas m'aider, n'est-ce pas?»

«Je vais essayer, Walter. Oh! oui, je te le promets.»

Cramponnée à lui, le visage contre son épaule, elle comprit qu'il avait raison et elle accepta aussitôt la situation. Son beau Walter, avec son âme élevée, ses rêves et ses idéaux, devait partir. Elle avait toujours su que cela arriverait tôt ou tard. Elle avait vu l'échéance approcher, irrémédiablement, comme on voit l'ombre d'un nuage planer au-dessus d'un champ ensoleillé. Au milieu de sa peine, elle eut conscience d'éprouver un étrange soulagement dans un recoin secret de son cœur, là où une petite douleur inavouée avait été tapie tout l'hiver. Désormais, personne ne pourrait plus traiter Walter de déserteur.

Rilla ne put dormir, cette nuit-là, tout comme, sans doute, les autres habitants d'Ingleside, à l'exception de Jims. Alors que le corps se développe lentement et de façon régulière, l'âme grandit par coups et par bonds. Elle peut arriver à sa pleine maturité en une heure. À partir de cette nuit-là, l'âme de Rilla Blythe fut celle d'une femme, capable de souffrir, de se montrer forte et de faire preuve d'endurance.

À l'aube, Rilla se leva et alla à la fenêtre. Au-dessous d'elle, elle aperçut le grand pommier, semblable à un cône gonflé de fleurs roses. Walter l'avait planté autrefois, alors qu'il n'était encore qu'un enfant. Derrière la vallée Arc-en-ciel, de petits rayons de soleil essayaient de percer les nuages du matin. Au loin, une étoile s'attardait, brillant d'un éclat froid. Pourquoi, au milieu de la beauté de ce printemps, fallait-il que les cœurs se brisent?

Rilla se sentit entourée de bras aimants et protecteurs. C'était sa mère, blême, les pupilles dilatées.

«Oh! Maman, comment peux-tu supporter ça?» s'écria-t-elle passionnément.

«Rilla, ma chérie, je savais depuis plusieurs jours que Walter avait l'intention de partir. J'ai eu le temps de me révolter puis de me résigner. Il ne faut pas essayer de le retenir. L'appel qu'il entend est plus fort et plus insistant que celui de notre amour et il l'a écouté. Nous ne devons pas rendre son sacrifice plus douloureux.»

«Notre sacrifice est plus grand que le sien, reprit Rilla avec la même passion. Nos hommes font le don de leur propre personne alors que, pour notre part, nous devons renoncer à eux.»

Avant que Mme Blythe ait eu le temps de répondre, Susan apparut à la porte. Elle ne se donnait jamais la peine de frapper. Elle avait les yeux étrangement rougis, mais elle se contenta pourtant de demander:

«Dois-je monter votre petit déjeuner, chère Mme Docteur?»

«Non, non, Susan, nous descendons tout de suite. Saviez-vous... que Walter s'est enrôlé?»

«Oui, chère Mme Docteur. Le docteur me l'a appris hier soir. Je présume que la Providence doit avoir Ses raisons pour permettre de telles choses. Nous devons nous soumettre à Sa volonté et essayer de voir le côté positif. Ça va peut-être au moins le guérir de ses velléités de devenir poète» — Susan persistait à penser que les poètes et les vagabonds étaient du pareil au même — «et ça sera une bonne chose. Mais Dieu merci, marmonna-t-elle, Shirley n'a pas l'âge de partir.»

«Est-ce une façon de Le remercier de faire partir le fils d'une autre femme à la place de Shirley?» demanda le docteur en entrant dans la pièce.

«Non, absolument pas, cher docteur, rétorqua Susan en prenant Jims, qui venait d'ouvrir ses grands yeux noirs et étirait ses petits membres potelés. Ne me faites pas dire ce que j'veux pas dire. J'suis une femme simple et j'suis pas capable de discuter avec vous, mais j'remercie pas Dieu de faire partir qui que ce soit. Tout ce que je sais, c'est qu'il semble qu'ils doivent y aller, à moins qu'on veuille tous se faire conquérir par le Kaiser. Et maintenant que j'ai pleuré ce que j'avais à pleurer et dit ce que j'avais à dire, conclut-elle en descendant l'escalier, portant Jims dans ses bras décharnés, j'vais me ressaisir et essayer de faire aussi bonne figure que possible.»

15

Jusqu'au lever du jour

«Les Boches ont repris Premysl, annonça Susan, au désespoir, en levant les yeux du journal, et à présent j'imagine qu'on va recommencer à l'appeler par ce barbare nom allemand. Cousine Sophia était là quand le courrier est arrivé et elle a poussé un soupir venant du fond de ses entrailles en apprenant la nouvelle, chère Mme Docteur, puis elle a dit: "Ah oui, et ensuite ce sera Petrograd, ça ne fait aucun doute." Je lui ai répondu: "Ma connaissance de la géographie n'est pas aussi étendue que je le souhaiterais, mais j'ai idée que Premysl est à une bonne distance de marche de Petrograd." Cousine Sophia a poussé un autre soupir et elle a continué: "Le grand-duc Nicolas n'est pas l'homme que je croyais." "Arrange-toi pour qu'il n'en sache rien, que je lui ai répondu. Ça pourrait lui faire de la peine et il a suffisamment de soucis comme ça." Mais on a beau faire de l'humour, jamais on n'arrivera à arracher un sourire à cousine Sophia, chère Mme Docteur. Elle a soupiré pour la troisième fois et elle a grogné: "Mais les Russes battent rapidement en retraite", et je lui ai répondu: "Ma foi, qu'est-ce que ça peut bien faire? C'est pas l'espace qui leur manque pour se retirer, pas vrai?" Quoi qu'il en soit, chère Mme Docteur, même si jamais je ne l'admettrais devant cousine Sophia, je n'aime pas du tout la situation sur le front est.»

Et personne ne l'aimait. Cela n'empêcha pas la retraite des Russes de se poursuivre tout l'été, longue et douloureuse.

«Je me demande si je pourrai un jour attendre de nouveau le courrier calmement, et même avec plaisir, dit Gertrude Oliver. Je suis hantée jour et nuit par l'idée que les Allemands vont peut-être écraser complètement la Russie puis rassembler leur armée de l'est victorieuse pour la lancer contre le front ouest.»

«Ça n'arrivera pas, chère Mlle Oliver, rétorqua Susan, assumant un rôle de pythonisse. Pour commencer, la Providence ne le permettra pas. Deuxièmement, le grand-duc Nicolas a beau nous avoir déçus à certains égards, il sait reculer décemment et avec ordre, et c'est là une connaissance très utile quand les Allemands sont à vos trousses. Norman Douglas affirme qu'il les dupe et qu'il abat dix Allemands pour un Russe tué. Mais je suis d'avis que le pauvre grand-duc est plutôt démuni et que, comme nous tous, il fait de son mieux dans la situation. Alors pas besoin d'aller loin pour chercher des ennuis, chère Mlle Oliver, on en a déjà largement à notre propre porte.»

Walter partit pour Kingsport le premier du mois suivant. Nan, Di et Faith devaient également travailler pour la Croix-Rouge pendant leurs vacances. Vers la mi-juillet, Walter eut une permission d'une semaine avant de s'embarquer pour l'Europe. Rilla avait passé chaque journée de son absence à rêver de cette semaine, et à présent qu'elle était arrivée, elle en savourait chaque instant, détestant même les heures qu'elle devait consacrer au sommeil. Elle avait alors l'impression de gaspiller des moments précieux. Malgré sa tristesse, ce fut une semaine merveilleuse, pleines d'heures émouvantes et inoubliables, de longues promenades avec Walter, de conversations et de silences. Il se sentait très proche d'elle et elle savait qu'il puisait force et réconfort dans la sympathie et la compréhension qu'elle lui témoignait. C'était bon de sentir combien elle était importante pour lui; cela l'aidait à traverser des moments qui, autrement, auraient été insupportables, et lui donnait la capacité de sourire, et même de rire un peu. Quand Walter serait parti, elle s'autoriserait peut-être à pleurer, pas avant. Elle s'empêchait même de pleurer la nuit, de peur que, le matin, ses yeux rougis ne la trahissent devant Walter.

Le dernier soir, ils allèrent ensemble dans la vallée Arc-en-ciel et s'assirent au bord du ruisseau, sous la Dame blanche, là où, autrefois, ils avaient vécu, insouciants, tant de moments doux et joyeux. Ce soir-là, il y eut un coucher de soleil d'une splendeur inhabituelle, suivi d'un crépuscule gris où luisaient faiblement quelques étoiles. La lune se leva ensuite, cachant, révélant et éclairant des petits creux et recoins pour en laisser d'autres dans l'ombre veloutée.

«Lorsque je serai quelque part en France, dit Walter en contemplant avidement toute cette beauté qui ravissait son âme, je penserai à ces lieux calmes et trempés de rosée au clair de lune. L'odeur résineuse des sapins, la paix lunaire, la force des collines, comme le dit cette belle expression de la Bible. Regarde ces vieilles collines autour de nous, Rilla, ces collines vers lesquelles nous levions les yeux, enfants, nous demandant ce que la vie nous réservait derrière elles. Comme elles sont calmes et fortes, patientes et immuables, semblables au cœur d'une femme généreuse. Sais-tu ce que tu as représenté pour moi depuis un an, Rilla-ma-Rilla? Je veux te le dire avant de m'en aller. Je n'aurais jamais pu passer au travers sans toi, sans ton affection et ta confiance en moi.»

Rilla n'eut pas la force de répondre. Elle glissa sa main dans celle de Walter et la pressa.

«Et quand je serai là-bas, dans cet enfer sur terre, l'œuvre des hommes qui ont oublié Dieu, c'est la possibilité de penser à toi qui m'aidera le plus. Je sais que tu seras aussi courageuse et patiente que tu l'as été cette année, je ne crains rien pour toi. Je sais que peu importe ce qui va arriver, tu seras Rilla-ma-Rilla.»

Rilla refoula ses larmes et ses soupirs, mais elle ne put s'empêcher de frissonner, et Walter comprit qu'il en avait assez dit. Après un instant de silence pendant lequel chacun fit à l'autre une promesse muette, Walter reprit:

«Désormais, nous allons cesser d'être graves. Nous allons penser à l'avenir, quand la guerre sera finie et que Jem, Jerry et moi-même rentrerons à la maison pour recommencer à être heureux.»

«Nous ne pourrons plus être heureux de la même manière», dit Rilla.

«Non, pas de la même manière. Aucune des personnes touchées par cette guerre ne pourra connaître le même bonheur qu'avant. Mais je pense que ce sera un meilleur bonheur, un bonheur que nous aurons gagné, petite sœur. Nous étions très heureux avant la guerre, n'est-ce pas? Avec une maison comme Ingleside et des parents comme les nôtres, c'était impossible de ne pas l'être. Mais ce bonheur était un cadeau de la vie et de l'amour. Il ne nous appartenait pas vraiment, car la vie pouvait nous le reprendre n'importe quand. Mais elle ne peut nous reprendre celui que nous aurons mérité en accomplissant notre devoir. J'ai pris conscience de cela depuis que je suis soldat. Même si j'ai parfois la trouille en pensant à ce qui m'attend, j'ai été très heureux depuis ce soir de mai. Sois très gentille avec maman quand je serai parti, Rilla. Ce doit être abominable d'être une mère en temps de guerre. C'est pour les mères, les sœurs, les épouses et les fiancées que c'est le plus dur. Toi, ma belle petite Rilla, es-tu amoureuse de quelqu'un? Si oui, dis-le-moi avant mon départ.»

«Non», répondit Rilla. Puis, poussée par le désir d'être absolument franche avec Walter en ce soir qui pouvait être le dernier pour eux, elle ajouta, devenant écarlate sous la lune: «Mais si... Kenneth Ford... le voulait bien...»

«Je vois, dit Walter. Et Ken est soldat, lui aussi. Ce n'est pas facile pour toi, pauvre petite. Eh bien, Dieu merci, je ne brise le cœur d'aucune fille en partant.»

Rilla leva les yeux vers le presbytère, sur la colline. Elle voyait une lumière dans la chambre d'Una Meredith. Elle fut tentée de dire quelque chose, puis préféra se taire. Ce secret ne lui appartenait pas. De plus, si elle se doutait de quelque chose, elle n'avait aucune certitude.

Walter jeta autour de lui un regard tendre et aimant. Il avait toujours tellement chéri cet endroit. Quelles parties de plaisir ils y avaient eues, autrefois! Des fantômes du passé semblaient marcher dans les sentiers que la lune mouchetait, leurs têtes mutines surgissaient entre les branches, c'était Jem et Jerry, écoliers basanés aux jambes nues qui pêchaient dans le ruisseau et faisaient frire des truites sur le vieux foyer de pierres, et voilà Nan et Di, dans leur beauté enfantine, avec leurs fossettes et leurs yeux limpides, puis Una, timide et si mignonne, puis Carl, penché sur les fourmis et les insectes, et la petite Mary Vance au grand cœur, avec sa langue acérée et ses fautes de grammaire, et le Walter de jadis, étendu dans l'herbe en train de lire de la poésie ou d'errer dans ses châteaux imaginaires. Ils étaient tous autour de lui, il les voyait presque aussi distinctement qu'il voyait Rilla et qu'il avait vu le Joueur de pipeau parcourir la vallée, un soir de lune. Et ces gais petits revenants lui disaient: «Nous avons été les enfants d'hier, Walter, bats-toi pour les enfants d'aujourd'hui et de demain.»

«Où es-tu, Walter? s'écria Rilla avec un petit rire. Reviens, reviens.»

Il revint à la réalité en poussant un long soupir. Il se leva et regarda la belle vallée sous la lune comme s'il voulait imprimer chacun de ses attraits dans son esprit et dans son cœur: les grandes plumes sombres des sapins contre le ciel argenté, la majestueuse Dame blanche, l'ancienne magie du ruisseau dansant, les fidèles Arbres amoureux, les sentiers invitants, pleins de détours.

«C'est ainsi que je verrai tout cela dans mes rêves», dit-il en se détournant.

Ils retournèrent à Ingleside. M. et Mme Meredith s'y trouvaient, ainsi que Gertrude Oliver, venue de Lowbridge pour faire ses adieux à Walter. Si tout le monde se montra chaleureux et d'humeur agréable, personne n'eut cependant l'air de croire que la guerre serait bientôt terminée, comme on l'avait prédit au moment du départ de Jem. Bien qu'on ne pensât à rien d'autre, personne ne parla de la guerre. À la fin, ils se regroupèrent autour du piano pour chanter un vieux cantique:

Je mets mon espoir dans le Seigneur,
Je suis sûr de sa parole.

«Tout le monde se tourne vers Dieu en ces temps de tourmente, confia Gertrude à John Meredith. Par le passé, il m'est souvent arrivé de ne pas croire en Dieu en tant que Dieu, mais seulement en tant que cause première impersonnelle, comme le définissent les hommes de science. Je crois en Lui désormais, il le faut bien, il ne reste plus que Dieu sur qui se reposer, humblement, résolument et inconditionnellement.»

«Il nous a secourus dans le passé, Il le fera aujourd'hui et demain tout comme hier, répondit doucement le pasteur. Même quand nous oublions Dieu, Il se souvient de nous.»

Il n'y avait pas de foule à la gare, le lendemain matin, pour dire au revoir à Walter. Il n'était plus inhabituel de voir un jeune homme en uniforme monter dans le train du matin après sa dernière permission. En plus de sa famille, seuls les gens du presbytère et Mary Vance étaient venus. La semaine précédente, celle-ci avait accompagné son Miller avec un sourire déterminé; elle se considérait donc à présent autorisée à donner l'avis d'une experte sur la façon dont devait se dérouler ce genre de départ.

«L'essentiel est de sourire et de faire comme si de rien n'était, expliqua-t-elle au groupe d'Ingleside. Tous les garçons ont horreur des larmes. Miller m'a dit qu'il préférait que j'me tienne loin de la gare si j'étais pas capable de m'empê-cher de chialer. J'ai donc pleuré tout mon soûl avant d'y aller et au moment du départ, je lui ai dit: "Bonne chance, Miller. Si tu reviens, tu pourras constater que j'ai pas changé une miette, et si tu n'reviens pas, je serai toujours fière que tu y sois allé. Surtout, ne t'avise pas de tomber en amour avec une Française." Il m'a juré que ça n'arriverait pas, mais on ne peut jamais savoir avec ces fascinantes étrangères. En tout cas, l'image qu'il a emportée de moi était celle d'une fille souriante. Seigneur, j'souriais tellement que tout le reste de la journée, j'ai eu l'impression d'avoir un sourire étampé dans le visage.»

Malgré les conseils et l'exemple de Mary, Mme Blythe, qui avait réussi à sourire au départ de Jem, n'y parvint pas dans le cas de Walter. Mais, au moins, personne ne pleura. Le chien Lundi sortit de son trou dans le hangar et vint s'asseoir près de Walter, martelant de sa queue les planches du quai chaque fois que Walter s'adressait à lui et levant vers lui ses yeux confiants, comme pour lui dire: «Je sais que tu vas retrouver Jem et me le ramener.»

«Au revoir, vieux frère, dit Carl Meredith quand vint le moment des adieux. Dis-leur de ne pas perdre courage, j'vais bientôt vous rejoindre.»

«Moi aussi», fit laconiquement Shirley en tendant sa main basanée. Susan l'entendit et son visage devint couleur de cendre.

Una lui serra calmement la main et le regarda de ses yeux bleu foncé remplis de tristesse. Mais il est vrai que les yeux d'Una étaient toujours tristes. Walter pencha vers elle sa belle tête sombre coiffée de la casquette militaire et lui donna un baiser chaleureux et fraternel. C'était la première fois qu'il l'embrassait et pendant un bref instant, l'expression d'Una aurait pu la trahir, eût-elle été remarquée. Mais per-sonne ne prêtait attention à elle. Le conducteur du train criait «En voiture!» et tout le monde essayait d'avoir l'air gai. Walter se tourna vers Rilla. Elle lui prit les mains et le regarda. Elle ne le reverrait pas avant que le jour se lève et que les ombres disparaissent, et elle ignorait s'il allait se trouver du côté de la mort.

«Au revoir», dit-elle.

Sur ses lèvres, ces paroles perdirent l'amertume qu'elles avaient accumulée depuis tous les départs du monde pour exprimer la beauté de l'amour de toutes les femmes ayant un jour aimé et prié pour ceux qu'elles aimaient.

«Écris-moi souvent et élève bien Jims selon les décrets de Morgan», répondit Walter avec désinvolture, ayant dit toutes les choses sérieuses la veille, dans la vallée Arc-en-ciel. Mais au dernier instant, il prit son visage entre ses mains et plongea son regard dans les yeux intrépides de Rilla. «Que Dieu te bénisse, Rilla-ma-Rilla», murmura-t-il tendrement. Tout compte fait, ce n'était pas si difficile que ça de combattre pour un pays qui comptait des filles comme elle.

Debout sur la plate-forme arrière, il leur envoya la main pendant que le train s'éloignait. Rilla était seule, mais Una s'approcha d'elle et les deux filles qui l'aimaient le plus se tinrent par la main en regardant le train disparaître derrière la colline.

Rilla passa une heure dans la vallée Arc-en-ciel ce matin-là. Jamais elle ne parla à personne de ce moment; elle ne le relata même pas dans son journal intime. Après, elle rentra chez elle et cousit des barboteuses pour Jims. Le soir, elle assista à une réunion du comité des jeunes de la Croix-Rouge où elle se montra très à son affaire.

«Jamais on ne croirait que Walter est parti pour le front ce matin même, confia par la suite Irene Howard à Olive Kirk. Mais certaines personnes n'ont aucune profondeur de sentiments. J'aimerais bien être capable de réagir avec autant de désinvolture que Rilla Blythe.»

16

Romantisme et réalité

«Varsovie est tombée», annonça le Dr Blythe d'un air résigné. C'était une journée chaude du mois d'août et il venait de rapporter le courrier.

Gertrude et Mme Blythe se regardèrent avec consternation et Rilla, qui était à nourrir Jims selon un régime prescrit par Morgan avec une cuiller soigneusement stérilisée, laissa tomber cette dernière sur le plateau, faisant incroyablement fi des microbes, et s'exclama: «Oh! Seigneur!» d'un ton absolument tragique, comme si cette nouvelle arrivait comme un coup de tonnerre plutôt que d'être la conclusion normale des comptes rendus des semaines précédentes. S'ils avaient cru être psychologiquement préparés à la chute de Varsovie, ils se rendaient compte que, comme toujours, ils avaient espéré contre tout espoir.

«À présent, calmons-nous un peu, dit Susan. C'est moins terrible que nous le pensions. J'ai lu un article de trois colonnes dans le *Herald* de Montréal, hier, prouvant que Varsovie n'avait aucune importance militaire. Alors, adoptons ce point de vue, cher docteur.»

«J'ai également lu cette dépêche, et cela m'a beaucoup

encouragée, renchérit Gertrude. Je comprends maintenant, comme je l'ai compris sur le moment, que c'était un mensonge du début à la fin. Mais je suis dans un tel état d'esprit que même un mensonge me réconforte, à condition que ce soit un mensonge positif.»

«Dans ce cas, chère Mlle Oliver, vous n'avez qu'à lire les rapports officiels allemands, répliqua sarcastiquement Susan. Je ne les lis jamais parce qu'ils me mettent tellement en rogne qu'après, c'est mon travail qui s'en ressent. Même que ces nouvelles à propos de Varsovie m'ont mangé une partie de mon après-midi. Un malheur ne vient jamais seul. J'ai raté la cuisson de mon pain, aujourd'hui, et voilà que Varsovie est tombée et que le petit Kitchener est en train de s'étouffer.»

Jims essayait, de façon évidente, d'avaler sa cuiller, totalement indifférent aux germes. Rilla vint machinalement à son secours. Elle était sur le point de recommencer à le nourrir lorsqu'une remarque anodine de son père lui causa un tel choc, une telle émotion que, pour la deuxième fois, elle laissa tomber la satanée cuiller.

«Kenneth Ford est en visite chez Martin West, de l'autre côté du port, disait le docteur. Son régiment était en route pour le front, mais il a été retenu à Kingsport pour une raison quelconque et Ken a obtenu une permission pour venir sur l'Île.»

«J'espère qu'il va nous rendre visite», s'exclama Mme Blythe.

«Je crois qu'il n'a qu'un ou deux jours de congé», répondit distraitement le docteur.

Personne ne remarqua le visage écarlate et les mains tremblantes de Rilla. Même les parents les plus attentifs et les plus tendres ne voient pas tout ce qui se passe sous leur propre nez. Pour la troisième fois, Rilla essaya de donner à manger à ce pauvre Jims, mais elle ne pouvait penser à rien d'autre qu'à cette question: Ken viendrait-il la voir avant son départ? Il y avait longtemps qu'elle n'avait reçu de ses nouvelles. L'avait-il complètement oubliée? S'il ne venait pas, elle comprendrait que oui. Peut-être même aimait-il une autre fille à Toronto. C'était même évident. Elle avait été idiote de penser à lui. C'était fini. S'il venait, tant mieux. Ce serait une simple marque de courtoisie de sa part de faire une visite d'adieu à Ingleside où il avait été reçu si souvent. S'il ne venait pas, tant mieux aussi. Personne n'allait se mettre martel en tête à cause de ça. Tout était réglé, elle se sentait absolument indifférente... et pourtant, elle nourrissait Jims avec une hâte et une négligence qui auraient horrifié Morgan. Cela ne plaisait pas à Jims non plus, car il était un bébé méthodique, habitué à avoir du temps pour respirer entre chacune de ses bouchées. Il eut beau protester, cela ne lui servit à rien. Pour le moment, Rilla ne semblait pas avoir le cœur à s'occuper des nourrissons.

C'est alors que le téléphone sonna. Cela n'avait rien d'inhabituel, à Ingleside, il sonnait en moyenne toutes les dix minutes. Mais Rilla laissa de nouveau tomber la cuiller de Jims, sur le tapis cette fois, et se rua vers l'appareil comme si c'était une question de vie ou de mort. À bout de patience, Jims éleva la voix et se mit à pleurer.

«Allô! Suis-je à Ingleside?»

«Oui.»

«C'est toi, Rilla?»

«Oui, oui.» Oh! Est-ce que Jims pourrait cesser de hurler un instant? Pourquoi personne ne venait-il le faire taire?

«Tu sais qui parle?»

Si elle le savait! Elle reconnaîtrait cette voix n'importe où, n'importe quand!

«Bien sûr que ze le sais. C'est Ken, n'est-ce pas?»

«Exact. Écoute, je suis venu faire un tour à l'Île. Est-ce que je peux venir à Ingleside, ce soir?»

«Z'en serais ravie.»

Était-ce elle personnellement ou tous les gens d'Ingleside qu'il voulait voir? Elle avait envie de tordre le cou de Jims. Oh! Qu'est-ce que Ken était en train de dire?

«Écoute, Rilla, peux-tu t'arranger pour qu'il n'y ait pas trop de monde? Tu comprends ce que je veux dire? Je ne peux pas être plus explicite. Il doit y avoir une douzaine d'oreilles indiscrètes sur la ligne.»

Si elle comprenait! C'était on ne peut plus évident!

«Ze vais essayer de m'arranger», promit-elle.

«Je serai là vers huit heures. Salut.»

Rilla raccrocha et courut vers Jims. Plutôt que de lui tordre le cou, elle l'arracha carrément de sa chaise, le pressa contre son visage et embrassa avec effusion sa bouche barbouillée de lait, dansant autour de la pièce en le tenant dans ses bras. Après, Jims fut soulagé de constater qu'elle avait retrouvé son état normal. Elle lui donna le reste de son repas et l'installa pour son somme de l'après-midi après lui avoir fredonné sa berceuse préférée. Elle passa le reste de l'après-midi à coudre des chemises pour la Croix-Rouge, la tête pleine de rêves irisés. Ken voulait la voir, la voir seul à seule. Cela serait facile à organiser. Shirley les laisserait tranquilles et ses parents seraient au presbytère. Mlle Oliver n'était pas du genre à jouer les chaperons et Jims dormait toujours de sept heures du soir à sept heures du matin. Elle allait recevoir Ken sur la véranda. La lune brillerait, elle porterait sa robe de georgette blanche et remonterait ses cheveux. Du moins les nouerait-elle en chignon sur sa nuque. Sa mère ne s'y opposerait sûrement pas. Oh! Comme ce serait merveilleux et romantique! Ken lui dirait-il quelque chose? Il avait sans doute l'intention de lui parler, sinon pourquoi aurait-il tant insisté pour la voir seule? Pourvu qu'il ne pleuve pas! Susan s'était plainte ce matin-là que le chat s'était transformé en M. Hyde! Et si des membres de son unité de la Croix-Rouge se présentaient pour discuter des Belges et des chemises? Ou, pire encore, s'il fallait que Fred Arnold arrive à l'improviste? Il le faisait, parfois.

La soirée arriva enfin et elle avait tout pour être idéale. Le docteur et sa femme étaient partis pour le presbytère; Shirley et Mlle Oliver s'étaient discrètement éclipsés; Susan était allée faire des emplettes et Jims dormait comme un loir. Rilla revêtit sa robe de georgette, releva ses cheveux en un chignon qu'elle entoura d'un double rang de perles. Elle piqua ensuite à sa ceinture un petit bouquet de roses pâles en boutons. Ken lui demanderait-il une rose en souvenir? Elle savait que Jem avait apporté dans les tranchées des Flandres une rose séchée que Faith Meredith avait embrassée avant de la lui remettre, la veille de son départ.

Rilla était tout à fait ravissante lorsqu'elle rejoignit Ken sur la véranda. La lune était levée et le lierre projetait ses ombres en arabesques. La main qu'elle lui tendit était glacée et elle avait tellement peur de zézayer qu'elle le salua sèchement. Comme il était grand et beau dans son uniforme de lieutenant! Il paraissait également plus vieux, si bien que Rilla se sentit plutôt idiote. Cela avait été complètement ridicule de supposer que ce superbe jeune officier eût quelque chose de spécial à lui dire, à elle, la petite Rilla Blythe de Glen St. Mary. Elle avait probablement tout compris de travers. Il avait sans doute seulement voulu dire qu'il n'avait pas envie de se faire féliciter et harceler par une foule, comme cela avait dû se produire de l'autre côté du port. Oui, c'était évidemment ce qu'il avait voulu dire, et elle, comme une petite oie, avait imaginé que c'était parce qu'il ne voulait voir personne d'autre qu'elle. À présent, il allait penser qu'elle l'avait fait exprès d'éloigner tout le monde afin d'être seule avec lui. Comme il se gausserait d'elle!

«Je n'avais pas espéré autant de chance, remarqua Ken en se renversant dans son fauteuil et en la regardant d'un air admiratif et éloquent. J'étais sûr qu'il y aurait quelqu'un dans les parages et je ne voulais voir que toi, Rilla-ma-Rilla.»

Le château en Espagne se remit à scintiller dans le paysage. Il ne subsistait plus aucun doute sur ses intentions.

«Nous ne sommes plus très nombreux, à présent», murmura-t-elle.

«Non, c'est vrai, répondit doucement Ken. Jem, Walter et les jumelles sont partis. Ça doit faire tout un vide, n'est-ce pas? Pourtant, poursuivit-il en se penchant vers elle au point que ses boucles noires frôlèrent les cheveux de Rilla, on m'a dit que Fred Arnold essaie à l'occasion de combler ce vide.»

C'est alors que, avant que Rilla eût le temps de répondre, Jims se mit à pleurer de toute la force de ses poumons. Sa chambre se trouvait juste au-dessus d'eux et la fenêtre était ouverte. Lui qui n'avait pour ainsi dire jamais pleuré le soir! De plus, comme Rilla le savait par expérience, il hurlait avec une vigueur prouvant qu'il avait dû se lamenter pendant quelque temps sans être entendu et qu'il était absolument exaspéré. Lorsque Jims se mettait à pleurer comme ça, il allait jusqu'au bout. Rilla savait qu'il était inutile de rester là à faire semblant de ne pas l'entendre. Il ne s'arrêterait pas. Et aucune sorte de conversation n'était possible avec des plaintes et des cris pareils au-dessus de leurs têtes. En outre, elle avait peur que Kenneth ne la considère complètement insensible si elle laissait le bébé s'époumoner. Il ne connaissait probablement pas le précieux traité de Morgan.

Elle se leva. «Jims a dû faire un cauchemar. Il lui arrive d'en avoir et cela le terrifie. Excuse-moi un instant.»

Rilla monta en courant, souhaitant sincèrement que les soupières n'eussent jamais été inventées. Mais lorsque, en la voyant, Jims leva avec confiance ses petits bras et ravala ses sanglots, les joues inondées de larmes, Rilla fut incapable de lui en vouloir. Après tout, le pauvre trésor était effrayé. Elle le prit avec douceur et le berça jusqu'à ce qu'il cesse de sangloter et ferme les yeux. Elle essaya alors de le recoucher dans son berceau. Jims ouvrit les yeux et poussa un hurlement de protestation. L'expérience fut reprise du début et connut le même dénouement. Rilla était au désespoir. Elle ne pouvait quand même pas abandonner Ken plus longtemps, il y avait déjà presque une demi-heure qu'il était seul. Résignée, elle descendit, Jims dans les bras, et s'assit sur la véranda. Il était certainement ridicule de dorloter un bébé de guerre qui avait l'esprit de contradiction pendant la visite d'adieu du jeune homme convoité, mais il n'y avait rien d'autre à faire.

Jims était au comble du bonheur. Il agitait frénétiquement ses petits pieds roses sous sa chemise de nuit blanche en faisant entendre un de ses précieux rires. Il était en train de devenir un très joli poupon; il avait une petite tête ronde couverte de boucles soyeuses et dorées et des yeux magnifiques.

«Il est vraiment mignon, ce petit, pas vrai?» remarqua Ken.

«Oui», admit Rilla à contrecœur, laissant entendre que son apparence était ce qu'il avait de mieux. Comme il était perspicace, Jims sentit qu'il y avait de l'orage dans l'air et comprit qu'il lui incombait de dissiper les nuages. Il leva son petit visage vers Rilla et prononça distinctement et d'un air enjôleur: «Oui... oui.»

C'était la toute première fois qu'il prononçait ou tentait de prononcer un mot. Rilla était si ravie qu'elle en oublia sa rancœur et lui exprima son pardon en le serrant contre elle et en l'embrassant. Comprenant qu'il avait reconquis l'estime de Rilla, Jims se blottit contre elle. Un rayon de lumière venant de la lampe du salon tombait sur ses cheveux et dessinait un halo doré contre la poitrine de Rilla.

Kenneth était immobile et silencieux. Il contemplait Rilla, sa délicate silhouette de jeune fille, ses longs cils, sa lèvre creusée, son menton adorable. Dans la pénombre éclairée par la lune, assise dans cette attitude, la tête légèrement inclinée vers Jims, ses perles scintillant à la lueur de la lampe comme une mince auréole, Ken songea qu'elle ressemblait exactement à la Madone dont le portrait était suspendu au-dessus du pupitre de sa mère, à la maison. C'est cette image d'elle qu'il emporta dans son cœur sur les horribles champs de bataille de France. Depuis le bal au phare, il pensait beaucoup à Rilla Blythe. Mais c'est en la voyant ce soir-là, tenant le petit Jims dans ses bras, qu'il comprit qu'il l'aimait. Pendant ce temps-là, la pauvre Rilla se sentait déçue et humiliée; elle avait l'impression que sa dernière soirée avec Ken était gâchée et se demandait pourquoi les choses ne se passent jamais comme dans les livres. Elle se sentait trop ridicule pour même essayer de parler. Ken devait sans doute avoir perdu ses illusions, lui aussi, puisqu'il n'ouvrait pas la bouche.

L'espoir lui revint momentanément lorsque Jims s'endormit assez profondément pour qu'elle crût pouvoir le coucher en toute sécurité sur le canapé du salon. Mais lorsqu'elle sortit de la maison, Susan était assise sur la véranda. Elle détachait les rubans de son bonnet, l'air résolue à rester là quelque temps.

«T'es allée coucher ton bébé?» demanda-t-elle gentiment.

Ton bébé! Vraiment, Susan pourrait avoir plus de tact!

«Oui», répondit sèchement Rilla.

Susan déposa ses paquets sur la table en osier, déterminée à accomplir son devoir. Elle était très fatiguée, mais il fallait aider Rilla. Kenneth Ford était venu rendre visite à la famille et tout le monde était malheureusement sorti; la «pauvre petite» se retrouvait toute seule pour lui tenir compagnie. Heureusement, Susan était venue à son secours. Elle était peut-être épuisée, mais elle ferait sa part.

«Mon Dieu, comme t'as grandi!» s'écria-t-elle en contemplant sans le moindre respect les six pieds de Ken dans l'uniforme militaire. Susan était désormais habituée aux uniformes et, à soixante-quatre ans, même celui d'un lieutenant ne représentait pour elle qu'un habit comme les autres. «C'est incroyable comme les enfants poussent vite. Notre petite Rilla, ici, a pratiquement quinze ans.»

«Je m'en vais sur mes dix-sept, Susan!» protesta Rilla avec véhémence. Elle avait seize ans depuis un gros mois. Susan était vraiment insupportable.

«Pour moi, hier encore, vous n'étiez tous que des bébés, reprit Susan comme si elle n'avait pas entendu la protestation de Rilla. T'étais vraiment le plus joli bébé que j'aie jamais vu, Ken, même si ta mère a eu toutes les misères du monde à te faire perdre l'habitude de sucer ton pouce. Te rappelles-tu la fessée que je t'ai donnée?»

«Non», répondit Ken.

«Ah bon, tu devais être trop jeune, j'imagine. Tu avais environ quatre ans, à l'époque. Tu étais en visite ici avec ta mère et tu faisais pleurer Nan à force de l'agacer. J'avais tout essayé pour te changer les idées, mais peine perdue. J'ai compris qu'une fessée était le dernier recours. Alors je t'ai pris, je t'ai couché sur mes genoux et t'en ai donné une bonne. Tu as hurlé de toutes tes forces, mais tu as fiché la paix à Nan, après ça.»

Rilla bouillait de rage. Susan ne se rendait-elle pas compte qu'elle s'adressait à un officier de l'armée canadienne? Il semblait bien que non. Oh! Qu'est-ce que Ken allait penser?

«Je présume que tu as aussi oublié la correction que ta mère t'a donnée, continua Susan, paraissant avoir envie de revivre de doux souvenirs, ce soir-là. Jamais, jamais je ne pourrai l'oublier. Ta mère était venue ici un soir. Tu devais avoir à peu près trois ans. Walter et toi, vous étiez en train de jouer avec un chaton dans la cour. J'avais alors un gros baril d'eau de pluie que je réservais pour faire du savon. Walter et toi avez commencé à vous chamailler à propos du chat. Walter était debout sur une chaise d'un côté du baril, tenant le chat, et tu étais debout sur une chaise de l'autre côté. Tu t'es alors penché au-dessus du baril, tu as attrapé le chat et tu as tiré. T'avais cette habitude de prendre ce que tu voulais sans cérémonie. Walter tenait son bout et la pauvre bête miaulait à fendre l'âme. Tu as alors tiré Walter et le chat puis vous avez tous deux perdu l'équilibre et vous êtes tombés la tête la première dans le tonneau avec le chat. Si je n'avais pas été là, vous vous seriez noyés. J'ai couru vous sortir de là avant que vous ayez trop de mal. Ta mère avait vu la scène d'une fenêtre à l'étage. Elle est descendue, t'a attrapé, tout dégoulinant, et t'a administré une bonne fessée. Ah! conclut Susan en soupirant, c'était le bon temps, à Ingleside!»

«Sans doute», répondit Ken d'un ton étrangement sec. Rilla pensa qu'il devait être ulcéré. La vérité était qu'il craignait que sa voix ne trahisse une irrépressible envie de rire.

«Notre Rilla ici présente, reprit Susan en regardant affectueusement l'infortunée jouvencelle, n'a jamais reçu beaucoup de fessées. C'était généralement une enfant très bien élevée. Mais son père lui en a déjà donné une. Elle avait pris deux flacons de pilules dans son bureau et défié Alice Clow de les avaler avant elle. Si son père n'était pas accouru dans le temps de le dire, elles auraient été raides mortes le soir même. Elles ont été suffisamment malades peu de temps après, mais son père lui a quand même administré toute une correction. J'vous assure qu'après ça, elle n'a jamais plus touché à rien dans son bureau. De nos jours, on parle beaucoup de "persuasion morale", mais je suis d'avis que, tout compte fait, rien ne vaut une bonne fessée et après, on n'en parle plus.»

Excédée, Rilla se demanda si Susan avait l'intention de raconter toutes les raclées reçues par sa famille. Mais Susan avait épuisé le sujet et en abordait à présent un autre, tout aussi réjouissant.

«J'me rappelle que c'est comme ça que le petit Tod MacAllister de l'autre côté du port s'est tué. Il avait avalé toute une bouteille de vitamines, croyant que c'était des bonbons. Quelle triste histoire! Jamais, ajouta sincèrement Susan, je n'ai vu de plus joli petit cadavre. Sa mère avait été très négligente de laisser les vitamines à sa portée, mais elle avait la réputation d'être une tête de linotte.»

«As-tu rencontré quelqu'un au magasin? demanda Rilla, espérant désespérément orienter la conversation de Susan vers des sujets plus agréables.

«Personne à part Mary Vance, répondit Susan, et elle avait l'air d'une queue de veau.»

Comme Susan utilisait des comparaisons triviales! Kenneth penserait-il qu'elle les avait apprises dans la famille?

«À entendre Mary parler de Miller Douglas, on croirait qu'il est le seul garçon du village à s'être enrôlé, poursuivit Susan. Mais elle se vante tout le temps, c'est certain. Je veux bien admettre qu'elle ait quelques qualités, quoique ce ne soit pas ce que j'ai pensé la fois où elle a poursuivi Rilla dans tout le village en brandissant une morue séchée jusqu'à ce que la pauvre petite tombe la tête la première dans la mare de boue devant le magasin de Carter Flagg.»

Rilla devint glacée de colère et de honte. Y avait-il d'autres scènes humiliantes de son passé que Susan pourrait relater? Quant à Ken, bien qu'il eût envie de hurler de rire aux propos de Susan, il s'en abstenait pour ne pas insulter sa bien-aimée, et son visage gardait une expression solennelle que Rilla prenait pour un air hautain et offensé.

«J'ai payé onze sous pour une bouteille d'encre, ce soir, se lamenta Susan. Le prix de l'encre a doublé depuis l'an dernier. C'est peut-être à cause de toutes les lettres que Woodrow Wilson a écrites. Ça doit lui coûter pas mal cher. Ma cousine Sophia affirme que Woodrow Wilson n'est pas l'homme qu'elle pensait. Mais il faut dire qu'aucun homme ne l'a jamais été. Étant moi-même une vieille fille, je ne connais pas grand-chose aux hommes et n'ai jamais prétendu le contraire. Mais ma cousine Sophia les juge très sévèrement, même si elle en a épousé deux, ce qui est déjà une bonne moyenne. La cheminée d'Albert Crawford est tombée lors de la grosse tempête de la semaine dernière, et quand cousine Sophia a entendu les briques dégringoler sur le toit, elle a cru qu'il s'agissait d'un zeppelin et a piqué une crise de nerfs. Et Mme Albert Crawford a dit qu'elle aurait encore préféré un zeppelin.»

Rilla était inerte sur sa chaise, comme hypnotisée. Elle savait que Susan parlerait tant qu'elle en aurait envie et que rien ne pourrait l'arrêter. Bien qu'en général elle aimât beaucoup Susan, elle lui vouait en ce moment une haine mortelle. Il était dix heures. Ken s'en irait bientôt, les autres arriveraient, et elle n'avait même pas eu la possibilité de lui dire que Fred Arnold ne comblait et ne pourrait jamais combler aucun vide dans sa vie. Les ruines de son château en Espagne gisaient autour d'elle.

Kenneth se leva enfin. Il avait compris que Susan resterait là jusqu'à son départ et il devait couvrir une distance de trois milles jusqu'à la maison de Martin West, de l'autre côté du port. Il se demandait si c'était Rilla qui avait manigancé cela, ne voulant pas rester seule avec lui, de peur qu'il lui tienne des propos que la fiancée de Fred Arnold n'avait pas envie d'entendre. Rilla se leva aussi et l'accompagna en silence au bout de la véranda. Ils s'arrêtèrent un instant. Ken se tenait sur la dernière marche. Celle-ci était à demi enfoncée dans la terre et des touffes de menthe avaient poussé sur sa base. Souvent piétinée, elle embaumait et son odeur piquante flottait autour d'eux comme une bénédiction muette et invisible. Ken leva les yeux vers Rilla dont la chevelure luisait sous la lune et dont le regard brillait intensément. Tout à coup, il eut la certitude qu'il n'y avait rien de vrai dans ce ragot à propos de Fred Arnold.

«Rilla, chuchota-t-il avec une passion contenue, tu es absolument adorable.»

Rilla rougit et regarda Susan. Ken regarda dans la même direction et vit que Susan avait le dos tourné. Il entoura Rilla de son bras et l'embrassa. C'était la première fois qu'on embrassait Rilla. Elle se dit qu'elle devrait peut-être être fâchée, mais elle ne l'était pas. Elle plongea plutôt son regard, que l'amour enflammait, dans les yeux interrogateurs de Ken.

«Rilla-ma-Rilla, dit Ken, promets-moi que tu ne laisseras personne d'autre t'embrasser jusqu'à mon retour.»

«Je te le promets», répondit-elle, tremblante d'émotion.

Susan se retourna. Ken relâcha son étreinte et s'engagea dans l'allée.

«Au revoir», dit-il avec désinvolture. Rilla entendit sa propre voix répondre avec la même insouciance. Elle resta immobile à le regarder marcher jusqu'au bout de l'allée, ouvrir la grille et emprunter le chemin. Lorsque le bosquet de sapins le cacha à sa vue, elle poussa soudain un cri étranglé et s'élança jusqu'à la barrière, en retenant sa jupe. Se penchant au-dessus de la barrière, elle vit Ken qui cheminait d'un pas alerte; sa haute et droite silhouette semblait toute grise sous la lune et les ombres des arbres. Arrivé au carrefour, il s'arrêta et regarda en arrière. Il vit alors Rilla au milieu des hauts buissons de lis qui flanquaient la grille. Il lui envoya la main, elle lui envoya la sienne, puis il disparut dans le tournant.

Rilla resta là quelques instants, fixant les prés auréolés de brume argentée. Elle avait déjà entendu sa mère dire qu'elle aimait les tournants des chemins, si attirants, si séduisants. Rilla pensa qu'elle les détestait. Elle avait vu Jem et Jerry disparaître à un détour de la route, puis Walter, et à présent, Ken. Frères, compagnons de jeux, amoureux, tous étaient partis, peut-être pour toujours. Et le Joueur de pipeau continuait pourtant sa ritournelle, et la danse macabre se poursuivait.

Elle revint lentement vers la maison. Susan était toujours assise sur la véranda, près de la table, et elle reniflait de façon suspecte.

«J'étais en train de penser, ma petite Rilla, à l'époque de la Maison de rêve, quand les parents de Kenneth se fréquentaient. Jem n'était alors qu'un bébé et personne ne se doutait encore de ta naissance. C'était une histoire si romantique. Ta mère et la sienne étaient alors de très bonnes amies. Jamais je n'aurais cru voir un jour son fils partir pour le front. Comme si elle n'avait pas eu assez de problèmes dans sa jeunesse. Il fallait encore qu'elle vive ça! Mais on doit se ressaisir et on passera au travers.»

Rilla ne ressentait plus aucune colère contre Susan. Le baiser de Ken lui brûlant encore les lèvres et le cœur chaviré par la promesse qu'il lui avait demandée, elle ne pouvait en vouloir à personne. Elle glissa sa fine main blanche dans la main usée et basanée de Susan et la serra. Susan était une chère vieille amie fidèle qui sacrifierait sa vie pour eux.

«Tu es exténuée, mon trésor, tu ferais mieux d'aller te coucher, dit Susan en tapotant sa main. J'ai remarqué que tu étais trop fatiguée pour parler, ce soir. Je suis contente d'être arrivée à temps pour te tirer d'affaire. C'est épuisant d'essayer de faire la conversation à un jeune homme lorsqu'on n'en a pas l'habitude.»

Rilla monta Jims dans sa chambre et se coucha. Avant, elle resta assise longtemps près de la fenêtre, à reconstruire son palais enchanté, y ajoutant des tours et des dômes.

«Je me demande, se dit-elle, si oui ou non je suis fiancée à Kenneth Ford.»

17

Passent les semaines...

Rilla lut sa première lettre d'amour dans un petit coin à l'ombre des sapins de la vallée Arc-en-ciel, et quoi qu'en pensent les adultes blasés, la première lettre d'amour d'une jeune fille constitue un événement de toute première importance. Après que le régiment de Kenneth eut quitté Kingsport, Rilla vécut deux semaines de douloureuse anxiété et lorsque, le dimanche soir, les paroissiens chantaient à l'église:

Ô Seigneur, entends notre prière,
Protège les marins en péril sur la mer,

la voix de Rilla lui manquait toujours, car ces paroles faisaient surgir une image très réaliste de navires naufragés et d'hommes se débattant et hurlant en se noyant au milieu des flots impitoyables. On apprit par la suite que le régiment de Kenneth était arrivé sain et sauf en Angleterre. Et voici qu'enfin elle recevait une lettre de lui. Elle commençait par des mots qui comblèrent Rilla de bonheur pendant un moment et se terminait par un paragraphe qui enflamma son visage d'émerveillement, d'émotion et de plaisir. Entre le début et la fin, ce n'était qu'une épître joviale et pleine de nouvelles comme Kenneth aurait pu en écrire à n'importe qui. Mais, à cause de ce début et de cette fin, Rilla la plaça sous son oreiller pendant des semaines, s'éveillant parfois, la nuit, juste pour la toucher, et considéra avec pitié les autres filles dont les amoureux n'auraient jamais été capables d'écrire une lettre aussi extraordinaire, aussi exquise. Kenneth n'était pas le fils d'un romancier célèbre pour rien. Il avait une façon de s'exprimer en quelques mots poignants et significatifs paraissant suggérer beaucoup plus qu'ils ne disaient, et on avait beau les relire, jamais ils ne devenaient usés, ternes ou stupides. Lorsque Rilla rentra à la maison, elle ne marchait pas, elle volait.

Mais les instants de grâce furent rares, cet automne-là. Bien sûr, il y eut un jour de septembre où on apprit la grande victoire des Alliés à l'ouest et Susan courut hisser le drapeau. C'était la première fois qu'elle le hissait depuis que la ligne russe avait été brisée et elle n'était pas à la veille de le hisser de nouveau.

«On dirait que l'assaut final a enfin commencé, chère Mme Docteur, s'exclama-t-elle, et on verra sous peu la défaite des Boches. Nos gars seront revenus pour Noël. Hourra!»

Un instant après, Susan eut honte de cette explosion de joie puérile et elle demanda humblement pardon. «Mais en vérité, chère Mme Docteur, cette bonne nouvelle m'est montée à la tête après ce terrible été de défaites russes et de retraits à Gallipoli.»

«Une bonne nouvelle! rétorqua Mlle Oliver avec amertume. Je me demande si les épouses de ceux qui y ont trouvé la mort vont appeler ça une bonne nouvelle! Parce que nos hommes n'étaient pas sur ce front, nous nous réjouissons comme si aucun sang n'avait été versé pour cette victoire.»

«Écoutez, chère Mlle Oliver, il faut pas voir les choses de cette façon-là, fit Susan avec reproche. On a pas eu beaucoup de raisons de se réjouir dernièrement et pourtant d'autres hommes sont morts. Il faut pas vous laisser abattre comme la pauvre cousine Sophia.»

Cette dernière eut le loisir d'exprimer pleinement son pessimisme, en ce sinistre automne. Susan avait beau être une vieille optimiste incorrigible, elle eut peine à voir le beau côté des choses. Lorsque la Bulgarie s'allia à l'Allemagne, Susan se contenta de commenter d'un air méprisant:

«Encore un pays qui a envie de se faire donner une raclée.»

L'hésitation des Grecs l'inquiéta néanmoins au plus haut point et, malgré toute sa philosophie, elle la supporta difficilement.

«Constantin de Grèce est marié à une Allemande, chère Mme Docteur, et ceci nous laisse pas beaucoup d'espoir. Quand je pense que j'en suis réduite à me préoccuper de la nationalité de l'épouse de Constantin de Grèce! Ce misérable est sous la coupe de sa femme et c'est jamais bon pour un homme. Je suis une vieille fille et une vieille fille doit être indépendante si elle ne veut pas se faire écrabouiller. Mais si je m'étais mariée, chère Mme Docteur, je me serais montrée docile et humble. À mon avis, Sophia de Grèce n'est qu'une friponne!»

Susan éclata en apprenant la défaite de Venizelos.

«Je pourrais donner la fessée à ce Constantin et l'écorcher vif, c'est certain!» s'exclama-t-elle, furibonde.

«Oh! Susan, cela m'étonne de vous, dit le docteur, l'air consterné. N'avez-vous aucun égard pour les titres de noblesse? Écorchez-le si vous le voulez, mais épargnez-lui la fessée.»

«S'il avait été convenablement corrigé dans son enfance, il aurait peut-être plus de jugeote maintenant, riposta Susan. Mais j'imagine qu'on ne fouette jamais les princes et c'est bien dommage. Je vois que les Alliés lui ont envoyé un ultimatum. Je pourrais leur dire qu'il faudrait plus qu'un ultimatum pour venir à bout d'un serpent comme ce Constantin. Peut-être le blocage des Alliés lui fera-t-il entrer un peu de plomb dans la cervelle, mais à mon avis, c'est pas demain la veille et entre-temps, qu'adviendra-t-il de la pauvre Serbie?»

Ils l'apprirent bien assez vite et Susan devint alors pratiquement invivable. Dans son exaspération, elle s'en prenait
à tout et à tous à l'exception de Kitchener et attaquait,
toutes griffes sorties, l'infortuné président Wilson.

«S'il avait fait son devoir et était entré en guerre depuis
longtemps, on aurait pas vu ce désastre en Serbie», décréta
Susan.

«Ce serait grave de plonger dans la guerre un grand pays
comme les États-Unis, avec sa population hétéroclite», fit
remarquer le docteur. Il se portait parfois à la défense du président, non parce qu'il pensait que ce dernier avait particulièrement besoin d'aide, mais parce qu'il ne pouvait résister à
la tentation d'appâter Susan.

«Peut-être, cher docteur, peut-être. Mais ça me rappelle
la vieille histoire de la fille qui avait annoncé son mariage à
sa grand-mère. "On ne se marie pas pour rire", dit la grand-
mère. "Non, mais on rit encore moins quand on reste vieille
fille", avait répondu l'autre. Et c'est vrai, je le sais par expérience. À mon avis, pour les Américains, la chose la plus
grave, c'est d'avoir été tenus à l'écart de la guerre. Toutefois,
et même si je n'connais pas grand-chose à leur sujet, j'crois
que, avec ou sans Woodrow Wilson, on va les voir entre-
prendre quelque chose dès qu'ils auront compris que cette
guerre n'est pas un cours par correspondance.»

Carl Meredith partit un soir d'octobre venteux et mordoré. Il s'était enrôlé le jour de son dix-huitième anniversaire. John Meredith garda un visage dénué d'expression en
lui faisant ses adieux. Ses deux fils s'en étaient allés, il ne lui
restait plus que le petit Bruce. Il avait beau aimer tendrement Bruce et sa mère, il n'en demeurait pas moins que Carl
et Jerry étaient les fils de sa première épouse et que Carl était
le seul de ses enfants à avoir les mêmes yeux que Cecilia.
Pendant que, au-dessus de l'uniforme de Carl, ces yeux le
regardaient affectueusement, le pasteur tout blême se rappela
soudain la seule et unique fois où il avait essayé de fouetter
Carl. Ce jour-là, il s'était rendu compte à quel point les yeux

de Carl ressemblaient à ceux de Cecilia. À présent, il en prenait une nouvelle fois conscience. Verrait-il de nouveau les yeux de sa femme morte le regarder à travers ceux de son fils? Comme Carl était un garçon gentil, limpide et beau! Hier encore, il n'était qu'un gamin étudiant les insectes dans la vallée Arc-en-ciel, apportant des lézards dans son lit et scandalisant le village en arrivant à l'école du dimanche avec des grenouilles dans ses poches. Il semblait difficile de croire qu'il pût être considéré d'âge à être soldat. Pourtant, John Meredith n'avait pas dit un seul mot pour le dissuader lorsque Carl lui avait fait part de son intention.

Le départ de Carl causa un choc à Rilla. Ils avaient toujours été de bons amis et avaient partagé leurs jeux. Ils avaient pratiquement le même âge et avaient vécu leur enfance ensemble dans la vallée Arc-en-ciel. Sur le chemin du retour, elle marchait seule en se remémorant leurs blagues et leurs escapades passées. Une pleine lune apparaissait en jetant des flots de lumière blafarde entre les nuages qui fuyaient, les fils téléphoniques chantaient d'une voix stridente dans le vent et, à l'angle des clôtures, les hautes tiges blanchâtres de verges d'or ondulaient et lui faisaient signe, semblables à de vieilles sorcières cherchant à lui jeter un mauvais sort. Jadis, un soir pareil à celui-ci, Carl était venu jusqu'à la grille d'Ingleside et l'avait appelée en sifflant. «Allons nous promener au clair de lune, Rilla», avait-il proposé et tous deux s'étaient échappés vers la vallée Arc-en-ciel. Rilla n'avait jamais craint les insectes, mais elle ne voulait rien savoir des serpents. Elle et Carl avaient coutume de tout se raconter et on les taquinait à l'école. Mais un soir, alors qu'ils avaient environ dix ans, près de la vieille source de la vallée Arc-en-ciel, ils s'étaient fait la promesse solennelle de ne jamais se marier. Alice Clow avait joint leurs noms sur son ardoise à l'école ce jour-là, ce qui signifiait qu'ils étaient fiancés. L'idée ne leur avait pas plu du tout et c'est pourquoi ils s'étaient fait ce serment. Mieux vaut prévenir que guérir, n'est-ce pas? Rilla pouffa de rire à ce souvenir, puis elle soupira. Le jour même, une dépêche d'un journal de Londres annonçait joyeusement que «nous étions en train de vivre les moments les plus sombres depuis le début de la guerre». C'était en effet très sombre et, désespérée, Rilla souhaitait pouvoir faire autre chose qu'attendre et servir au pays alors que, jour après jour, tous les garçons qu'elle connaissait au village s'en allaient. Oh! Si seulement elle était un garçon courant en uniforme vers le front occidental aux côtés de Carl! Elle l'avait souhaité dans un élan romantique lors du départ de Jem, sans peut-être le penser vraiment. À présent, elle était absolument sincère. Il y avait des moments où le fait d'attendre à la maison, dans le confort et la sécurité, semblait une chose intolérable.

La lune surgit triomphalement à travers un nuage particulièrement noir et l'ombre et la lumière se livrèrent un combat au-dessus du Glen. Rilla se souvint qu'enfant, un soir de lune, elle avait dit à sa mère: «La lune ressemble à un visage triste, si triste.» Elle songea qu'elle avait toujours l'air aussi triste, elle était un visage douloureux et inquiet, comme si elle regardait des choses abominables. Qu'est-ce qu'elle voyait sur le front ouest? Dans la Serbie disloquée? Sur Gallipoli bombardé?

«Je suis fatiguée, avait soupiré Mlle Oliver ce jour-là, dans une explosion d'impatience inhabituelle, de toute cette série d'horribles émotions. Chaque jour nous apporte une nouvelle horreur, une nouvelle menace. Non, ne me regardez pas de cet air désapprobateur, Mme Blythe. Je ne me sens aucunement héroïque, aujourd'hui. Je suis défaite. Je voudrais que l'Angleterre ait laissé la Belgique à son sort, que le Canada n'ait jamais envoyé un seul homme là-bas, que nous ayons attaché nos garçons aux cordons de nos tabliers pour les empêcher de partir. Oh! J'aurai honte de moi-même dans une demi-heure mais, en ce moment, je suis tout à fait sincère. Est-ce que les Alliés vont finir par frapper?»

«La patience est une vieille jument fatiguée, mais elle est encore capable de trotter», répondit Susan.

«Et pendant ce temps-là, les coursiers d'Armaggedon galopent en nous piétinant le cœur, répliqua Mlle Oliver. Dites-moi, Susan, il ne vous arrive jamais... il ne vous est jamais arrivé... d'avoir envie de crier, de blasphémer, de fracasser quelque chose, juste parce que votre souffrance devient intolérable?»

«Je n'ai jamais juré ni eu envie de le faire, chère Mlle Oliver, répondit Susan, mais j'admets, ajouta-t-elle, l'air déterminée à libérer sa conscience une bonne fois pour toutes, que faire quelque vacarme m'a déjà procuré un grand soulagement.»

«N'est-ce pas une façon de jurer, Susan? Quelle différence y a-t-il entre claquer rageusement une porte et dire...»

«Chère Mlle Oliver, interrompit Susan, résolue à sauver Gertrude malgré elle si toutefois c'était possible, vous êtes épuisée et à bout de nerfs, et c'est pas étonnant, à enseigner toute la journée comme vous le faites à ces gamins turbulents pour rentrer à la maison entendre les mauvaises nouvelles de la guerre. Mais vous allez monter vous coucher et j'vais vous apporter une bonne tasse de thé chaud avec du pain grillé. Après ça, vous aurez plus envie de claquer des portes ni de blasphémer.»

«Vous êtes un trésor, Susan, une perle. Mais quel soulagement ce serait de chuchoter un tout petit...»

«J'vais également apporter une bouillotte pour vos pieds, coupa résolument Susan, et ça va vous faire passer l'envie de prononcer le mot auquel vous pensez, Mlle Oliver, croyez-moi sur parole.»

«D'accord, je vais commencer par la bouillotte», dit Mlle Oliver, regrettant de taquiner ainsi Susan. Elle monta à l'étage, au grand soulagement de Susan. Cette dernière hocha sinistrement la tête en remplissant la bouillotte. Il ne faisait aucun doute que cette guerre était en train de relâcher déplorablement les mœurs. Même Mlle Oliver n'échappait pas à la débâcle.

«Il faut lui tirer le sang de la tête, décréta Susan, et si

cette bouillotte n'est pas efficace, je verrai ce que je peux faire avec un cataplasme.»

Gertrude reprit ses esprits. Lord Kitchener se rendit en Grèce, ce qui amena Susan à prédire que Constantin changerait son fusil d'épaule. Lloyd George se mit à houspiller les Alliés pour des questions d'équipement et de canons, et Susan commenta qu'on n'avait pas fini de l'entendre. Les braves soldats de l'armée australienne se retirèrent de Gallipoli et Susan approuva ce retrait, avec des réserves. Le siège de Kut-El-Amara commença et Susan se pencha sur des cartes de la Mésopotamie et abreuva les Turcs d'injures. Henry Ford partit pour l'Europe et Susan l'écrasa sous ses sarcasmes. Sir John French se mit sous les ordres de Sir Douglas Haig et, l'air perplexe, Susan remarqua qu'il n'est pas très prudent de changer de chevaux quand on traverse une rivière. Sur le grand échiquier, aucun mouvement n'échappait à Susan, qu'il s'agît d'un roi, d'une tour ou d'un pion. Et dire qu'avant, rien d'autre ne l'intéressait que la rubrique mondaine de Glen St. Mary. «Il fut un temps, remarqua-t-elle tristement, où je me balançais de ce qui se passait à l'extérieur de l'Île-du-Prince-Édouard et voilà que je m'inquiète lorsqu'un roi a mal aux dents en Russie ou en Chine. Ça m'ouvre peut-être l'esprit, comme le prétend le docteur, mais c'est pas facile à vivre.»

Noël revint et Susan ne mit pas le couvert pour les absents à la table des festivités. Deux places vides, c'était trop pour elle qui, en septembre, avait prédit revoir toute la famille rassemblée.

«C'est la première fois que Walter n'est pas à la maison pour Noël, écrivit Rilla dans son journal intime, ce soir-là. Jem allait souvent passer Noël à Avonlea, mais Walter restait toujours ici. Aujourd'hui, j'ai reçu des lettres de lui et de Ken. Ils sont encore en Angleterre mais s'attendent à rejoindre bientôt les tranchées. Et après... mais j'imagine que nous arriverons à le supporter. Pour moi, la chose la plus étrange qui se soit produite depuis 1914 est que nous ayons appris à accepter des choses que nous pensions inacceptables, à continuer à vivre comme si de rien n'était. Je sais que Jem et Jerry sont dans les tranchées, que Ken et Walter les rejoindront sous peu, que j'aurai le cœur brisé si l'un d'entre eux ne revient pas, et je continue pourtant à travailler, à faire des projets et même à apprécier la vie quelquefois. Il nous arrive d'avoir du plaisir quelques instants, lorsque nous arrêtons de penser à ces choses, puis cela nous revient et c'est encore plus douloureux.

«Il a fait sombre et nuageux aujourd'hui et le temps qu'il fait ce soir serait de nature à satisfaire un romancier en quête d'une atmosphère propice à un meurtre ou à un enlèvement, comme le dit Gertrude. Les gouttes de pluie dans les carreaux ressemblent à des larmes coulant sur un visage, et le vent hurle dans les érables.

«Quel affreux Noël! Nan avait une rage de dents, et Susan affichait une désinvolture bizarre et fausse pour éviter de nous faire voir ses yeux rougis. Jims a eu un mauvais rhume toute la journée et je crains que cela ne dégénère en croup. Il l'a attrapé deux fois depuis le mois d'octobre. La première fois, j'ai failli mourir de peur, car papa et maman étaient absents. On dirait que papa n'est jamais là lorsqu'un membre de sa famille tombe malade. Mais Susan a gardé son sang-froid; elle savait exactement ce qu'il fallait faire et au matin, Jims allait mieux. Cet enfant est à moitié un ange, et à moitié une petite peste. Il a à présent un an et quatre mois, il trottine et sait dire quelques mots. Je trouve absolument irrésistible sa façon de m'appeler "Ouilla". Quand il le dit, cela me rappelle la première fois qu'il a prononcé "oui", ce soir merveilleux où Ken était venu me faire ses adieux. J'étais alors à la fois si furieuse et si heureuse. Jims a un teint de porcelaine, des cheveux bouclés, et je n'arrête pas de découvrir une nouvelle fossette sur son petit corps. Je n'arrive pas à croire qu'il soit l'affreux marmot jaune et maigrichon que j'ai rapporté dans une soupière, l'an dernier. Personne n'a reçu de nouvelles de Jim Anderson. S'il ne revient pas, je vais garder Jims. Tout le monde l'adore et le gâte, ici, ou du moins le gâterait si Morgan et moi n'y mettions pas le holà. Susan affirme qu'elle n'a jamais vu d'enfant plus brillant. Elle dit qu'il sait reconnaître le Malin quand il le voit, parce qu'il a un jour jeté le pauvre Doc par une fenêtre. Doc s'est transformé en M. Hyde pendant sa descente et il a atterri dans un framboisier en crachant et en jurant comme un forcené. J'ai tenté de le réconforter avec une soucoupe de lait, mais il n'en a pas voulu et il est resté M. Hyde le reste de la journée. Le plus récent exploit de Jims a été de badigeonner de mélasse le coussin du gros fauteuil du solarium. Et personne ne s'en était encore aperçu lorsque Mme Fred Clow est venue pour discuter d'une question concernant la Croix-Rouge et s'est assise dans le fauteuil. Sa nouvelle robe de soie a été complètement fichue et personne n'a pu la blâmer d'avoir été vexée. Mais elle a fait une telle colère et nous a si mesquinement reproché de gâter Jims que j'ai failli éclater, moi aussi. Mais je me suis contenue jusqu'à son départ, et c'est alors que j'ai explosé:

«"Espèce de grosse vieille mégère!" me suis-je écriée avec un sentiment de satisfaction incomparable.

«"Ses trois fils sont au front", m'a rappelé maman.

«"Je suppose que cela doit excuser ses défauts", ai-je répliqué. Mais j'ai eu honte, car c'est vrai que tous ses fils sont à la guerre et qu'elle démontre beaucoup de courage et de loyauté. Et elle est un véritable pilier pour la Croix-Rouge. C'est difficile de se souvenir de toutes les héroïnes. Malgré tout, c'était sa deuxième robe neuve de l'année et nous vivons une époque où chacun doit ou devrait essayer d'économiser.

«J'ai récemment été obligée de recommencer à porter mon chapeau de velours vert. J'ai porté aussi longtemps que j'ai pu mon canotier bleu. Comme je déteste mon chapeau vert! Il est si sophistiqué, si prétentieux! Je ne comprends pas comment il a pu me plaire. Mais j'ai promis de le porter et je tiendrai parole.

«Ce matin, je suis allée à la gare avec Shirley porter un festin de Noël à Lundi. Il attend toujours, avec autant d'espoir et de confiance qu'avant. Quelquefois, il fait le tour de la gare et "parle" aux gens. Le reste du temps, il est assis à la porte de sa niche et guette la voie ferrée. Nous n'essayons plus de le persuader de rentrer avec nous, nous savons que c'est inutile. Il reviendra avec Jem. Et si Jem... ne revient pas, il continuera à attendre tant que battra son bon cœur de chien.

«Fred Arnold est venu hier soir. Il a eu dix-huit ans en novembre et il compte s'enrôler dès que sa mère sera rétablie de l'opération qu'elle doit subir. Il est venu souvent ces derniers temps et même si je l'aime bien, ses visites me mettent mal à l'aise, parce que j'ai peur qu'il ne s'illusionne à mon sujet. Je ne peux rien lui dire à propos de Ken puisque, tout compte fait, y a-t-il quelque chose à dire? Néanmoins, je n'aime pas me montrer froide et distante avec lui en sachant qu'il est à la veille de partir. C'est très déroutant. Je me rappelle avoir un jour pensé qu'il serait follement amusant d'avoir des douzaines d'amoureux et me voilà débordée parce que j'en ai deux.

«Susan m'apprend à cuisiner. J'ai essayé d'apprendre autrefois, ou plutôt non, c'est Susan qui a essayé de me l'enseigner, ce qui est très différent. Je ne réussissais jamais rien et cela m'a découragée. Mais depuis le départ des garçons, j'ai eu envie d'être capable de leur confectionner des gâteaux et d'autres friandises. J'ai donc recommencé à cuisiner et, étonnamment, je m'en tire à merveille. Selon Susan, c'est parce que je m'abstiens de rouspéter alors que papa pense que c'est mon subconscient qui est maintenant désireux d'apprendre. Je présume qu'ils ont tous deux raison. Quoi qu'il en soit, mes sablés et gâteaux aux fruits sont succulents. La semaine dernière, je me suis sentie ambitieuse et j'ai essayé de faire des choux à la crème, mais je les ai ratés. Ils étaient plats comme des crêpes. J'ai pensé qu'ils deviendraient peut-être dodus si je les remplissais de crème, mais peine perdue. Je pense que Susan était secrètement ravie. Elle est passée maîtresse dans l'art de confectionner les choux à la crème et serait mortifiée que quelqu'un d'autre puisse les réussir comme elle. Je me demande si elle n'est pas responsable de cet échec... mais non, je refuse de la soupçonner.

«Miranda Pryor a passé l'après-midi ici il y a quelques jours. Elle m'a aidée à tailler pour la Croix-Rouge des vêtements désignés sous le nom charmant de "chemises contre la vermine". Comme Susan ne trouve pas ce nom respectable, j'ai suggéré de les appeler "camisoles anti-morpions", ce qui est la version du vieux Sandy l'Écossais. Mais elle a secoué la tête et je l'ai entendue plus tard dire à maman qu'à son avis, une jeune fille ne devrait pas utiliser des mots comme "camisoles" et "morpions". Elle a été particulièrement horrifiée lorsque, dans sa dernière lettre, Jem a écrit à maman: "Dis à Susan que j'ai fait une chasse fructueuse ce matin et que j'ai attrapé cinquante-trois morpions!" Susan est devenue verte. "Chère Mme Docteur, a-t-elle dit, dans ma jeunesse, quand des gens convenables avaient le malheur d'attraper ces... insectes... ils gardaient ça secret dans la mesure du possible. C'est pas que j'veuille me montrer étroite d'esprit, chère Mme Docteur, mais j'maintiens qu'il vaut mieux ne pas mentionner ce genre de choses."

«Miranda s'est mise à me faire des confidences en cousant les fameuses chemises et elle m'a raconté tous ses malheurs. Elle est désespérée. Elle est fiancée à Joe Milgrave. Joe est soldat depuis octobre et depuis, il suit son entraînement au camp de Charlottetown. Le père de Miranda était furieux quand il s'est enrôlé et il a défendu à Miranda de communiquer avec lui de quelque manière que ce soit. Le pauvre Joe s'attend à partir outre-mer n'importe quand et il veut épouser Miranda avant son départ, ce qui prouve qu'ils ont communiqué malgré l'interdiction de Moustaches-sur-la-lune. Miranda voudrait aussi l'épouser, mais elle ne le peut pas et cela lui brise le cœur.

«"Pourquoi ne pas t'enfuir et te marier?" lui ai-je

demandé. Je ne me sentais absolument pas coupable de lui donner ce conseil. Joe Milgrave est un très chic type et M. Pryor raffolait de lui avant la guerre. Je sais que, placé devant le fait accompli, il pardonnera très vite à Miranda. Il aura besoin d'elle pour faire son ménage. Mais Miranda a secoué mélancoliquement sa tête cendrée.

«"Joe veut que je le fasse, mais je ne peux pas. Les dernières paroles de maman sur son lit de mort ont été pour me supplier de ne jamais m'enfuir. Et j'ai promis."

«La mère de Miranda est morte depuis deux ans. Il paraît que les parents de Miranda avaient dû s'enfuir pour se marier. Il m'est toutefois impossible de me figurer Moustaches-sur-la-lune en héros d'une scène d'enlèvement. C'est pourtant ce qui s'est produit et Mme Pryor a eu le temps de s'en mordre les doigts. Elle n'a pas eu la vie facile avec M. Pryor et elle a pris ça pour un juste châtiment. Elle a donc obligé Miranda à lui promettre de ne jamais le faire, quelles que soient les circonstances.

«Évidemment, on ne peut demander à une fille de rompre une promesse faite à sa mère mourante. Je ne vois donc pas ce que Miranda pourrait faire, sinon s'arranger pour que Joe vienne l'épouser chez elle pendant l'absence de son père. Mais Miranda prétend que c'est impossible. Comme son père semble soupçonner qu'elle en serait capable, il ne s'éloigne jamais longtemps de la maison et, bien entendu, Joe ne pourrait obtenir de permission à une heure d'avis.

«"Non, il faut que je laisse Joe partir et il va se faire tuer, j'en ai la certitude, et jamais je ne m'en remettrai", sanglota la pauvre Miranda, le visage baigné de larmes qui arrosaient copieusement les chemises anti-vermine.

«Ce n'est pas par manque de compassion envers Miranda que j'écris de cette façon. C'est que j'ai pris l'habitude de donner un tour comique aux choses que j'écris à Jem, Walter et Ken. Je veux les faire rire. J'avais vraiment pitié de Miranda qui aime Joe d'un amour aussi profond qu'une fille de porcelaine en est capable et qui a vraiment honte des sentiments proallemands de son père. Je crois qu'elle a compris que j'avais de la peine pour elle, car elle m'a dit avoir eu envie de me confier ses soucis parce que je suis devenue très sympathique depuis un an. Je sais que j'avais coutume d'être une créature égoïste et insouciante et, comme j'en ai honte, je suis sûrement meilleure que par le passé.

«Je voudrais pouvoir secourir Miranda. Ce serait très romantique de manigancer un mariage de guerre et je serais ravie de faire un pied-de-nez à Moustaches-sur-la-lune. Mais l'oracle ne s'est pas encore prononcé.»

18

Un mariage de guerre

«Laissez-moi vous dire une chose, cher docteur, déclara Susan, blême de rage. L'Allemagne est en train de devenir complètement ridicule.»

Tout le monde était réuni dans la vaste cuisine d'Ingleside. Susan préparait des biscuits pour le souper, tandis que Mme Blythe confectionnait des sablés pour Jem et que Rilla concoctait des bonbons pour Ken et Walter. Si elle avait déjà pensé à eux en termes de «Walter et Ken», un changement s'était imperceptiblement produit jusqu'à ce que le nom de Ken prenne la première place. La cousine Sophia était également présente et elle tricotait.

Le docteur venait de surgir au milieu de cette scène paisible, survolté et enragé par l'incendie du Parlement, à Ottawa. Susan fut aussitôt enflammée d'une fureur analogue.

«Et qu'est-ce que ces Boches ont l'intention de faire, ensuite? demanda-t-elle. Venir ici mettre le feu à notre Parlement! A-t-on jamais entendu parler d'une telle ignominie?»

«Nous ignorons si les Allemands sont responsables de cet incendie, coupa le docteur, même s'il en était sûr. Il arrive parfois que le feu prenne accidentellement. Et la grange du vieux Mark MacAllister a brûlé, la semaine dernière. Vous n'allez quand même pas accuser les Allemands d'y avoir mis le feu, Susan?»

«Pour dire vrai, cher docteur, j'en sais rien, répondit Susan en hochant la tête d'un air sinistre. Moustaches-sur-la-lune se trouvait sur les lieux, ce jour-là. Le feu s'est déclaré une demi-heure après son départ. Ce sont les faits, mais je n'accuserai pas un marguillier presbytérien de mettre le feu à la grange de quelqu'un avant d'en avoir la preuve. Néanmoins, chacun sait que les deux fils du vieux Mark se sont enrôlés et que le vieux Mark lui-même fait des discours à toutes les assemblées de recrutement. Il est donc indubitable que l'Allemagne souhaite en finir avec lui.»

«Jamais je ne pourrais parler à une assemblée de recrutement, déclara cousine Sophia. Jamais je ne pourrais me faire à l'idée de demander au fils d'une autre femme d'aller à la guerre, pour assassiner et se faire assassiner.»

«Tu ne le pourrais pas? dit Susan. Eh bien, hier soir, quand j'ai lu qu'en Pologne, il ne restait pas un enfant de moins de huit ans en vie, j'ai eu l'impression que moi, j'aurais pu demander à n'importe qui d'aller combattre. Pense à ça, Sophia Crawford, insista Susan en agitant un doigt poudré de farine en direction de sa cousine, pas un seul enfant de moins de huit ans!»

«Les Allemands les ont mangés, j'imagine», soupira Sophia.

«Ma foi, non, fit Susan à contrecœur, comme si elle détestait admettre qu'il restait certains crimes dont on ne pouvait accuser les Allemands. D'après ce que je sais, les Boches se sont pas encore transformés en cannibales. Les pauvres petits sont morts de faim et de froid. Moi, j'appelle ça un meurtre, cousine Sophia Crawford. Cette pensée empoisonne chaque bouchée que je mange.»

«Je vois que Fred Carson de Lowbridge a été décoré de la Médaille du mérite», reprit le docteur, qui lisait les nouvelles locales.

«On me l'a appris la semaine dernière, dit Susan. Il est à la tête de son bataillon et il a accompli une action particulièrement brave et téméraire. La lettre dans laquelle il racontait son exploit à ses parents est arrivée pendant que la grand-mère Carson agonisait. Il ne lui restait plus que quelques minutes à vivre et le pasteur épiscopalien, qui se trouvait là, lui a demandé si elle aimerait qu'il prie. "Oh! Ça va, ça va, priez, qu'elle lui a répliqué avec impatience — c'est une Dean et les Dean ont toujours eu du caractère — mais, pour l'amour de Dieu, priez à voix basse et ne me dérangez pas. Je veux penser à cette nouvelle fantastique et je n'ai plus beaucoup de temps." C'est Almira Carson tout craché. Fred était la prunelle de ses yeux. Elle avait soixante-quinze ans et on prétend qu'elle n'avait pas un seul cheveu gris.»

«Parlant de cheveux gris, ça me fait penser, je m'en suis découvert un, ce matin. C'est mon premier», dit Mme Blythe.

«Je l'avais remarqué depuis quelque temps, chère Mme Docteur, mais j'en parlais pas. J'me disais que vous aviez bien assez de soucis comme ça. Mais à présent que vous l'avez trouvé, permettez-moi de vous rappeler que les cheveux gris sont tout à fait honorables.»

«Je dois vieillir, Gilbert, poursuivit Mme Blythe avec un petit rire contraint. Les gens commencent à me dire que je parais jeune. On ne nous dit jamais ça lorsqu'on l'est vraiment. Mais je ne vais pas m'en faire avec mon cheveu gris. J'ai toujours détesté être rousse.»

«Avez-vous remarqué, demanda Mlle Oliver en levant le nez de son livre, comme tout ce qui a été écrit avant la guerre nous paraît loin, maintenant? On a l'impression de lire quelque chose d'aussi ancien que l'*Iliade*. Je viens de lire un poème de Woodsworth que je fais étudier à mes élèves de la classe avancée. C'est d'un calme si classique. La beauté des vers semble venir d'une autre planète. C'est aussi loin de la situation catastrophique actuelle que l'étoile du berger.»

«Il n'y a désormais que dans la Bible que je trouve quelque réconfort, remarqua Susan en enfournant ses biscuits.

Dans certains passages, on croirait lire une description des Boches. Le vieux Sandy l'Écossais est convaincu que le Kaiser est l'antéchrist dont parlent les Révélations, mais je n'irais pas jusque-là. À mon humble avis, ce serait lui faire trop d'honneur, chère Mme Docteur.»

Quelques jours plus tard, Miranda Pryor se glissa à Ingleside de bon matin. Elle prétendait venir chercher des travaux de couture pour la Croix-Rouge, mais en réalité, elle désirait discuter de ses problèmes avec la compatissante Rilla. Elle avait amené son chien, un petit animal surali-menté aux pattes arquées qu'elle chérissait parce que Joe Milgrave le lui avait offert quand il n'était encore qu'un chiot. M. Pryor n'éprouvait aucune sympathie pour les chiens, mais à l'époque où il avait considéré Joe comme un prétendant convenable pour Miranda, il avait autorisé celle-ci à garder la bête. Miranda avait voulu lui prouver sa recon-naissance en donnant au chien le nom de l'idole de son père, le chef libéral Sir Wilfrid Laurier. Ce nom fut cependant bientôt raccourci en Wilfy. Sir Wilfrid grandit, s'épanouit et engraissa terriblement, mais Miranda, qui était la seule à l'aimer, continua à le gaver de façon absurde. Rilla l'avait particulièrement en aversion à cause de sa détestable habi-tude de se coucher sur le dos en agitant les pattes pour faire chatouiller son ventre lisse. Lorsqu'elle comprit, en voyant les yeux délavés de Miranda, que celle-ci avait passé la nuit à pleurer, Rilla l'invita à monter dans sa chambre. Elle savait que Miranda voulait lui raconter ses malheurs. Elle refusa pourtant que le chien les suive.

«Oh! Il ne peut pas venir avec nous? implora Miranda. Le pauvre petit ne nous dérangera pas et j'ai soigneusement essuyé ses pattes avant de le faire entrer. Il s'ennuie toujours quand il est dans un lieu étranger sans moi. Et bientôt il ne restera plus que lui pour me rappeler Joe.»

Rilla céda et Sir Wilfrid les précéda en frétillant dans l'escalier, sa queue enroulée comiquement au-dessus de son dos tacheté.

«Oh! Rilla, sanglota Miranda une fois qu'elles furent installées dans le sanctuaire, je suis si triste. Je ne peux te dire à quel point je suis malheureuse. J'ai vraiment le cœur brisé.»

Rilla prit place près d'elle sur le sofa. Sir Wilfrid s'assit en face des deux jeunes filles, pointant sa petite langue rose et impertinente, et tendit l'oreille.

«De quoi s'agit-il, Miranda?»

«Joe revient au village ce soir pour son dernier congé. J'ai reçu une lettre de lui samedi. Il m'écrit aux bons soins de Bob Crawford, tu sais, à cause de papa, et oh! Rilla, il ne passera que quatre jours ici. Il doit partir vendredi matin et... je ne le reverrai peut-être jamais.»

«Veut-il toujours t'épouser?» demanda Rilla.

«Oh! oui. Dans sa lettre, il me suppliait de m'enfuir et de l'épouser. Mais je ne pourrai jamais faire ça, Rilla, même pour Joe. Ma seule consolation est que je pourrai le voir quelques heures demain après-midi, car papa doit se rendre à Charlottetown pour affaires. Nous pourrons au moins nous faire nos adieux. Mais après, mon Dieu, Rilla... je sais que papa ne m'autorisera même pas à accompagner Joe à la gare vendredi matin.»

«Mais peux-tu m'expliquer pourquoi Joe et toi ne vous mariez pas demain après-midi chez toi?»

Miranda ravala un sanglot d'un air si ahuri qu'elle faillit s'étouffer.

«Mon Dieu... mais c'est impossible, Rilla.»

«Pourquoi?» insista la jeune fille, qui avait expérimenté la mise sur pied de l'unité des jeunes de la Croix-Rouge et le transport d'un nourrisson dans une soupière.

«Eh bien, nous n'avons jamais envisagé cela... Joe n'a pas de licence... Je n'ai pas de robe... Je ne pourrais tout de même pas me marier en noir... Je... je... nous... tu...» Miranda était toute confuse et, voyant sa maîtresse dans une telle détresse, Sir Wilfrid rejeta sa tête en arrière et poussa un hululement mélancolique.

Rilla Blythe se concentra quelques instants puis déclara: «Miranda, remets ton sort entre mes mains et tu seras la femme de Joe avant quatre heures demain après-midi.»

«Oh! Tu ne réussiras jamais.»

«Je peux le faire et je le ferai. Mais il faudra que tu m'obéisses.»

«Oh! Je ne pense pas... papa me tuera.»

«C'est absurde. Je présume qu'il sera très fâché. Mais est-ce que tu crains davantage la colère de ton père que la possibilité de ne jamais revoir Joe?»

«Non», répondit Miranda avec fermeté.

«Dans ce cas, est-ce que tu vas faire ce que je te dirai?»

«Oui.»

«Alors, téléphone immédiatement à Joe et dis-lui d'apporter ce soir la licence et l'anneau.»

«Oh! C'est impossible, gémit Miranda, atterrée. Ce serait tellement... indélicat.»

Rilla serra les dents, excédée. «Que Dieu m'accorde de la patience», murmura-t-elle. «C'est donc moi qui l'appellerai, reprit-elle. Pendant ce temps, retourne chez toi faire les préparatifs nécessaires. Et quand je te téléphonerai pour que tu viennes faire de la couture avec moi, viens tout de suite.»

Dès que Miranda, livide, terrifiée mais désespérément résolue fut partie, Rilla courut au téléphone. Elle obtint si rapidement Charlottetown qu'elle eut la certitude que la Providence approuvait son initiative. Mais il fallut une bonne heure avant qu'elle rejoigne Joe à son camp. Entre-temps, elle marcha de long en large en priant pour que, une fois qu'elle aurait Joe au bout du fil, il n'y ait pas d'oreilles indiscrètes pour rapporter la conversation à Moustaches-sur-la-lune.

«C'est toi, Joe? Ici Rilla Blythe... Rilla... Rilla. Oh! peu importe. Écoute-moi bien. Ce soir, avant de venir au village, procure-toi une licence de mariage... une licence... oui, c'est ça, une licence... et un anneau. Tu as compris? Et tu le feras? Très bien, n'oublie pas. C'est ta seule chance.»

Ravie de sa victoire, car elle avait craint de ne pas rejoindre Joe à temps, Rilla composa le numéro des Pryor. Elle
n'eut pas autant de chance cette fois-là, car c'est Moustaches-sur-la-lune qui répondit.

«Miranda? Oh! C'est M. Pryor. Eh bien, M. Pryor, auriez-
vous la gentillesse de demander à Miranda de venir m'aider à
faire de la couture, cet après-midi? C'est très important,
sinon je ne l'aurais pas dérangée. Oh! je vous remercie.»

M. Pryor avait consenti, de mauvaise grâce peut-être,
mais il avait consenti. Il ne voulait pas offenser le Dr Blythe
et il savait que s'il n'autorisait pas Miranda à travailler pour
la Croix-Rouge, le climat deviendrait vraiment trop hostile à
Glen St. Mary. Rilla se dirigea vers la cuisine, ferma toutes
les portes et, avec une expression mystérieuse qui alarma
Susan, elle lui demanda solennellement:

«Est-ce que tu peux faire un gâteau de noces, après-midi,
Susan?»

«Un gâteau de noces!» Susan eut le souffle coupé. Rilla
était déjà arrivée à l'improviste avec un bébé de guerre.
Allait-elle lui présenter maintenant un mari?

«Oui, un gâteau de noces, Susan, un savoureux gâteau de
noces, un beau gros gâteau rempli d'œufs et de zeste de
citron. Et d'autres choses aussi. Je vais te donner un coup de
main ce matin, mais ce sera impossible après-midi, car je dois
confectionner une robe de mariée et nous n'avons pas
beaucoup de temps, Susan.»

Susan sentit qu'elle avait passé l'âge de recevoir des
chocs pareils.

«Avec qui vas-tu te marier, Rilla?» demanda-t-elle d'une
voix éteinte.

«Ce n'est pas moi, la mariée, chère Susan. Miranda Pryor
va épouser Joe Milgrave demain après-midi pendant que son
père sera parti en ville. Un mariage de guerre, Susan, n'est-ce
pas excitant et romantique? Je n'ai jamais été aussi nerveuse
de ma vie.»

Cette fébrilité fut contagieuse et se répandit dans tout

Ingleside, si bien que même Susan et Mme Blythe en furent atteintes.

«Je vais commencer ce gâteau tout de suite, dit Susan en jetant un coup d'œil à l'horloge. Voulez-vous préparer les fruits et battre les œufs, chère Mme Docteur? Si vous m'aidez, le gâteau sera prêt à mettre au four ce soir. Demain matin, nous allons nous occuper des salades et du reste. Je travaillerai toute la nuit, s'il le faut, mais Moustaches-sur-la-lune aura pas le dernier mot.»

Miranda arriva, essoufflée et larmoyante.

«Tu porteras ma robe blanche, dit Rilla. Après quelques petits ajustements, elle t'ira à ravir.»

Les deux filles se mirent à l'ouvrage, décousant, ajustant, faufilant et ourlant comme s'il en allait de leur vie. Elles travaillèrent avec tant d'ardeur qu'à sept heures, la robe était prête et Miranda alla l'essayer dans la chambre de Rilla.

«C'est très joli, mais j'aimerais tellement avoir un voile, soupira Miranda. J'ai toujours rêvé de porter un beau voile blanc à mon mariage.»

Il ne fait pas de doute qu'une bonne fée s'occupe de réaliser les vœux des mariées de guerre. La porte s'ouvrit et Mme Blythe entra, portant un tissu transparent.

«Ma chère Miranda, dit-elle, je voudrais que tu portes mon voile de mariée, demain. Il y a maintenant vingt-quatre ans, j'étais la jeune mariée des Pignons verts, la plus heureuse de toutes, et on prétend que le voile d'une épouse heureuse porte bonheur.»

«Oh! Comme vous êtes gentille, Mme Blythe», s'écria Miranda, ses yeux se remplissant de larmes.

Le voile fut essayé et drapé. Susan entra jeter un coup d'œil approbateur mais n'osa pas s'attarder.

«J'ai mis le gâteau au four, expliqua-t-elle, et j'ai pour principe de le surveiller. On a appris ce soir que le grand-duc a pris Erzerum. Bien fait pour les Turcs! Si le tsar pouvait comprendre l'erreur qu'il a faite en rejetant Nicolas!»

Susan retourna dans sa cuisine où, peu après, on entendit

un vacarme épouvantable suivi d'un cri perçant. Tout le monde se précipita: le docteur, Mlle Oliver, Mme Blythe, Rilla et Miranda sous son voile. Susan était assise au beau milieu du plancher, l'air étourdie et déconcertée tandis que Doc, manifestement transformé en M. Hyde, était sur le bahut, le dos arqué, les yeux étincelants et la queue hérissée.

«Que vous est-il arrivé, Susan? s'écria Mme Blythe, alarmée. Êtes-vous tombée? Vous êtes-vous blessée?»

Susan se releva péniblement.

«Non, répondit-elle d'un air lugubre. Je ne suis pas blessée, même si j'ai mal partout. Ne vous inquiétez pas. Quant à savoir ce qui est arrivé, eh bien, j'ai essayé de chasser ce maudit chat avec mes deux pieds, voilà!»

Tout le monde éclata de rire. Le docteur s'en tenait les côtes.

«Oh! Susan, Susan, bredouilla-t-il. Je vous ai finalement entendue prononcer un gros mot!»

«Je suis désolée d'avoir utilisé cette expression devant deux jeunes filles, fit Susan, réellement honteuse. Mais j'ai dit que cette bête était maudite et je le maintiens. Elle est possédée du démon.»

«Vous attendez-vous à le voir disparaître un jour dans un fracas et une odeur de soufre, Susan?»

«Croyez-moi sur parole, il retournera d'où il vient en temps voulu, répliqua sévèrement Susan, qui se dirigea vers son fourneau en massant ses os endoloris. Je présume que ma chute a secoué le gâteau et qu'il sera aussi lourd que du plomb.»

Mais le gâteau se révéla très léger, exactement comme doit l'être un gâteau de noces, et Susan le couvrit d'un magnifique glaçage. Le lendemain, elle passa la matinée à concocter des gourmandises pour le banquet avec Rilla et dès que Miranda les eut informées du départ de son père, on emballa le tout dans un grand panier qu'on apporta chez les Pryor. Joe arriva bientôt, revêtu de son uniforme et dans un état de grande nervosité. Quelques invités étaient aussi présents: les gens d'Ingleside et du presbytère ainsi qu'une douzaine de parents de Joe dont sa mère, «Mme feu Angus Milgrave» comme elle aimait se faire appeler pour se distinguer de toute autre femme dont le Angus aurait été vivant. Mme feu Angus n'avait pas l'air excessivement réjouie car elle n'avait pas plus envie que ça de cette alliance avec la famille de Moustaches-sur-la-lune.

C'est ainsi que Miranda Pryor épousa le soldat Joe Milgrave au cours de sa dernière permission. Cela aurait pu être un mariage romantique, mais ce ne fut pas le cas. Même Rilla fut obligée d'admettre que trop d'éléments s'opposaient au romantisme. Tout d'abord, en dépit de la robe et du voile, Miranda était une mariée banale et inintéressante, au visage inexpressif. Ensuite, Joe pleura à chaudes larmes pendant toute la cérémonie, ce qui vexa Miranda au plus haut point. Longtemps après, elle confia à Rilla avoir été sur le point de lui dire de ne pas l'épouser si cela le rendait aussi malheureux. «Mais il pleurait parce qu'il ne pouvait s'empêcher de penser qu'il me quitterait bientôt», conclut-elle. Puis Jims, qui se conduisait en général si bien en public, eut une crise de timidité et de mécontentement et se mit à hurler pour attirer l'attention de «Ouilla». Comme personne ne voulait l'amener hors de la pièce parce que tout le monde voulait être témoin du mariage, c'est Rilla, bien qu'elle fût demoiselle d'honneur, qui dut sortir avec lui. Finalement, Sir Wilfrid Laurier eut des convulsions. Il se terra dans un coin de la pièce, derrière le piano de Miranda. Il fit alors entendre des sons absolument bizarres et inquiétants. Cela commença par une suite de cris étouffés et spasmodiques, se transforma en un gargouillement terrifiant pour finir en un hurlement étranglé. Personne ne réussit à entendre un seul mot de ce que racontait M. Meredith sauf lorsque Sir Wilfrid s'arrêtait pour souffler. Personne ne regardait Miranda à l'exception de Susan, qui ne put détacher son regard fasciné du visage de la mariée. Tous les autres invités fixaient le chien. Miranda, qui, au début, tremblait de tous ses membres, oublia sa nervosité dès que le chien se mit à faire des siennes. Elle ne pensait plus qu'à une chose: son animal chéri était en train de trépasser et elle ne pouvait lui porter secours. Elle ne se rappela jamais un seul mot de cette cérémonie.

Rilla qui, en dépit de Jims, avait fait tout son possible pour avoir l'air romantique et extasiée comme, à son avis, le devait la demoiselle d'honneur d'un mariage de guerre, cessa ces efforts inutiles pour consacrer son énergie à réprimer son hilarité. Elle n'osait regarder personne, et surtout pas Mme feu Angus, de peur d'éclater d'un rire tout à fait inconvenant de la part d'une jeune fille de bonne famille.

Le mariage fut pourtant célébré et on se restaura ensuite dans la salle à manger. Le festin fut si somptueux, si abondant, qu'il semblait être le produit d'un mois de travail acharné. Tout le monde avait apporté quelque chose. Mme feu Angus avait apporté une grosse tarte aux pommes qu'elle avait déposée sur une chaise dans la salle à manger; elle l'avait ensuite oubliée et s'était assise dessus. Cela n'améliora ni son humeur ni sa toilette de soie noire, mais les convives se passèrent bien de la tarte. Mme feu Angus la rapporta chez elle. Il n'était pas question que le cochon pacifiste de Moustaches-sur-la-lune s'en régalât.

Ce soir-là, M. et Mme Joe, en compagnie de Sir Wilfrid remis de son malaise, partirent pour le phare de Four Winds dont l'oncle de Joe était le gardien. C'était là qu'ils comptaient passer leur brève lune de miel. Una Meredith, Rilla et Susan lavèrent la vaisselle, firent le ménage et laissèrent sur la table un souper froid et la pitoyable petite lettre de Miranda pour M. Pryor, puis rentrèrent chez elles pendant que l'hiver enveloppait le Glen d'un voile mystérieux et enchanté.

«J'aurais moi-même accepté volontiers d'être une mariée de guerre», remarqua Susan, soudain sentimentale.

Quant à Rilla, elle se sentait plutôt à plat. C'était peut-être une réaction normale à la fébrilité et à la précipitation des trente-six dernières heures. Elle se sentait quelque peu déçue; toute l'histoire avait paru si absurde, et les mariés, si larmoyants, si ordinaires.

«Si Miranda n'avait pas autant gavé cet affreux cabot, il n'aurait pas eu de convulsions, s'écria-t-elle avec colère. Je l'avais pourtant avertie, mais elle ne voulait pas que le pauvre petit ait faim, il n'aurait bientôt plus que lui, etc. J'aurais pu la battre!»

«Le témoin était plus nerveux que Joe, remarqua Susan. Il a souhaité bien du bonheur à Miranda. Elle n'avait pas l'air très heureuse mais, dans la situation, c'était peut-être trop lui demander.»

«Quoi qu'il en soit, songea Rilla, je vais en faire un compte rendu irrésistible pour envoyer aux gars. Jem va hurler de rire en lisant l'épisode concernant Sir Wilfrid.»

Si ce mariage de guerre avait quelque peu déçu Rilla, elle ne trouva cependant rien à reprocher aux adieux des jeunes mariés, à la gare de Glen St. Mary, le vendredi matin. L'aube était nacrée et claire comme un diamant. Derrière la gare, le taillis de jeunes sapins odoriférants était couvert de givre. À l'ouest, les prés enneigés s'étalaient sous la lune froide du matin mais, au-dessus des érables d'Ingleside, le soleil se levait dans un ciel moutonné. Joe prit sa pâle petite femme dans ses bras et elle leva son visage vers lui. Rilla eut soudain la gorge serrée. Peu importait que Miranda fût insignifiante, banale et terne. Peu importait qu'elle fût la fille de Moustaches-sur-la-lune. Une seule chose comptait: c'était l'intensité et l'abnégation de son regard où brûlait le dévouement, la loyauté et l'extraordinaire courage qu'elle promettait tacitement à Joe. Comme des milliers d'autres femmes, elle allait entretenir cette flamme à la maison pendant que son homme combattrait sur le front ouest.

Consciente que sa présence était indiscrète, Rilla s'éloigna. Elle marcha jusqu'au bout du quai où Sir Wilfrid et Lundi étaient assis à se dévisager.

Sir Wilfrid remarqua avec condescendance:

«Pourquoi est-ce que tu hantes ce vieux hangar quand tu

pourrais te prélasser devant la cheminée d'Ingleside et faire la belle vie? Joues-tu un jeu? Est-ce une obsession?»

«J'ai un rendez-vous», expliqua laconiquement Lundi.

Après le départ du train, Rilla alla retrouver la petite Miranda toute tremblante.

«Eh bien, il est parti, dit Miranda, et il ne reviendra peut-être jamais, mais je suis sa femme et je vais me montrer digne de lui. Je rentre à la maison.»

«Tu ne crois pas que tu ferais mieux de venir chez moi? demanda Rilla, perplexe. Personne ne sait encore comment M. Pryor a réagi.»

«Non, fit Miranda en relevant la tête. Si Joe peut affronter les Boches, j'imagine que je suis capable de faire face à mon père. La femme d'un soldat n'a pas le droit d'être lâche. Viens, Wilfy. On s'en va directement à la maison, prêts à affronter le pire.»

Il n'y eut cependant aucune scène terrible. M. Pryor s'était peut-être dit que les femmes de ménage n'étaient pas des plus faciles à trouver et que plusieurs foyers Milgrave auraient volontiers accueilli Miranda. L'allocation versée à l'épouse d'un soldat avait peut-être même été un facteur ayant pesé dans la balance. Quoi qu'il en soit, après avoir grogné qu'elle s'était conduite comme une folle et qu'elle allait s'en mordre les doigts toute sa vie, il se tut et Mme Joe noua les cordons de son tablier et se remit à l'ouvrage. Quant à Sir Wilfrid Laurier, après la piètre opinion qu'il avait eue des phares comme résidences d'hiver, il alla se coucher dans son petit coin derrière la boîte à bois, bien heureux d'en avoir fini avec les mariages.

19

«Ils ne passeront pas»

Un froid et gris matin de février, Gertrude Oliver s'éveilla en frissonnant. Elle se glissa dans la chambre de Rilla et se blottit contre elle.

«Rilla, j'ai peur, je suis terrifiée comme un bébé... J'ai eu un autre de mes rêves bizarres. Quelque chose d'épouvantable nous attend. Je le sais.»

«Qu'avez-vous rêvé?» demanda Rilla.

«J'étais debout près des marches de la véranda, exactement comme dans le rêve que j'ai fait la veille du bal au phare. Un énorme nuage noir et menaçant venant de l'est roulait dans le ciel. Je pouvais voir son ombre le précéder et lorsqu'elle m'a enveloppée, j'ai été transie de froid. Ensuite, l'orage a éclaté. C'était une tempête effrayante. Les éclairs se succédaient, accompagnés de grondements de tonnerre assourdissants, et la pluie tombait à torrents. Prise de panique, j'essayai de courir à la recherche d'un abri. C'est alors qu'un homme, un officier en uniforme de l'armée française, grimpa l'escalier et s'arrêta près de moi au seuil de la porte. Ses vêtements étaient trempés de sang qui coulait d'une blessure à sa poitrine et il avait l'air à bout de forces. Mais son visage blême était résolu et ses yeux luisaient dans son visage creusé. "Ils ne passeront pas", a-t-il dit d'une voix basse et passionnée; j'ai entendu distinctement ses paroles au milieu du vacarme. Puis je me suis réveillée. J'ai peur, Rilla. Le printemps ne nous apportera pas cette grande percée que nous espérions, mais la France va recevoir un coup terrible, j'en suis sûre. Les Allemands vont tenter de tout écraser sur leur passage.»

«Mais il t'a dit qu'ils ne passeraient pas», répondit sérieusement Rilla. Au contraire du docteur, elle ne se moquait jamais des rêves de Gertrude.

«J'ignore s'il s'agissait d'une prophétie ou de l'expression du désespoir. Rilla, je sens encore les griffes de ce cauchemar horrible. Nous aurons très bientôt besoin de tout notre courage.»

Le Dr Blythe rit en effet en entendant le rêve de Gertrude pendant le déjeuner, mais ce fut la dernière fois, car c'est ce jour-là qu'on apprit le début de l'offensive de Verdun. Par la suite, au cours des merveilleuses semaines du printemps, la famille Blythe vécut dans un état d'angoisse continuelle. Certains jours, leur angoisse était mortelle à mesure que les Allemands approchaient de la sombre frontière de la France aux abois.

«Si les Allemands prennent Verdun, la France perdra tout espoir», prédit amèrement Mlle Oliver.

«Mais ils ne prendront pas Verdun», trancha Susan, qui fut incapable d'avaler son dîner ce jour-là, tant elle craignait de voir se réaliser ce sombre pressentiment. Pour commencer, vous avez rêvé qu'ils y arriveraient pas, vous avez entendu en rêve les paroles des Français avant même qu'ils les aient prononcées: ils ne passeront pas. Je vous l'affirme, chère Mlle Oliver, quand j'ai lu ça dans le journal et que je me suis souvenue de votre rêve, j'ai eu la chair de poule. J'ai eu l'impression de me retrouver à l'époque biblique quand les gens faisaient fréquemment des rêves semblables.»

«Je sais, je sais, répondit Gertrude, marchant de long en

large dans la pièce. Moi aussi, je m'accroche aux paroles de
mon rêve, mais chaque fois que nous recevons des mauvaises
nouvelles, je cesse d'y croire. Puis je me dis que c'était une
simple coïncidence, un phénomène de mémoire subcons-
ciente et ainsi de suite.»

«J'vois pas comment une mémoire pourrait se souvenir
d'une chose avant même qu'elle soit arrivée, insista Susan,
bien que, évidemment, j'sois pas aussi instruite que vous et le
docteur. J'aime autant ça, d'ailleurs, si l'instruction simplifie
les choses au point de les rendre incompréhensibles. En tout
cas, on n'a pas à s'en faire pour Verdun, même si les Boches
prennent la ville. Joffre affirme qu'elle n'a aucune importance militaire.»

«On nous a servi trop souvent ce genre d'arguments lors
des défaites, rétorqua Gertrude. Cela a perdu tout pouvoir de
réconforter.»

«Le monde a-t-il déjà vécu une guerre de ce genre?» demanda M. Meredith, un soir vers la mi-avril.

«C'est une chose si gigantesque qu'on n'arrive pas à la
cerner, répondit le docteur. Qu'étaient les quelques poignées
de soldats décrits par Homère comparées à ceci? Toute la
guerre de Troie pourrait être livrée autour de Verdun et un
reporter ne lui accorderait pas plus d'une phrase dans un
article de journal. L'au-delà ne me fait pas de confidences,
ajouta le docteur en adressant un clin d'œil à Gertrude, mais
j'ai l'intuition que l'issue de toute la guerre dépend de ce qui
va se passer à Verdun. Comme l'affirment Susan et Joffre,
Verdun n'a aucune importance militaire, mais je pense que
son importance est primordiale dans l'esprit des gens. Si les
Allemands prennent Verdun, ils gagneront la guerre. Sinon,
le sort sera contre eux.»

«Ils vont perdre, prophétisa M. Meredith. L'esprit ne
peut être conquis. La France est fantastique. J'ai l'impression
de voir en elle la forme blanche de la civilisation s'opposer
aux puissances noires du barbarisme. À mon avis, le monde
entier en a conscience, et c'est pourquoi nous attendons

l'issue de cette bataille en retenant notre souffle. Il ne s'agit plus seulement de quelques places fortes changeant de mains ni de la conquête ou de la perte de quelques milles de terre trempée de sang.»

«Je me demande, dit songeusement Gertrude, si une grande bénédiction, assez grande pour valoir le prix payé, compensera pour toute notre souffrance. Est-ce que le chaos dans lequel le monde se débat marquerait la naissance d'une nouvelle ère? Ou est-ce seulement une bataille de fourmis dans la lumière d'un milliard de soleils? Nous considérons avec beaucoup de légèreté la catastrophe qui détruit une fourmilière et la moitié de ses habitants, M. Meredith. Le Pouvoir qui régit l'univers nous accorde-t-il plus d'importance que nous en accordons aux fourmis?»

«Vous oubliez, répondit le pasteur, les yeux soudain brillants, qu'un pouvoir infini doit être aussi infiniment petit qu'il est infiniment grand. Nous ne sommes ni l'un ni l'autre, et c'est pourquoi il existe des choses trop petites ou trop grandes pour notre compréhension. Pour l'infiniment petit, une fourmi représente un mastodonte. Nous sommes les témoins de la naissance d'une nouvelle ère mais quand elle naîtra, elle sera aussi faible et vagissante que toute vie. Je ne fais pas partie de ceux qui s'attendent à trouver un nouveau paradis sur terre à l'issue de cette guerre. Ce n'est pas ainsi que Dieu travaille. Mais Il travaille, Mlle Oliver, et à la fin, Ses desseins seront réalisés.»

«Juste, très juste», marmonna Susan dans la cuisine. Il lui était agréable de voir Mlle Oliver se faire à l'occasion river son clou par le pasteur. Elle aimait bien Gertrude, mais elle la trouvait trop portée à proférer des hérésies devant les hommes d'église; elle méritait par conséquent de se faire rappeler quelquefois que ces sujets étaient bien au-delà de ses compétences.

En mai, Walter écrivit qu'il avait reçu une médaille militaire. Il n'en donna pas le motif, mais d'autres garçons veillèrent à ce que le Glen connût la bravoure de Walter.

«Dans n'importe quelle autre guerre, écrivit Jerry Meredith, il aurait été décoré de la Croix de Victoria. Mais ici, tant de soldats se comportent en héros qu'on ne peut l'accorder à tous.»

«Il aurait dû recevoir la Croix de Victoria», s'indigna Susan. Elle ne savait pas exactement qui devait être blâmé pour le fait qu'il ne l'eût pas reçue, mais si c'était le général Haig, elle commença à entretenir de sérieux doutes sur son aptitude à assumer les fonctions de commandant en chef.

Rilla était tout simplement enchantée. C'était son cher Walter qui avait accompli ce haut fait, lui-même à qui quelqu'un avait envoyé une plume blanche, à Redmond. Il avait quitté la sécurité de la tranchée pour voler au secours d'un camarade blessé tombé dans un no man's land. Oh! Il lui semblait voir son beau visage pâle et ses yeux magnifiques! C'était vraiment extraordinaire d'être la sœur d'un tel héros! Et il n'avait même pas considéré que cette action valait la peine d'être relatée dans une lettre. Il préférait lui parler des petites choses intimes que tous deux avaient connues et aimées autrefois, il y avait un siècle.

«Je pensais aux jonquilles dans le jardin d'Ingleside, écrivait-il. Au moment où tu recevras ma lettre, elles seront toutes ouvertes et s'épanouiront sous le ciel rose tendre. Ont-elles toujours cette teinte claire et dorée, Rilla? Il me semble qu'elles doivent être rouge sang, comme nos coquelicots, ici. Et tous les murmures du printemps tomberont comme les pétales d'une violette dans la vallée Arc-en-ciel.

«Il y a une nouvelle lune, ce soir, une jolie chose mince et argentée suspendue au-dessus de ce chaos. La vois-tu aussi au-dessus de l'érablière?

«Je t'envoie un petit poème, Rilla. Je l'ai écrit un soir, dans la tranchée, à la lueur d'un bout de chandelle. C'est-à-dire qu'il est sorti de moi. Je n'avais pas l'impression d'être en train d'écrire mais plutôt d'être utilisé comme instrument par quelque chose. J'ai déjà éprouvé cela une ou deux fois, mais très rarement et jamais avec cette force. C'est pourquoi je l'ai fait parvenir au *Spectator* de Londres. Ils l'ont publié et j'ai reçu mon exemplaire aujourd'hui. J'espère qu'il va te plaire. C'est le seul poème que j'ai écrit depuis que je suis outremer.»

Il s'agissait d'un court texte très émouvant. Un mois plus tard, il avait rendu le nom de Walter célèbre dans tous les coins du monde. On l'avait recopié partout, dans les quotidiens des grandes villes tout comme dans les hebdomadaires des villages. La Croix-Rouge le citait dans ses appels à l'aide ainsi que le gouvernement dans sa propagande de recrutement. Il fit verser des larmes aux mères et aux sœurs des soldats, il fit vibrer de jeunes garçons et, pour le vaste cœur de l'humanité, il représenta le paroxysme de la douleur, de l'espérance, de la pitié, et de l'objet de ce grand conflit, cristallisés en trois strophes brèves et immortelles. C'était un jeune Canadien dans les tranchées des Flandres qui avait écrit l'unique grand poème de la guerre. «Le Joueur de pipeau», par Walter Blythe, soldat de deuxième classe, devint un classique dès sa parution.

Rilla le recopia dans son journal intime, en guise d'introduction au récit de la dure semaine qu'elle venait de passer.

«Ce fut une semaine absolument épouvantable, écrivit-elle, et bien qu'elle soit terminée et que nous sachions que tout cela n'a été qu'une erreur, cela ne semble pas effacer nos cicatrices. Et pourtant, d'une autre façon, ce fut une semaine extraordinaire et j'ai entrevu des choses que je n'avais jamais soupçonnées. J'ai compris combien les gens peuvent se montrer bons et courageux même au milieu de souffrances horribles. Je suis sûre que jamais je ne pourrai être à la hauteur de Mlle Oliver.

«Il y a une semaine, elle a reçu une lettre de la mère de M. Grant qui vit à Charlottetown. Elle lui annonçait qu'elle venait d'apprendre par télégramme que le major Grant avait été tué dans une sortie quelques jours plus tôt.

«Oh! Pauvre Gertrude! Pour commencer, elle a été anéantie. Puis elle a rassemblé son courage et est retournée à son école. Elle n'a pas pleuré, je ne l'ai pas vue verser une seule larme, mais oh! quelle expression dans son regard!

«"Je dois reprendre mon travail, a-t-elle dit. C'est là mon devoir, pour le moment."

«Jamais je n'aurais pu m'élever à une telle hauteur. Elle n'a jamais exprimé aucune amertume, sauf une fois; Susan avait remarqué que le printemps était quand même arrivé et Gertrude a alors répondu: "Aurons-nous réellement un printemps, cette année?" Puis elle a ri et c'était effrayant à entendre, on avait l'impression d'entendre quelqu'un rire à la face de la mort, et elle a repris: "Voyez comme je suis égoïste. Juste parce que moi, Gertrude Oliver, j'ai perdu un ami, il paraît incroyable que le printemps vienne comme à l'accoutumée. Les souffrances de millions d'autres personnes n'empêchent pas le printemps de tenir sa promesse, mais parce que moi, je souffre, l'univers doit s'arrêter."

«"Ne soyez pas dure avec vous-même comme ça, a dit gentiment maman. C'est tout à fait normal d'avoir l'impression que les choses ne peuvent continuer comme avant lorsqu'un choc a changé le monde à nos yeux. Nous ressentons tous la même chose."

«Ensuite, Sophia Crawford, l'horrible cousine de Susan, a levé les yeux. Elle était assise là à tricoter et à maugréer "comme un vieil oiseau de malheur" ainsi que Walter avait coutume de l'appeler.

«"Il y en a pour qui c'est pire, Mlle Oliver, a-t-elle dit. Vous devriez pas prendre les choses comme ça. Certaines femmes ont perdu leur mari. C'est un coup dur, ça. Et d'autres ont perdu leur fils. Vous n'avez perdu ni un mari ni un fils."

«"Non, a riposté encore plus sèchement Gertrude. C'est vrai que je n'ai pas perdu un mari, je n'ai que perdu l'homme que j'aurais pu épouser. Et je n'ai pas perdu de fils, seulement les enfants que j'aurais pu avoir et qui ne verront jamais le jour, désormais."

«"Une dame ne parle pas comme ça", a dit cousine

Sophia, choquée. Puis Gertrude a éclaté d'un rire si dément que cousine Sophia a été réellement effrayée. Et lorsque, incapable d'en supporter davantage, la pauvre Gertrude tourmentée s'est ruée hors de la pièce, cousine Sophia a demandé à maman si le choc n'avait pas troublé l'esprit de Mlle Oliver.

«"J'ai subi la perte de deux bons partenaires, a-t-elle dit, mais je n'ai jamais réagi de cette façon."

«Rien d'étonnant! À mon avis, la mort a dû être un véritable délivrance pour ces deux malheureux hommes!

«J'ai entendu Gertrude marcher de long en large dans sa chambre une grande partie de la nuit. Elle le fait toutes les nuits, mais jamais aussi longtemps. À un moment, je l'ai entendue pousser un affreux petit cri comme si elle avait reçu un coup de poignard. Je ne pouvais fermer l'œil tellement je souffrais pour elle. Et je ne pouvais l'aider. Je croyais que la nuit ne finirait jamais. Elle s'acheva pourtant et "la joie revint avec le matin", comme c'est dit dans la Bible, à cette différence près qu'elle revint durant l'après-midi. Le téléphone sonna et c'est moi qui répondis. C'était la vieille Mme Grant qui appelait de Charlottetown. Il y avait eu une erreur. M. Grant n'était pas mort. Il n'avait été que légèrement blessé au bras et il se trouvait en sécurité à l'hôpital, à l'abri du danger pour quelque temps. On ignorait encore comment l'erreur avait pu se produire; on supposait qu'il devait s'agir d'un autre Robert Grant.

«Après avoir raccroché, je courus vers la vallée Arc-en-ciel. Je devais sûrement voler, car je ne me rappelle pas avoir senti mes pieds toucher le sol. C'est dans le bosquet d'épinettes où nous avions coutume de jouer que je rencontrai Gertrude revenant de l'école et lui appris aussitôt la nouvelle en bégayant. J'aurais évidemment dû faire preuve de davantage de discernement. Mais j'étais si nerveuse, si folle de joie que je fus incapable de réfléchir. Gertrude s'effondra parmi les fougères dorées comme si elle avait été atteinte d'une balle. La terreur que j'ai éprouvée devrait m'avoir rendue plus sage pour le reste de mes jours, en cette matière, du moins. Je crus l'avoir tuée. Je me souvins que sa mère avait succombé subitement à un arrêt cardiaque alors qu'elle était encore assez jeune. Il me sembla avoir attendu des années avant de m'apercevoir que son cœur battait toujours. Quel affreux moment! C'était la première fois que je voyais quelqu'un perdre conscience et je savais qu'il n'y avait personne à la maison pour m'aider, tout le monde étant allé à la gare accueillir Nan et Di qui revenaient de Redmond. Mais je savais, en théorie, comment il fallait traiter les personnes évanouies et, à présent, je le sais aussi en pratique. Heureusement, le ruisseau était tout proche et après que je me fus acharnée sur elle quelques moments, Gertrude est revenue à elle. Elle ne fit aucun commentaire sur ma nouvelle et je n'osai pas en reparler. Je la soutins sur le sentier de l'érablière et l'aidai à monter à sa chambre. Alors, elle a dit: "Rob... est... vivant" comme si on lui arrachait ces mots, puis elle s'est jetée sur son lit et elle a éclaté en sanglots. Jamais je n'ai vu personne pleurer autant. Toutes les larmes qu'elle avait refoulées cette semaine se sont mises à couler. Je crois qu'elle a passé presque toute la nuit dernière à pleurer, mais ce matin, en voyant son visage, on aurait dit qu'elle avait eu une vision et nous étions tous si heureux que nous avions presque peur.

«Di et Nan sont à la maison pour une quinzaine de jours. Après, elles retourneront travailler pour la Croix-Rouge au camp d'entraînement de Kingsport. Je les envie. Papa affirme que je fais un tout aussi bon travail ici avec Jims et mon unité des jeunes. Mais c'est moins romantique, à mon avis.

«Kut est tombé. Nous avons presque été soulagés en apprenant sa chute, nous l'appréhendions depuis si long-temps. La nouvelle nous a démoralisés pendant une journée, après quoi nous avons essayé de ne plus y penser. Cousine Sophia était aussi lugubre que d'habitude. Elle est venue ici et a grogné que les Britanniques étaient défaits partout.

«"Ce sont de bons perdants, a répliqué Susan d'un air

chagrin. Lorsqu'ils perdent une chose, ils continuent à la chercher jusqu'à ce qu'ils la retrouvent. Quoi qu'il en soit, mon roi et mon pays ont à présent besoin de moi pour planter des pommes de terre dans le potager. Alors prends un couteau et viens m'aider, Sophia Crawford. Ça va te changer les idées et t'empêcher de t'inquiéter d'une campagne qu'on ne t'a pas demandé de diriger."

«Susan est vraiment chic et la façon dont elle rabroue la pauvre cousine Sophia vaut la peine d'être vue.

«Quant à Verdun, les combats s'y poursuivent et nous oscillons entre l'espoir et la peur. Mais je sais que le rêve étrange de Mlle Oliver a prédit la victoire de la France. "Ils ne passeront pas!"»

20

Norman Douglas fait un esclandre

«Où es-tu, Anne de mon cœur?» demanda le docteur qui, même après vingt-quatre années de vie commune, s'adressait encore ainsi à sa femme quand il n'y avait personne aux alentours. Anne était assise sur les marches de la véranda, fixant d'un regard absent la splendeur du paysage printanier. Derrière le verger en fleurs, il y avait un taillis de jeunes sapins vert foncé et de cerisiers sauvages aux teintes crémeuses où les rouges-gorges gazouillaient avec frénésie. Le soir était tombé et les premières étoiles scintillaient au-dessus de l'érablière.

Anne revint à la réalité en poussant un léger soupir.

«Je rêvais, Gilbert, juste pour oublier un instant l'horrible réalité. Je rêvais que tous nos enfants étaient de nouveau ici, qu'ils étaient petits et chahutaient dans la vallée Arc-en-ciel. Elle est devenue tellement silencieuse. Mais j'imaginais entendre comme avant des voix claires et des sons joyeux et puérils. Il me semblait que Jem sifflotait, que Walter turlutait et que les jumelles riaient. Pendant quelques instants bénis, j'ai oublié les canons sur le front occidental et j'ai vécu un semblant de bonheur très doux.»

Le docteur ne répondit pas. Si son travail arrivait parfois à lui faire oublier le front ouest, c'était toutefois très rare. Sa tignasse était à présent parsemée de cheveux gris qui n'y étaient pas, deux ans auparavant. Il regarda néanmoins en souriant les yeux brillants qu'il aimait, ces yeux autrefois si rieurs et qui paraissaient à présent toujours voilés de larmes refoulées.

Susan apparut, une binette à la main et coiffée de son bonnet de semaine.

«Je viens de lire un article dans l'*Enterprise* à propos d'un couple qui s'est marié dans un aéroplane. D'après vous, est-ce légal, cher docteur?» demanda-t-elle d'un air anxieux.

«Je crois que oui», répondit gravement ce dernier.

«Ma foi, reprit Susan, perplexe, j'aurais cru que le mariage était un acte trop solennel pour être célébré dans un lieu aussi frivole qu'un aéroplane. Mais rien n'est plus comme avant. Bon, comme il reste encore une demi-heure avant l'office du soir, je vais aller dans le potager livrer bataille aux mauvaises herbes. En les arrachant, je vais réfléchir à cette nouvelle histoire dans le Trentino. Cette virée en Autriche me plaît pas du tout, chère Mme Docteur.»

«Je n'aime pas ça, moi non plus, répondit tristement Mme Blythe. Toute la matinée, mes mains ont été occupées à faire des confitures de rhubarbe pendant que mon cœur attendait les nouvelles de la guerre. Lorsqu'elles sont arrivées, je me suis crispée. Bon, eh bien, je suppose que je dois aussi aller me préparer pour l'office.»

Tout village a sa petite histoire inédite d'événements tragiques, comiques ou dramatiques, transmise de bouche à oreille de génération en génération. On les raconte aux mariages et aux foires, on les répète auprès du feu, pendant les longues soirées d'hiver. Dans les annales orales de Glen St. Mary, l'histoire de l'office tenu ce soir-là à l'église méthodiste du Glen allait occuper une place impérissable.

C'était M. Arnold qui avait eu l'idée de cette assemblée de prières. Le bataillon du comté, qui s'était entraîné tout l'hiver à Charlottetown, était sur le point de s'embarquer pour l'Europe. Tous les garçons des environs passaient chez eux leur dernière permission, et M. Arnold avait cru bon, avec raison d'ailleurs, de tenir une cérémonie religieuse avant leur départ. M. Meredith avait donné son approbation et on annonça que l'assemblée aurait lieu à l'église méthodiste. Les assemblées de prières n'étaient en général pas très populaires au Glen, mais ce soir-là, l'église méthodiste était bondée. Même Mlle Cornelia était venue, et c'était la première fois de sa vie qu'elle mettait le pied dans une église méthodiste. Il avait fallu un conflit mondial pour qu'elle s'y résolve.

«J'avais coutume de haïr les méthodistes, expliqua-t-elle calmement à son mari lorsqu'il exprima son étonnement, mais j'ai changé. Il est inutile de détester les méthodistes quand il existe un Kaiser ou un Hindenburg dans le monde.»

Mlle Cornelia se rendit donc à l'office, ainsi que Norman Douglas et son épouse. Moustaches-sur-la-lune remonta l'allée jusqu'à un banc situé à l'avant de l'église, l'air imbu de lui-même, convaincu de faire, par sa seule présence, un grand honneur à l'édifice. Les gens furent quelque peu étonnés de le voir là, car il évitait en général d'assister aux assemblées ayant un rapport avec la guerre. Mais comme M. Meredith avait dit espérer qu'on vienne en grand nombre à cette séance, M. Pryor avait, de façon évidente, pris cette demande à cœur. Il portait son habit noir du dimanche ainsi qu'une cravate, sa crinière grise était soigneusement lissée et son gros visage rubicond arborait une expression encore plus béate que d'habitude, ainsi que le pensa Susan avec une perspicacité dénuée de charité.

«Dès que j'ai vu cet homme entrer dans l'église, j'ai su qu'il se mijotait quelque chose de louche, confia-t-elle par la suite à Mme Blythe. J'savais pas encore quelle forme ça prendrait, mais j'ai compris en le voyant qu'il était pas animé de bonnes intentions.»

L'office débuta normalement et se poursuivit sans

anicroche. M. Meredith prit d'abord la parole avec son éloquence habituelle. M. Arnold parla ensuite et son allocution fut, même aux dires de Mlle Cornelia, irréprochable tant par le fond que par la forme. Puis, il demanda à M. Pryor de diriger la prière.

Mlle Cornelia avait toujours proclamé que M. Arnold n'avait aucune jugeote. Si elle n'avait jamais témoigné beaucoup d'indulgence envers les pasteurs méthodistes, il faut admettre que, dans le cas qui nous occupe, elle n'était pas très loin de la vérité. Le révérend M. Arnold ne possédait certainement pas cette qualité souhaitable et indéfinissable connue sous le nom de jugeote, sinon il n'aurait jamais demandé à Moustaches-sur-la-lune de diriger la prière lors d'un office destiné aux militaires. Il croyait rendre la politesse à M. Meredith qui, à la fin de son sermon, avait laissé la parole à un diacre méthodiste.

Certaines personnes s'attendaient à ce que M. Pryor refuse avec hargne, ce qui aurait déjà constitué un scandale suffisant. Mais Moustaches se dressa prestement, enjoignant mielleusement les fidèles de prier. D'une voix sonore qui pénétra chaque recoin de l'église bondée, M. Pryor déversa un flot de paroles. Sa prière était déjà largement entamée lorsque son audience sidérée et horrifiée prit conscience de ce qui se passait: on était en train d'écouter un discours indiscutablement pacifiste. M. Pryor avait au moins le courage de ses convictions; ou, comme les gens le suggérèrent par la suite, peut-être se sentait-il suffisamment en sécurité dans une église pour faire circuler certaines opinions qu'il n'osait émettre ailleurs, de peur de se faire attaquer. Il priait pour que cette guerre sacrilège prenne fin, pour que les armées dupées que l'on conduisait à l'abattoir sur le front occidental s'ouvrent les yeux sur leur iniquité et se repentent pendant qu'il était encore temps, pour que les pauvres soldats présents qui avaient été entraînés sur le sentier du crime et du militarisme soient sauvés.

M. Pryor s'était rendu jusque-là sans obstacle; ses auditeurs étaient si paralysés, si profondément convaincus qu'il ne fallait pas faire de désordre dans une église, quelle que fût la provocation, qu'il semblait pouvoir poursuivre sans encombre jusqu'à la fin. Mais un homme de l'assistance n'était pas handicapé par le respect du saint lieu. Norman Douglas était, comme Susan l'avait souvent affirmé d'une voix aigre, ni plus ni moins qu'un païen. Il était néanmoins un païen authentiquement patriotique et lorsqu'il saisit la véritable portée des propos de M. Pryor, il perdit tout contrôle. Poussant un rugissement, il bondit sur ses pieds et, faisant face à l'auditoire, il tonna: «Qu'on arrête, qu'on arrête cette prière abominable! Quelle abominable prière!»

Toutes les têtes se redressèrent. À l'arrière, un garçon en uniforme applaudit faiblement. M. Meredith eut beau lever une main apaisante, Norman n'en avait cure. Se dégageant de l'étreinte de sa femme qui tentait de le retenir, il enjamba son banc et attrapa l'infortuné Moustaches-sur-la-lune par le collet de son pardessus. M. Pryor ne s'était pas tu lorsqu'on le lui avait ordonné, mais il s'y vit à présent forcé, car Norman, sa longue barbe rousse paraissant enflammée par la rage, le secouait comme un poirier, tout en ponctuant ses secousses d'une série d'épithètes abusives.

«Espèce de bête vulgaire! De charogne infecte! Vermine à tête de cochon! Morveux putride! Parasite nauséabond! Vaurien de Boche! Reptile indécent!»

Norman s'arrêta un instant pour souffler. Tout le monde pensa que, église ou non, l'injure suivante ne pourrait jamais être écrite autrement qu'avec des astérisques. Mais Norman croisa alors le regard de sa femme et se replia vers les Saintes Écritures. «Espèce de sépulcre blanchi!» hurla-t-il en lui donnant une dernière secousse et il repoussa Moustaches-sur-la-lune avec une telle vigueur que l'infortuné pacifiste alla heurter la porte d'entrée du chœur. Son visage d'ordinaire rougeaud était couleur de cendre. Il se retourna cependant et bafouilla: «Vous serez poursuivi en justice!»

«Essaie donc, pour voir!» rugit Norman en bondissant à

ses trousses. Mais M. Pryor avait disparu. Il ne souhaitait aucunement retomber dans les pattes d'un militariste animé d'un esprit vengeur. Norman se tourna vers l'estrade pour savourer sans grâce son moment de triomphe.

«Prenez pas cet air ahuri, pasteurs, vociféra-t-il. Vous pouviez pas le faire, personne n'aurait demandé ça à un ecclésiastique. Mais il fallait que quelqu'un intervienne, on pouvait quand même pas le laisser continuer cet appel à la sédition et à la trahison. Il fallait que quelqu'un s'en mêle. J'ai fini par avoir mon tour, à l'église. À présent, j'vais pouvoir rester tranquille encore soixante ans. Poursuivez votre office, pasteurs. J'imagine qu'on entendra pas d'autres prières pacifistes.»

Mais l'esprit de dévotion et de respect s'était évanoui. Les deux pasteurs en prirent conscience et comprirent qu'il ne restait qu'une chose à faire: mettre fin à la cérémonie et laisser partir les fidèles surexcités. M. Meredith adressa quelques paroles bien senties aux garçons en uniforme, ce qui sauva probablement les fenêtres de Moustaches-sur-la-lune d'un second assaut. Puis, M. Arnold prononça une bénédiction saugrenue, du moins en eut-il l'impression car il n'arrivait pas à chasser de son esprit la scène où le gigantesque Norman Douglas secouait le grassouillet et pompeux petit Moustaches-sur-la-lune comme un énorme molosse aurait secoué un caniche trop bien nourri. Et il savait que cette image était dans tous les esprits. Tout compte fait, si cette cérémonie pouvait difficilement être qualifiée de succès, on se la rappela pourtant dans Glen St. Mary quand une foule d'autres offices paisibles et orthodoxes furent totalement oubliés.

«Jamais, au grand jamais, vous m'entendrez traiter encore Norman Douglas de païen, chère Mᵐᵉ Docteur, déclara Susan une fois à la maison. Si Ellen Douglas est pas une femme orgueilleuse, elle aurait raison de l'être, ce soir.»

«Norman Douglas a eu une conduite absolument indéfendable, décréta le docteur. On aurait dû laisser M. Pryor tranquille jusqu'à la fin de l'office. Ensuite, c'était à son propre pasteur et à sa paroisse de régler cette affaire avec lui. Voilà comment on aurait dû agir. L'éclat de Norman était tout simplement inqualifiable, scandaleux et outrageant. Mais juste ciel, poursuivit-il en renversant la tête avec un petit rire, comme ce fut agréable, petite Anne.»

21

Les histoires d'amour crèvent le cœur

«Ingleside, le 20 juin 1916

   «Nous avons été si occupés et chaque jour nous a apporté tant de nouvelles excitantes, bonnes ou mauvaises que, depuis des semaines, je n'ai eu ni le temps ni la tranquillité d'esprit nécessaires pour écrire mon journal. J'aime le tenir de façon régulière, car papa pense qu'un journal écrit au jour le jour pendant la guerre serait sans doute une chose intéressante à léguer à mes enfants. Le problème, c'est que j'aime confier à ce cher vieux cahier de petits détails intimes que je ne voudrais peut-être pas leur faire lire. Avec eux, je serai sans doute beaucoup plus pointilleuse sur le chapitre de la bienséance que je le suis avec moi-même!
   «La première semaine de juin a été épouvantable. Les Autrichiens semblaient sur le point d'envahir l'Italie. Ensuite, nous avons appris l'affreuse nouvelle de la bataille de Jutland, considérée comme une grande victoire par les Allemands. Susan a été la seule à garder le moral. "Inutile de me dire que le Kaiser a battu la marine britannique, a-t-elle déclaré en reniflant avec mépris. C'est rien qu'un mensonge

des Allemands, croyez-moi." Et lorsque, quelques jours plus tard, nous avons découvert qu'elle avait eu raison et que cela avait été une victoire britannique, nous avons dû supporter un nombre incroyable de "Je vous l'avais pourtant dit". Mais cela n'a pas été trop pénible.

«Il a fallu la mort de Kitchener pour venir à bout de la résistance de Susan. Pour la première fois, je l'ai vue abattue. Nous avons tous éprouvé un choc, mais Susan a sombré dans des abîmes de désespoir. Nous avons reçu la nouvelle un soir par téléphone, mais Susan a refusé d'y croire avant de la voir confirmée dans un gros titre de l'*Enterprise* le lendemain. Elle n'a pas pleuré, ne s'est pas évanouie, n'a pas fait de crise de nerfs. Elle a seulement oublié de saler la soupe et je ne me rappelle pas que cela lui soit arrivé auparavant. Maman, Mlle Oliver et moi avons pleuré, mais Susan nous a regardées d'un air glacé et sarcastique en disant: "Le Kaiser et ses six fils sont tous vivants et en bonne santé. Le monde n'est donc pas laissé en plein désarroi. Pourquoi pleurer, chère Mme Docteur?" Elle a gardé cette contenance inébranlable pendant vingt-quatre heures, après quoi cousine Sophia est arrivée et a commencé sa série de doléances.

«"C'est une nouvelle terrible, pas vrai, Susan? Aussi bien s'attendre au pire, car ça ne saurait plus tarder. Tu as dit une fois, et j'ai pas oublié tes paroles, Susan Baker, que tu mettais ta confiance en Dieu et en Kitchener. Ah, Susan Baker, il ne reste plus que Dieu, désormais.»

«Sur ce, cousine Sophia a porté pathétiquement son mouchoir à ses yeux, comme si le monde se trouvait réellement en plein marasme. C'est pourtant ce geste qui a sauvé Susan.

«"Tiens-toi tranquille, Sophia Crawford, lui a-t-elle ordonné sévèrement. T'es peut-être une idiote, mais t'as pas le droit de manquer de respect. C'est tout simplement indécent de geindre et de pleurnicher parce que la Providence est le dernier recours des Alliés. Quant à Kitchener, sa mort est une lourde perte, c'est pas moi qui vais prétendre le contraire. Mais l'issue de cette guerre ne repose pas sur la vie d'un seul homme, et à présent que les Russes reprennent du poil de la bête, tu vas voir que la situation va s'améliorer.»

«Susan a parlé avec une telle énergie qu'elle s'est convaincue elle-même et cela lui a redonné aussitôt du cœur au ventre. Mais cousine Sophia a hoché la tête.

«"La femme d'Albert veut appeler le bébé Brusiloff, a-t-elle repris, mais j'lui ai conseillé d'attendre de voir ce qu'il adviendrait de ce type. Les Russes ont la bizarre habitude de disparaître sans crier gare."

«Quoi qu'il en soit, les Russes sont extraordinaires et ils ont sauvé l'Italie. Pourtant, même lorsque nous recevons chaque jour les nouvelles de leur avance, nous n'avons plus envie de hisser le drapeau comme nous avions coutume de le faire. Comme le dit Gertrude, Verdun a tué tout sentiment d'exultation. Nous aurions davantage de raisons de nous réjouir si les victoires avaient lieu sur le front occidental. "Quand les Britanniques frapperont-ils? a soupiré Gertrude ce matin. Nous attendons depuis si longtemps, si longtemps."

«Ici, l'événement le plus sensationnel des dernières semaines a été la marche des troupes à travers les routes du comté avant leur départ pour l'Europe. Elles ont défilé de Charlottetown jusqu'à Lowbridge, puis ont contourné l'entrée du port et traversé le Glen-En-Haut jusqu'à St. Mary. Tout le monde est sorti pour les regarder, sauf la vieille Fannie Clow, clouée au lit, et M. Pryor qui n'a pas mis le nez dehors, même pour se rendre à l'église, depuis le soir de l'office religieux, la semaine précédente.

«C'était merveilleux et triste de voir défiler le bataillon composé de jeunes gens et d'hommes d'âge mur. Il y avait Laurie MacAllister de l'autre côté du port qui n'a que seize ans mais a juré en avoir dix-huit pour pouvoir s'enrôler. Et il y avait Angus Mackenzie du Glen-En-Haut qui a au moins cinquante-cinq ans mais a juré en avoir quarante-quatre. De Lowbridge, il y avait deux vétérans de la guerre en Afrique du Sud, et les triplets Baxter de l'entrée du port, âgés de dix-huit ans. Tout le monde a applaudi à leur passage, de même qu'on a acclamé Foster Booth, quarante ans, qui marchait aux côtés de son fils Charley, vingt ans. La mère de Charley est décédée à sa naissance et, lorsqu'il s'est enrôlé, Foster a dit que jamais il n'avait laissé Charley aller quelque part où il n'aurait pas lui-même eu le courage d'aller et qu'il n'avait pas l'intention de commencer avec les tranchées des Flandres. À la gare, le chien Lundi a pratiquement perdu la tête. Il se ruait sur les soldats, leur donnant à tous des messages à transmettre à Jem. M. Meredith a prononcé un petit discours et Rita Crawford a récité "Le Joueur de pipeau". Les soldats l'ont applaudie frénétiquement en criant: "Nous le suivrons, nous le suivrons, nous ne perdrons pas confiance!" Je me sentais si fière à la pensée que c'était mon cher grand frère qui avait écrit ces vers bouleversants. Puis j'ai regardé ces garçons en uniformes en me demandant si ces grands gaillards pouvaient réellement être les gars avec qui j'avais ri, joué et dansé, ceux que j'avais taquinés toute ma vie. Quelque chose semblait les avoir touchés et écartés de moi. Ils avaient entendu l'appel du Joueur de pipeau.

«Fred Arnold faisait partie du bataillon et je me suis sentie horriblement mal en le regardant, car je me rendais compte que c'était à cause de moi qu'il partait avec cette expression douloureuse. Je n'y pouvais rien mais, même dans le cas contraire, je n'aurais pas éprouvé davantage de peine.

«Le dernier soir de sa permission, Fred est venu à Ingleside. Il m'a déclaré son amour et m'a demandé de lui promettre de l'épouser un jour, si jamais il revenait. Il était désespérément sincère et je ne me suis jamais sentie aussi déchirée de ma vie. Il m'était impossible de lui faire cette promesse. Mon Dieu, même s'il n'était pas question de Ken, je n'ai jamais envisagé d'épouser Fred et jamais je ne pourrai l'envisager. Mais cela me paraissait si cruel de l'envoyer au front sans lui laisser aucun espoir. J'ai pleuré comme une enfant. Pourtant, oh! je crains d'être une incorrigible frivole car, au milieu de toutes mes larmes et de l'expression tragique de Fred, je n'ai pu m'empêcher de penser que ce serait insupportable de voir ce nez en face de moi à la table, au déjeuner, tous les matins de ma vie. Voilà un exemple des choses que je ne voudrais pas faire lire à mes descendants. C'est pourtant l'humiliante vérité. Mais c'est peut-être aussi bien que j'aie eu cette pensée, sans quoi j'aurais pu céder à la pitié ou au remords et lui donner ma parole, sous l'impulsion du moment. Si le nez de Fred était aussi beau que ses yeux ou sa bouche, cela aurait pu se produire. Et alors, dans quelle situation invraisemblable je me serais retrouvée! Lorsque le pauvre Fred a compris que je ne pouvais lui faire cette promesse, il a réagi magnifiquement, quoique cela ait plutôt rendu les choses encore plus pénibles. S'il s'était montré mesquin, je me serais sentie moins triste et bourrelée de remords. J'ignore pourtant pourquoi je devrais me sentir coupable, puisque jamais je n'ai encouragé Fred à penser que je pourrais l'aimer. Mais voilà, je me sentais et me sens encore coupable. Si Fred Arnold ne revient jamais de la guerre, cela va me tourmenter toute ma vie.

«Fred m'a donc dit que s'il ne pouvait emporter mon amour dans les tranchées, il aimerait au moins sentir qu'il avait mon amitié et m'a demandé de l'embrasser une fois avant qu'il parte... peut-être pour toujours. Je ne comprends pas comment j'ai déjà pu imaginer que les histoires d'amour étaient merveilleuses et intéressantes. Elles sont horribles. À cause de la promesse faite à Ken, je ne pouvais même pas donner un petit baiser au malheureux Fred. Cela me semblait vraiment brutal. J'ai été obligée de dire à Fred qu'il pouvait évidemment compter sur mon amitié, mais que je ne pouvais l'embrasser parce que j'avais promis à quelqu'un d'autre de ne pas le faire.

«"Est-ce... est-ce Ken Ford?" m'a-t-il demandé.

«J'ai hoché la tête. Cela me paraissait effrayant de devoir le dire, car c'était notre secret, à Ken et à moi. Après le départ de Fred, je suis montée à ma chambre et j'ai pleuré si longtemps et si amèrement que maman est venue voir ce qui se passait. Elle a insisté pour connaître la cause de ma peine. Je lui ai tout raconté. En écoutant mon histoire, elle avait une expression qui disait clairement: "Est-ce vraiment possible qu'un homme ait désiré épouser ce bébé?" Mais elle s'est montrée si gentille, si compréhensive, si sympathique, comme ceux de la race de Joseph, que je me suis sentie indescriptiblement réconfortée. Les mères sont irremplaçables.

«"Mais, oh! maman, ai-je continué en sanglotant, il voulait que je lui donne un baiser d'adieu, et c'était impossible, et ça m'a fait plus mal que tout le reste."

«"Eh bien, pourquoi ne l'as-tu pas embrassé? m'a froidement demandé maman. Vu les circonstances, je pense que tu aurais pu le faire."

«"Mais c'était impossible, maman. Lorsque Ken est parti, je lui ai promis que je n'embrasserais personne d'autre avant son retour."

«Ce fut un nouveau choc pour ma pauvre mère. Elle s'est exclamée, avec un petit trémolo bizarre dans la voix: "Rilla, es-tu fiancée à Ken Ford?"

«"Je... ne... le... sais... pas", ai-je répondu d'une voix entrecoupée de sanglots.

«"Tu ne le sais pas?" a répété maman.

«J'ai donc été obligée de tout lui avouer. Et chaque fois que je raconte mon histoire, il me semble de plus en plus idiot d'imaginer que Ken était sérieux dans ses intentions. Lorsque j'eus terminé, je me suis sentie stupide et honteuse. Maman est restée silencieuse quelques instants. Puis elle est venue s'asseoir près de moi et m'a prise dans ses bras.

«"Ne pleure pas, chère petite Rilla-ma-Rilla. Tu n'as rien à te reprocher à propos de Fred. Et si le fils de Leslie West t'a demandé de lui garder tes lèvres, je crois que tu peux te considérer fiancée à lui. Mais oh! mon bébé, mon dernier bébé, voilà que je t'ai perdue. La guerre a fait une femme de toi beaucoup trop tôt."

«Je ne serai jamais trop vieille pour ne plus trouver de

réconfort dans les bras de maman. Il n'empêche que lorsque j'ai vu Fred défiler avec les autres deux jours plus tard, j'ai eu le cœur horriblement serré.

«Je suis tout de même contente que maman me considère comme la fiancée de Ken.»

22

Le petit chien Lundi le sait

«Il y a deux ans aujourd'hui avait lieu le bal au phare. C'est alors que Jack Elliott nous a annoncé le début de la guerre. Vous rappelez-vous, Mlle Oliver?»

Cousine Sophia répondit à la place de Mlle Oliver. «Oh! Vraiment, Rilla, je ne me souviens que trop bien de cette soirée. T'étais descendue ici te pavaner pour nous faire admirer ta toilette. Est-ce que je t'avais pas avertie qu'on pouvait jamais savoir ce qui nous attendait? T'avais alors aucune idée de ce que l'avenir te réservait.»

«Personne d'entre nous ne s'en doutait, rétorqua sèchement Susan, vu qu'on n'a pas le don de voyance. Pas besoin d'une grande dose de clairvoyance, Sophia Crawford, pour prédire à quelqu'un qu'il va avoir des ennuis avant la fin de sa vie. J'pourrais moi-même le faire.»

«Nous pensions alors que la guerre serait une affaire de deux ou trois mois, reprit mélancoliquement Rilla. Avec le recul, il me semble ridicule que nous ayons pu un jour penser ça.»

«Et à présent, deux ans plus tard, nous ne sommes pas plus près d'en voir la fin», ajouta sombrement Mlle Oliver.

Susan fit vivement cliqueter ses aiguilles à tricoter.

«Voyons, chère Mlle Oliver, vous savez bien que c'est pas une remarque raisonnable. On est deux années plus près de la fin, peu importe quand elle va arriver.»

«Aujourd'hui, Albert a lu dans un journal de Montréal que, d'après un expert, la guerre va durer encore cinq ans», renchérit cousine Sophia.

«C'est impossible, s'exclama Rilla. Il y a deux ans, tout le monde aurait dit qu'elle ne pouvait durer deux ans. Mais cinq autres années de cette horreur!» ajouta-t-elle en soupirant.

«Si la Roumanie s'en mêle, et je mise là-dessus, on va en voir la fin dans cinq mois plutôt que dans cinq ans», affirma Susan.

«J'ai aucune confiance dans ces étrangers», soupira cousine Sophia.

«Les Français sont des étrangers, répliqua Susan, et regarde ce qui s'est passé à Verdun. Et songe à toutes les victoires de la Somme qu'on a connues cet été. La grande poussée est commencée et les Russes s'en tirent encore très bien. Seigneur, selon le général Haig, les officiers allemands qu'il a fait prisonniers admettent eux-mêmes avoir perdu la guerre.»

«On ne peut croire un mot de ce que disent les Allemands, protesta cousine Sophia. Il est insensé de croire une chose seulement parce qu'on aimerait la croire, Susan Baker. La Grande-Bretagne a perdu des millions d'hommes à la Somme et est-elle plus avancée? Regarde la réalité en face, Susan Baker, regarde la réalité en face.»

«Les Britanniques sont en train d'épuiser les Allemands et tant qu'ils le feront, peu importe que ce soit quelques milles à l'est ou à l'ouest. J'suis peut-être pas un expert militaire, Sophia Crawford, poursuivit Susan avec une incroyable humilité, mais j'peux quand même voir ça et tu le pourrais aussi si t'avais pas décidé de ne regarder que le mauvais côté des choses. Les Boches sont pas les seuls à être intelligents. Bon, eh bien, je vais laisser Haig se charger de la guerre pour le reste de la journée et faire un glaçage pour mon gâteau au chocolat, après quoi je vais poser ce gâteau sur l'étagère du haut. Le dernier que j'ai fait, je l'avais laissé sur l'étagère du bas et le petit Kitchener s'est faufilé dans la cuisine, a gratté tout le glaçage et l'a mangé. On avait de la visite pour le thé ce soir-là et quand j'suis allée chercher mon dessert, j'ai eu la surprise de ma vie!»

«Le père de ce pauvre orphelin a pas encore donné de nouvelles?» demanda cousine Sophia.

«Nous avons reçu une lettre de lui en juillet, répondit Rilla. Il a dit qu'en apprenant que sa femme était décédée et que j'avais adopté le bébé, car M. Meredith le lui a écrit, vous savez, il a répondu aussitôt. N'ayant jamais reçu de réponse, il avait commencé à penser que sa lettre avait été égarée.»

«Il a mis deux ans avant de se rendre à cette évidence, persifla Susan. Certaines personnes pensent très lentement. Jim Anderson n'a pas une égratignure après avoir passé deux années dans les tranchées. Il a une veine de pendu, comme on dit.»

«Il a écrit des choses très gentilles à propos de Jims et il a dit qu'il aimerait le connaître, reprit Rilla. Je lui ai donc donné tous les renseignements sur mon petit bonhomme et lui ai envoyé des photos. Jims aura deux ans la semaine prochaine et c'est un amour.»

«T'étais pourtant pas très portée sur les bébés», remarqua cousine Sophia.

«En théorie, je ne le suis pas davantage, répondit franchement Rilla. Mais j'adore Jims et je n'étais pas plus contente que ça en apprenant par sa lettre que Jim Anderson était sain et sauf.»

«T'espérais quand même pas que le pauvre homme ait été tué!» s'écria cousine Sophia d'une voix horrifiée.

«Non, non! J'espérais seulement qu'il continuerait à oublier Jims, Mme Crawford.»

«Et que ton père paye pour l'élever, conclut cousine Sophia d'un air désapprobateur. Vous autres, les jeunes, vous pensez jamais plus loin que le bout de votre nez.»

Sur ce, Jims fit irruption, si rose, bouclé et mignon que tout le monde l'admira, même cousine Sophia.

«Il a vraiment l'air en santé, maintenant, bien que son teint soit peut-être un peu trop vif. Il a, comme qui dirait, l'air tuberculeux. J'aurais jamais cru que tu le réchapperais quand je l'ai vu, le lendemain de son arrivée ici. Je t'en croyais vraiment pas capable et c'est ce que j'ai dit à la femme d'Albert, en revenant chez moi. Et elle m'a répondu: "Rilla Blythe pourrait te surprendre, tante Sophia." C'est exactement ce qu'elle a dit: "Rilla Blythe pourrait te surprendre." La femme d'Albert a toujours pensé grand bien de toi.»

Cousine Sophia soupira, l'air d'insinuer que la femme d'Albert était vraiment la seule personne au monde à avoir cette opinion. Ce n'était pourtant pas ce qu'elle voulait dire, car elle aimait elle-même beaucoup Rilla, à sa manière mélancolique. Mais il ne fallait pas que les jeunes s'enflent la tête, sinon où irait la société, n'est-ce pas?

«Te souviens-tu de ton retour du bal, il y a deux ans?» chuchota Gertrude Oliver à Rilla, pour la taquiner.

«Jamais je ne pourrais l'oublier», répondit Rilla en souriant. Puis son sourire devint rêveur et distrait. Elle se rappelait autre chose, l'heure passée sur la plage avec Kenneth. Où se trouvait Ken, ce soir? Et Jem, Jerry, Walter, et tous les autres garçons qui avaient dansé et flâné au clair de lune à la pointe de Four Winds, en cette nuit joyeuse, la dernière? Dans les horribles tranchées du front de la Somme où le rugissement des canons et les gémissements des hommes touchés remplaçaient la musique du violon de Ned Burr, et les éclairs des obus, le scintillement argenté sur l'océan bleu. Deux d'entre eux reposaient sous les coquelicots des Flandres: Alec Burr du Glen-En-Haut et Clark Manley de Lowbridge. D'autres encore, blessés, étaient dans des hôpitaux. Mais jusqu'à présent, aucun des garçons d'Ingleside et du presbytère n'avait été touché. C'était comme s'ils jouissaient d'une protection. Cela ne rendait pourtant pas l'angoisse plus facile à supporter à mesure que les semaines et les mois de la guerre se poursuivaient.

«Ce n'est pas comme s'il s'agissait d'une sorte de fièvre; on ne peut pas conclure qu'ils soient immunisés parce qu'ils ne l'ont pas attrapée après avoir été deux ans en contact avec elle, soupira Rilla. Le danger est aussi grand, aussi réel qu'il l'était le premier jour de leur arrivée dans les tranchées. Je le sais, et cela me torture tous les jours. Et pourtant, je ne peux m'empêcher de penser que puisqu'ils ont traversé tout ceci sans mal, ils s'en tireront indemnes. Oh! Mlle Oliver, à quoi ressemblerait un matin où l'on s'éveillerait sans avoir peur de ce que la journée nous réserve? Je n'arrive plus à me le figurer. Dire qu'il y a deux ans, je m'éveillais en me demandant quel merveilleux cadeau la journée allait m'apporter! J'avais alors l'impression que ces deux années allaient être remplies de plaisirs.»

«À présent, est-ce que tu les échangerais contre deux années de plaisirs?»

«Non, répondit lentement Rilla. C'est étrange, n'est-ce pas? Ces deux années ont été terribles, et pourtant j'éprouve un bizarre sentiment de reconnaissance à leur égard, comme si elles m'avaient apporté quelque chose de très précieux, mêlé à la souffrance. Même si je le pouvais, je ne voudrais pas retourner deux ans en arrière et redevenir la fille que j'étais il y a deux ans. Je ne crois pas avoir accompli de si remarquables progrès, même si je ne suis plus la petite poupée égoïste et frivole que j'étais. Je suppose que je devais avoir une âme, Mlle Oliver, mais que je l'ignorais. Je le sais, à présent, et cela compense pour toute la douleur des deux dernières années. Et pourtant, ajouta-t-elle en riant comme pour s'excuser, je ne veux plus souffrir, même pour permettre à mon âme de poursuivre sa croissance. Dans deux autres années, je regarderai peut-être en arrière et serai contente du développement qu'elles m'auront apporté, mais à présent, j'en ai assez.»

«C'est toujours comme ça, répondit Mlle Oliver. Cela explique pourquoi il ne nous incombe pas de choisir nos moyens de développement, je suppose. Peu importe à combien nous évaluons ce que nos leçons nous ont apporté, nous ne voulons jamais continuer quand l'apprentissage est douloureux. Eh bien, espérons pour le mieux, comme dit Susan. C'est vrai que la situation s'améliore et si la Roumanie entre en guerre, l'issue pourrait tous nous surprendre.»

La Roumanie entra en guerre, et Susan remarqua avec plaisir que son roi et sa reine formaient le plus beau couple royal dont elle avait vu le portrait. L'été passa ainsi. Au début de septembre, on apprit que les Canadiens avaient été transférés à la Somme et l'angoisse s'accentua. Pour la première fois, Mme Blythe sembla perdre un peu courage. Le docteur commença à la regarder gravement et s'opposa à ce qu'elle continue à se dévouer pour la Croix-Rouge.

«Oh! Laisse-moi travailler, je t'en prie, Gilbert, demanda-t-elle fébrilement. Je pense moins quand je travaille. C'est quand je suis oisive que j'imagine des choses, le repos m'est une torture. Mes deux fils sont sur cet épouvantable front de la Somme pendant que Shirley passe son temps plongé dans des histoires d'aviation, sans rien dire. Mais je vois la détermination croître dans ses yeux. Non, je ne peux pas me reposer, ne me demande pas ça, Gilbert.»

Le docteur se montra pourtant inflexible.

«Je ne peux te laisser te tuer, petite Anne, dit-il. Quand nos fils reviendront, je veux que leur mère soit ici pour les accueillir. Mon Dieu, tu es en train de devenir translucide. Cela ne va pas du tout. Demande à Susan ce qu'elle en pense.»

«Oh! Susan et toi êtes ligués contre moi!» s'écria Anne, sans espoir.

Un jour, on apprit que les Canadiens avaient pris Courcelette et Martenpuich, qu'ils avaient pris des canons et fait de nombreux prisonniers. Susan hissa le drapeau et déclara que, de façon évidente, Haig savait à quels soldats confier une mission périlleuse. Les autres démontrèrent plus de circonspection. On ignorait encore le prix que cela avait coûté.

Rilla s'éveilla à l'aube, ce matin-là, et alla à sa fenêtre, ses paupières laiteuses encore lourdes de sommeil. À l'aube, le monde avait toujours un aspect particulier. L'air était froid de rosée; le verger, l'érablière et la vallée Arc-en-ciel étaient pleins de mystère et d'enchantement. À l'est, au-dessus de la colline, on voyait des trous dorés, des creux d'un rose argenté. Il n'y avait pas de vent, et Rilla entendit distinctement un chien pousser des hurlements déchirants aux alentours de la gare. Était-ce Lundi? Si oui, pourquoi hurlait-il comme ça? Le son avait quelque chose de douloureux, de poignant. Elle se rappela les paroles qu'avait prononcées Mlle Oliver en entendant hurler un chien, un soir qu'elles revenaient dans l'obscurité. Elle avait dit: «Lorsqu'un chien hurle comme ça, c'est l'Ange de la mort qui passe.» Rilla l'écouta, le cœur glacé de peur. C'était bien Lundi, elle en était sûre. Quel chant funèbre hurlait-il, à quel esprit adressait-il cet adieu angoissant?

Rilla retourna à son lit mais ne put dormir. Tout le jour, elle fut aux aguets, dans un état d'épouvante dont elle ne parla à personne. Elle alla voir Lundi et le chef de gare lui dit: «Votre chien a hurlé toute la nuit de façon bizarre. J'sais pas ce qui lui arrive. À un moment, j'me suis levé, j'suis sorti et j'lui ai crié de se taire, mais il m'a même pas prêté attention. Il était assis là, tout seul sous la lune au bout de la plate-forme, et toutes les deux minutes, la pauvre petite bête levait son museau et hurlait comme si elle avait le cœur brisé. C'est la première fois qu'il fait ça. Il a coutume de dormir tranquillement dans sa niche entre chaque train. Mais il avait sûrement quelque chose sur le cœur la nuit dernière.»

Lundi était couché dans sa niche. Il agita sa queue et lécha la main de Rilla. Mais il refusa de toucher la nourriture qu'elle lui avait apportée.

«Je crains qu'il ne soit malade», dit-elle avec inquiétude. Elle n'aimait pas l'idée de s'en aller et de le laisser là. Néanmoins, on ne reçut aucune mauvaise nouvelle ce jour-là, ni le lendemain, ni même le surlendemain. Rilla cessa d'avoir peur. Lundi ne hurla plus et se remit, comme d'habitude, à attendre et à surveiller les trains. Après cinq jours, les gens d'Ingleside eurent l'impression qu'ils pouvaient retrouver leur bonne humeur. Rilla fila à la cuisine pour aider Susan à préparer le déjeuner. Elle fredonnait si joliment et d'une voix si claire que cousine Sophia, de l'autre côté de la route, l'entendit et croassa à Mme Albert:

«Qui chante avant de manger pleurera avant de se coucher, comme on dit toujours.»

Mais Rilla Blythe ne versa pas de larmes avant la tombée de la nuit. Lorsque son père, le visage gris, hâve et vieilli, vint cet après-midi-là lui apprendre que Walter avait été tué à Courcelette, elle s'effondra dans ses bras comme une petite forme pitoyable et ne reprit conscience à sa douleur que plusieurs heures plus tard.

23

Et maintenant, bonne nuit

L'abominable flamme de souffrance s'était consumée et la poussière grise de ses cendres était retombée sur le monde. Jeune et robuste, Rilla se rétablit plus rapidement que sa mère. Pendant des semaines, la violence du choc cloua Mme Blythe au lit. Rilla découvrit qu'il était possible de continuer à vivre, car la vie avait ses exigences. Il y avait du travail à faire, Susan ne pouvant pas tout prendre sur ses épaules. Pour l'amour de sa mère, Rilla faisait preuve de calme et de patience durant la journée. Mais nuit après nuit, dans son lit, elle versait des larmes de révolte jusqu'à ce que la source fût tarie et que la patiente petite douleur qui allait séjourner dans son cœur le reste de sa vie remplace les pleurs. Elle s'accrochait à Mlle Oliver, qui savait ce qu'il fallait dire et ce qu'il fallait taire. C'était là une qualité rare. Rilla vécut des moments terribles avec des visiteurs bien intentionnés venus la réconforter.

«Avec le temps, tu vas passer au travers», assura Mme Reese, mère de trois garçons costauds dont aucun n'était allé au front.

«Quelle chance que Walter soit tombé plutôt que Jem,

remarqua Mlle Sarah Clow. Walter était membre de l'église tandis que Jem ne l'était pas. Combien de fois ai-je conseillé à M. Meredith d'avoir avec Jem une discussion sérieuse à ce sujet avant son départ.»

«Pauvre, pauvre Walter», soupira Mme Reese.

«Ne venez pas ici insinuer que Walter était pauvre, s'indigna Susan, apparaissant à la porte de la cuisine, au grand soulagement de Rilla qui se sentait incapable d'en supporter davantage. Il était pas pauvre. Il était plus riche que vous toutes. C'est vous qui êtes pauvres, vous qui restez chez vous et empêchez vos fils de partir. Vous êtes pauvres, nues, mesquines et petites, pauvres comme la gale, et vos fils aussi, malgré leurs fermes prospères, leur bétail gras et leurs âmes pas plus grosses qu'une puce, et peut-être même pas autant que ça.»

«Je suis venue ici pour consoler les affligés, pas pour me faire insulter», déclara Mme Reese en se levant pour s'en aller, sans être regrettée par personne. Puis la colère de Susan s'évanouit; elle battit en retraite dans la cuisine, posa sa vieille tête fidèle sur la table et fondit en larmes. Ensuite, elle se remit au travail et repassa les petits pantalons de Jims. Rilla la gronda gentiment lorsqu'elle arriva pour les repasser.

«J'vais pas te laisser te tuer au travail pour un bébé de guerre», s'obstina Susan.

«Oh! Je voudrais pouvoir travailler tout le temps, s'écria la malheureuse Rilla. Et je voudrais ne pas être obligée d'aller me coucher. C'est affreux de dormir et d'oublier tout ça pendant quelques heures puis de se réveiller le matin pour en reprendre de nouveau conscience avec tout autant d'acuité. Est-ce que les gens arrivent à s'habituer à de telles choses, Susan? Et oh! Susan, je ne peux m'enlever de l'esprit les paroles de Mme Reese. Walter a-t-il beaucoup souffert? Il a toujours été si sensible à la douleur. Oh! Susan, si je savais qu'il n'a pas souffert, je crois que je pourrais retrouver un peu de force et de courage.»

Rilla put finalement le savoir. L'officier supérieur de

Walter envoya une lettre expliquant qu'un boulet avait tué Walter sur le coup au cours d'un assaut à Courcelette. Le même jour, Rilla reçut une lettre de Walter lui-même. Elle l'apporta encore scellée à la vallée Arc-en-ciel et la parcourut à l'endroit même où avait eu lieu sa dernière conversation avec Walter. C'est étrange de lire la lettre de quelqu'un après sa mort, d'une étrangeté douce-amère où se mêlent chagrin et réconfort. Pour la première fois depuis le choc, Rilla sentit, ce qui est différent d'espérer ou de croire, elle sentit que Walter, débordant de talents et d'idéaux, vivait toujours, avec les mêmes talents, les mêmes idéaux. Ces talents ne pouvaient être détruits, ces idéaux, effacés. La personnalité qui s'exprimait dans cette ultime lettre, aucun boulet allemand ne pouvait l'anéantir. Elle continuait à exister, même si son lien terrestre avec les choses était rompu.

«Nous montons à l'assaut demain, Rilla-ma-Rilla, écrivait-il. Hier, j'ai écrit à maman et à Di, mais d'une certaine façon, je sens que c'est à toi que je dois écrire, ce soir. Je n'avais pas l'intention d'écrire, mais il faut que je le fasse. Te souviens-tu de la vieille Mme Tom Crawford de l'autre côté du port qui disait toujours que "ça s'imposait" qu'elle fasse telle ou telle chose. Eh bien, c'est exactement comment je me sens. Cela "s'impose" que je t'écrive, à toi, ma sœur et mon amie. Il y a certaines choses que je veux te dire avant... avant demain.

«Ingleside et toi me semblez étrangement proches, ce soir. C'est la première fois que j'éprouve ce sentiment depuis mon arrivée. La maison m'a toujours paru si loin, si désespérément loin de ce hideux bain de sang et d'horreur. Mais ce soir, elle est près, il me semble presque te voir, t'entendre parler. Et je vois aussi la lune briller comme avant, toute blanche, au-dessus de nos vieilles collines. Depuis que je suis ici, il me semble impossible que des nuits douces et calmes, éclairées par une lune limpide, puissent exister quelque part au monde. Ce soir pourtant, on dirait que toutes les choses belles que j'ai toujours aimées sont redevenues possibles. Cela me procure un bonheur profond, sûr et exquis. Ce doit être l'automne chez nous, à présent. Le port doit ressembler à un rêve, les vieilles collines du Glen doivent être enveloppées d'une brume bleue et la vallée Arc-en-ciel doit être un lieu enchanteur, parsemée d'asters sauvages, que nous appelions les "adieux de l'été".

«Tu sais que j'ai toujours eu des prémonitions, Rilla. Te souviens-tu du Joueur de pipeau? Mais non, bien sûr, tu étais beaucoup trop jeune. Un soir, autrefois, alors que Nan, Di, Jem, les Meredith et moi nous trouvions dans la vallée Arc-en-ciel, j'ai eu une vision bizarre, un pressentiment, si tu préfères. J'ai vu le Joueur de pipeau surgir dans la vallée, suivi d'une légion d'ombres. Les autres croyaient que je faisais semblant, mais je l'ai vraiment vu, l'espace d'un instant. La nuit dernière, je l'ai revu, Rilla. J'étais de faction quand je l'ai vu surgir de nos tranchées, traverser le no man's land pour se diriger vers les tranchées allemandes. C'était la même silhouette élevée et sombre; il jouait un air étrange et des garçons en uniforme le suivaient. Je te dis que je l'ai vu, Rilla, ce n'était ni le produit de mon imagination ni une illusion. J'ai entendu sa musique, et ensuite... il a disparu. Mais je l'ai vu, et j'ai compris ce que cela signifiait. J'étais parmi ceux qui le suivaient.

«Rilla, le Joueur de pipeau va m'entraîner à ma perte demain, j'en suis sûr. Et je n'ai pas peur. Lorsque tu apprendras la nouvelle, rappelle-toi mes paroles. J'ai gagné ma propre liberté ici, je suis libéré de ma peur. Je n'aurai plus jamais peur de rien, ni de la mort ni de la vie, si jamais je dois continuer à vivre. Et je crois que, pour moi, la vie serait encore plus difficile à affronter, car plus jamais je ne pourrai la trouver belle. Il y aura toujours des souvenirs horribles, des choses qui me rendront la vie laide et douloureuse. Mais que la mort ou la vie soit au bout, je ne crains plus rien, Rilla, et je ne regrette pas d'être venu. Je me sens satisfait. Jamais je n'écrirai les poèmes que j'avais un jour rêvé d'écrire, mais j'aurai contribué à faire du Canada un pays sûr pour les poètes à venir, pour les travailleurs à venir, et pour les rêveurs aussi, pourquoi pas? Car s'il n'y a pas de rêveurs, les travailleurs n'auront aucun rêve à réaliser. J'aurai travaillé pour l'avenir, non seulement celui du Canada mais celui du monde entier, quand la pluie de sang de Langemarck et de Verdun aura fait pousser une moisson dorée. Cela ne se produira pas dans un an ou deux, comme le pensent certaines têtes de linotte, mais dans une génération, une fois que les graines que nous sommes en train de semer auront eu le temps de germer et de croître. Oui, je suis content d'être venu, Rilla. Dans la balance, il n'y a pas seulement le sort de la petite île dans l'océan que j'aime tant, pas seulement celui du Canada ou de l'Angleterre. Il y a le sort de l'humanité. C'est pour cela que nous combattons. Et nous vaincrons, n'en doute pas un seul instant, Rilla. Car il n'y a pas que les vivants qui se battent, il y a aussi les morts. Une telle armée ne peut être défaite.

«Ton visage est-il toujours rieur, Rilla? Je l'espère. Dans les années qui viendront, le monde aura plus que jamais besoin de rire et de courage. Je ne veux pas faire de sermon, ce n'est pas le moment. Mais je veux te dire une chose qui t'aidera à surmonter le pire lorsque tu apprendras que j'ai passé l'arme à gauche. J'ai une prémonition à ton sujet, Rilla. Je pense que Ken te reviendra et qu'il y a devant toi de longues années de bonheur. Et tu parleras à tes enfants de l'Idée pour laquelle j'ai combattu et donné ma vie. Tu leur enseigneras qu'il faut vivre et mourir pour elle, sinon le prix payé aura été inutile. Cela fera partie de ta tâche, Rilla. Et si toi et toutes les filles du pays le font, alors ceux qui seront restés là-bas sauront que vous ne les avez pas trahis.

«J'avais l'intention d'écrire aussi à Una, ce soir, mais je n'aurai pas le temps. Fais-lui lire cette lettre et dis-lui qu'elle vous était destinée à toutes deux, qui êtes des jeunes filles admirables et loyales, chères à mon cœur. Demain, lorsque nous monterons à l'assaut, c'est à vous deux que je penserai, à ton rire, Rilla-ma-Rilla, et aux yeux inaltérablement bleus d'Una. Je vois très clairement ces yeux, ce soir. Oui, vous serez fidèles, Una et toi, j'en suis convaincu. Et maintenant, bonne nuit. Nous monterons à l'assaut demain à l'aube.»

Rilla relut la lettre plusieurs fois. Il y avait une nouvelle lumière dans son visage juvénile et pâle lorsqu'elle se leva enfin, au milieu des asters que Walter aimait tant, auréolée des rayons du soleil de l'automne. Pendant cet instant, du moins, elle surmonta son chagrin et sa solitude.

«Je te serai fidèle, Walter, dit-elle résolument. Je vais travailler, enseigner, apprendre et rire, oui, je vais même rire, jusqu'à la fin de mes jours, à cause de toi et de ce que tu as donné lorsque tu as répondu à l'appel.»

Rilla avait l'intention de garder la lettre de Walter comme un trésor sacré. Mais en voyant l'expression d'Una Meredith lorsque celle-ci, l'ayant lue, la lui tendit, une idée lui traversa l'esprit. Pouvait-elle faire ça? Non, elle ne pouvait renoncer à la lettre de Walter, sa dernière lettre. Elle ne ferait certainement pas preuve d'égoïsme en la conservant. Une copie serait une chose si insignifiante. Pourtant, Una... Una avait si peu, et ses yeux étaient ceux d'une femme blessée au cœur, qui ne pouvait ni pleurer ni demander de la sympathie.

«Una, aimerais-tu garder cette lettre?» demanda-t-elle lentement.

«Oui, si tu peux me la donner», répondit simplement Una.

«Alors, prends-la», se hâta de dire Rilla.

«Merci», dit Una. Ce fut tout, mais il y avait quelque chose dans sa voix qui compensa le petit sacrifice de Rilla.

Una prit la lettre et, après le départ de Rilla, elle la pressa contre ses lèvres. Elle savait que jamais plus l'amour ne lui viendrait, il était enseveli pour toujours sous une terre souillée de sang, «quelque part en France». Personne d'autre qu'elle, sauf peut-être Rilla, ne le savait, ne le saurait jamais. Aux yeux du monde, elle n'avait pas le droit de se plaindre. Il fallait qu'elle cache et endure sa peine de son mieux... seule. Mais elle aussi resterait fidèle.

24

Mary arrive à temps

L'automne 1916 fut une saison difficile pour les gens d'Ingleside. La convalescence de Mme Blythe fut très lente, et tous les cœurs étaient remplis de chagrin et de solitude. Chacun essayait de cacher sa peine aux autres et de continuer à démontrer de l'entrain. Rilla riait beaucoup, mais son rire ne trompait personne, à Ingleside. Seule sa bouche riait, jamais son cœur. Des gens insinuèrent pourtant que certaines personnes surmontaient très facilement les coups durs, et Irene Howard se déclara stupéfaite de découvrir à quel point Rilla était en réalité superficielle. «Mon Dieu, après avoir affiché tant de dévotion à l'égard de Walter, on dirait que sa mort la laisse totalement indifférente. Personne ne l'a jamais vue verser une larme ni entendue prononcer le nom de son frère. Elle l'a complètement oublié, c'est évident. Pauvre garçon, on aurait vraiment cru que sa famille aurait davantage de chagrin. J'ai parlé de lui à Rilla à la dernière réunion de l'unité des jeunes de la Croix-Rouge. Je lui ai dit combien je l'avais trouvé admirable, courageux et splendide, et que la vie ne serait plus jamais la même pour moi à présent que Walter n'était plus là, nous avions été si proches, c'est vrai, après tout, je suis la première personne à qui il avait annoncé son départ, et Rilla m'a répondu d'un ton aussi froid et indifférent que si elle avait parlé d'un parfait étranger: "Il n'est qu'un parmi tous les merveilleux jeunes gens ayant tout sacrifié pour leur pays." Ma foi, j'aimerais bien pouvoir supporter les choses avec autant de calme, mais je ne suis pas faite comme cela. Je suis si sensible, les choses me blessent terriblement, jamais je n'arrive à m'en remettre. J'ai demandé à Rilla pourquoi elle ne portait pas le deuil de Walter et elle m'a répondu que sa mère le préférait ainsi. Mais cela fait jaser tout le monde.»

«Rilla ne porte pas de couleurs, seulement du blanc», protesta Betty Mead.

«Le blanc lui va mieux que tout le reste, répliqua Irene d'un ton lourd de sous-entendus. Et nous savons toutes que le noir ne convient pas du tout à son teint. Évidemment, je ne prétends pas que c'est la raison pour laquelle elle n'en porte pas. C'est seulement bizarre. Si c'était mon frère qui était mort, je porterais le grand deuil. Je n'aurais pas le cœur d'agir autrement. J'avoue que Rilla Blythe me déçoit.»

«Eh bien, pas moi, s'écria loyalement Betty Mead. Je trouve que Rilla est une fille extraordinaire. J'admets qu'il y a quelques années, je la considérais beaucoup trop vaniteuse et fofolle, mais elle a changé. Je ne crois pas qu'il y ait, dans tout le Glen, une fille aussi généreuse et courageuse que Rilla, qui fasse sa part avec autant de constance et de patience. Notre unité serait tombée à l'eau une douzaine de fois sans le tact, la persévérance et l'enthousiasme de Rilla, et tu le sais parfaitement, Irene.»

«Juste ciel, je n'essaie pas de démolir Rilla, protesta Irene en ouvrant de grands yeux. C'est seulement sa froideur que je critique. Ce n'est pas sa faute, j'imagine. C'est vrai qu'elle a un don d'organisatrice, tout le monde le sait. Cela lui plaît beaucoup et j'admets qu'on a besoin de gens comme elle. Je t'en prie, Betty, ne me regarde pas comme si j'avais dit quelque chose d'épouvantable. Je suis tout à fait prête à affirmer que Rilla Blythe est l'incarnation de toutes les vertus, si cela te fait plaisir. Et c'est sans aucun doute une vertu d'être capable de rester de glace devant des choses qui anéantiraient la plupart des gens.»

Certaines des remarques d'Irene furent rapportées à Rilla. Cela ne la blessa pourtant pas comme cela l'aurait fait auparavant. Elle ne s'en soucia pas. La vie était trop importante pour laisser place à la mesquinerie. Rilla avait un pacte à respecter et un travail à accomplir. Et elle assuma fidèlement sa tâche tout au long des jours et des semaines interminables de ce désastreux automne. Les nouvelles qu'on recevait de la guerre étaient constamment mauvaises, car l'Allemagne remportait sur la malheureuse Roumanie victoire sur victoire. «Des étrangers, des étrangers, marmonnait Susan d'un air dubitatif. Qu'ils soient Russes, Roumains ou quoi que ce soit, ce sont tous des étrangers et on peut pas se fier à eux. Mais après Verdun, je refuse d'abandonner espoir. Et pouvez-vous me dire, chère Mme Docteur, si Dobruja est un fleuve, une chaîne de montagnes ou une condition climatique?»

L'élection présidentielle aux États-Unis eut lieu en novembre et passionna Susan, qui eut cependant honte de sa fébrilité.

«J'aurais jamais cru que j'pourrais un jour m'intéresser à une élection américaine, chère Mme Docteur. Ça prouve qu'on peut jamais savoir ce qui nous pend au bout du nez et qu'on a donc aucune raison d'être orgueilleux.»

Susan veilla très tard la nuit du sept, ostensiblement pour terminer une paire de chaussettes. Mais elle téléphona régulièrement au magasin de Carter Flagg ct, lorsqu'elle apprit la victoire de Hughes, elle monta solennellement à la chambre de Mme Blythe; là, debout au pied du lit, elle lui annonça la nouvelle dans un murmure plein de joie contenue.

«J'ai pensé que si vous dormiez pas, la nouvelle vous intéresserait. À mon avis, c'est la meilleure chose qui pouvait arriver. Peut-être qu'il fera rien d'autre que rédiger des lettres, lui aussi, mais j'aurais tendance à lui faire confiance.

J'ai jamais été très portée sur les moustaches, mais on peut pas tout avoir.»

Lorsque, au matin, on apprit qu'en fin de compte, Wilson avait été réélu, Susan changea son fusil d'épaule. Il lui fallait à tout prix se montrer optimiste.

«Eh bien, vaut mieux un fou qu'on connaît qu'un fou qu'on connaît pas, comme on dit, remarqua-t-elle avec bonne humeur. Non pas que j'considère Woodrow comme un imbécile, même si, des fois, on se demande s'il a toute sa tête. Mais il sait au moins écrire des lettres et on sait pas si ce Hughes en est même capable. Tout compte fait, je félicite les Américains. Ils ont fait preuve de bon sens, j'veux bien l'admettre. Cousine Sophia voulait qu'ils élisent Roosevelt et elle est très dépitée qu'ils ne lui aient pas donné sa chance. J'avais moi-même un faible pour lui, mais il faut croire que c'était pas dans les desseins de la Providence et, par conséquent, nous montrer satisfaits, même si j'arrive pas à me figurer ce que sont les desseins du Très-Haut dans cette affaire roumaine, soit dit avec tout le respect qui Lui est dû.»

Susan se les figura pourtant, du moins le crut-elle, lorsque le cabinet d'Asquith fut renversé et que Lloyd devint premier ministre.

«C'est finalement Lloyd George qui est à la barre, chère Mme Docteur. Ça faisait des jours que je priais pour que ça arrive. À présent, on est à la veille d'assister à un changement positif. Il a fallu l'hécatombe roumaine, rien de moins, pour y parvenir, et c'est pour ça que ce désastre a eu lieu, même si on pouvait pas le comprendre sur le moment. La valse-hésitation est terminée. Je considère que la guerre est pour ainsi dire gagnée et j'en démordrai pas, que Bucarest tombe ou non.»

Bucarest tomba cependant, et l'Allemagne lui proposa une paix négociée. Susan fit la sourde oreille et refusa absolument de prêter l'oreille à ces suggestions. Lorsque, en décembre, Wilson fit parvenir sa célèbre proposition de paix, Susan réagit en se montrant violemment sarcastique.

«Si j'comprends bien, Woodrow Wilson veut faire la paix. Tout d'abord, Henry Ford a fait une tentative, et voilà que Wilson s'y met. Mais c'est pas avec de l'encre qu'on fait la paix, Woodrow, tu peux me croire sur parole», vitupéra Susan, apostrophant le malheureux président à partir de la fenêtre de la cuisine orientée vers les États-Unis. «Le discours de Lloyd George va dire son fait au Kaiser, alors tu ferais mieux de garder tes demandes de paix chez vous. Ça te fera économiser des timbres.»

«Quel dommage que le président Wilson ne puisse t'entendre, Susan», remarqua hypocritement Rilla.

«Pour dire vrai, très chère Rilla, c'est dommage qu'il n'y ait personne près de lui pour lui donner de bons conseils, et c'est clair qu'aucun de ces Républicains et Démocrates ne lui en donne, rétorqua Susan. J'sais pas ce qui les différencie, parce que j'ai beau étudier la politique américaine, elle reste pour moi un casse-tête irrésoluble. Mais d'après ce que j'peux comprendre de ce méli-mélo, ajouta-t-elle en hochant la tête d'un air sceptique, j'ai bien peur qu'ils soient tous à mettre dans le même sac.»

«Je suis contente que Noël soit passé, écrivit Rilla dans son journal au cours de la dernière semaine d'un décembre maussade. Nous l'appréhendions tellement: c'était le premier Noël depuis Courcelette. Mais les Meredith sont venus dîner et personne n'a essayé de se montrer gai ou jovial. Nous sommes simplement restés calmes et amicaux et cela a été d'un grand secours. Et puis, j'étais soulagée que Jims soit guéri, si soulagée que je me suis sentie presque heureuse, presque, mais pas tout à fait. Je me demande si quelque chose pourra vraiment me rendre de nouveau heureuse, un jour. C'est comme si on avait tué le bonheur en moi, comme s'il avait été abattu par le même boulet qui a transpercé le cœur de Walter. Un jour, peut-être, mon âme connaîtra-t-elle un nouveau genre de bonheur; l'ancien, lui, est mort à jamais.

«L'hiver a été affreusement précoce, cette année. Dix jours avant Noël, nous avons eu une grosse tempête de neige, du moins l'avons-nous trouvée grosse, sur le moment. Il s'est avéré cependant qu'elle n'était qu'un prélude à ce qui nous attendait. Il a fait beau le lendemain; Ingleside et la vallée Arc-en-ciel avaient un aspect extraordinaire, avec les arbres couverts de neige et d'énormes congères sculptées dans les formes les plus fabuleuses par le ciseau du nordet. Papa et maman se sont mis en route pour Avonlea. Papa pensait que le changement ferait du bien à maman et ils voulaient voir la pauvre tante Diana dont le fils Jack avait été grièvement blessé peu de temps auparavant. Ils m'ont laissée à la maison avec Susan. Papa prévoyait être de retour le lendemain, mais il n'a pu revenir avant une semaine. Cette nuit-là, la tempête a repris de plus belle et a duré quatre jours. C'est la tempête la plus longue et la plus dévastatrice que l'Île-du-Prince-Édouard ait connue depuis des années. Tout était désorganisé: les routes bloquées, les trains arrêtés et les fils téléphoniques hors d'usage.

«C'est alors que Jims est tombé malade. Il avait un petit rhume au moment du départ de papa et de maman. Son état a empiré pendant deux jours, mais jamais je n'ai pensé qu'il pouvait couver quelque chose de grave. Je n'ai même pas pris sa température et je ne pourrai jamais me pardonner cette négligence. La vérité, c'est que j'étais déprimée. Maman étant absente, je me suis laissée aller. Tout à coup, j'en ai eu assez de maintenir la forme et de feindre la bravoure et la bonne humeur. J'ai perdu pied pendant quelques jours, passant la majorité de mon temps effondrée dans mon lit à pleurer. J'ai négligé Jims, c'est l'atroce vérité, j'ai été lâche et j'ai manqué à la promesse faite à Walter. Si Jims était mort, j'aurais eu des remords le reste de mes jours.

«Donc, le troisième soir après le départ de mes parents, l'état de Jims est soudain devenu alarmant, vraiment alarmant. J'étais seule avec Susan. Gertrude s'était rendue à Lowbridge avant le début de la tempête et n'avait pu revenir. Pour commencer, nous ne nous sommes pas inquiétées outre mesure. Jims avait déjà eu plusieurs crises de croup et Susan,

Morgan et moi en étions toujours venues à bout sans problèmes. Avant peu, nous avons cependant été saisies de panique. "C'est la première fois que je vois un croup comme ça", a dit Susan. Quant à moi, j'ai compris trop tard de quel genre de croup il s'agissait. J'ai compris que ce n'était pas une laryngite ordinaire, le "faux croup", comme disent les médecins, mais que c'était le "vrai croup", ou laryngite diphtérique, une maladie dangereuse et souvent mortelle. Papa était absent, le médecin le plus proche se trouvait à Lowbridge, nous ne pouvions téléphoner, et ni un homme ni un cheval n'auraient pu traverser les bancs de neige ce soir-là.

«Le petit Jims luttait vaillamment contre la mort; Susan et moi lui donnions tous les remèdes auxquels nous pouvions penser ou que nous pouvions trouver dans les livres de papa, mais son état ne cessait de se détériorer. Cela fendait l'âme de le voir et de l'entendre. Le pauvre trésor avait tant de peine à respirer qu'il râlait, puis son visage a affreusement bleui et a pris une expression de souffrance épouvantable, mais il continuait pourtant à lutter avec ses petites mains, comme s'il nous suppliait de l'aider. La pensée que les garçons qui avaient été gazés au front devaient avoir cette apparence m'a traversé l'esprit et a continué à me hanter au milieu de la terreur que j'éprouvais. Et pendant tout ce temps, la membrane fatale dans sa petite gorge ne cessait de grossir et d'épaissir et il ne pouvait la rejeter. Oh! J'étais comme folle! Avant cet instant, jamais je ne m'étais rendu compte à quel point Jims m'était cher. Et je me sentais si totalement impuissante.

«Puis, Susan a abandonné. "On pourra pas le sauver. Oh! Si seulement ton père était là! Regarde-le, le pauvre petit! J'sais plus quoi faire."

«J'ai regardé Jims et j'ai cru qu'il était en train de succomber. Susan le soutenait dans son berceau pour l'aider à respirer, mais il avait l'air absolument incapable de retrouver son souffle. Mon petit bébé de guerre, avec ses manières adorables et son joli visage coquin, était en train d'asphyxier sous mes yeux, et je ne pouvais l'aider. Je laissai tomber le cataplasme chaud que j'avais préparé en désespoir de cause. À quoi pouvait-il servir? Jims allait mourir, c'était ma faute, je n'avais pas pris soin de lui!

«C'est alors que, à onze heures du soir, on sonna à la porte. Et avec une telle énergie que le bruit résonna dans toute la maison, couvrant le rugissement de la tempête. Comme Susan ne pouvait aller répondre, n'osant pas coucher Jims, je dévalai l'escalier. Je m'arrêtai un instant dans le corridor, soudain submergée par une frayeur absurde. Je me rappelais une histoire étrange que Gertrude m'avait racontée. Un soir, une de ses tantes se trouvait seule à la maison avec son mari malade. On frappa à la porte. Elle alla répondre, mais il n'y avait rien, du moins, rien de visible. Mais lorsqu'elle ouvrit la porte, un vent glacial pénétra dans la maison et sembla monter l'escalier, bien que ce fût une calme et chaude nuit d'été. Elle entendit alors un cri et se précipita à l'étage. Son mari venait de rendre l'âme. Selon Gertrude, sa tante a toujours pensé qu'en ouvrant la porte, elle avait laissé entrer la mort.

«C'était ridicule de ma part d'avoir si peur. Mais j'étais si affolée, si épuisée que, pendant un instant, j'eus l'impression que je n'aurais pas le courage d'ouvrir, car la mort attendait de l'autre côté. Puis je me dis qu'il n'y avait pas de temps à perdre et que je ne devais pas me montrer aussi stupide, et je courus ouvrir.

«Un vent glacial souffla en effet et pénétra dans le couloir en même temps qu'un tourbillon de neige. Mais sur le seuil se tenait une forme en chair et en os, Mary Vance, couverte de neige de la tête aux pieds, et c'était la vie qu'elle apportait, non pas la mort. À ce moment-là, je l'ignorais encore. Je la regardai fixement.

«"J'ai pas été mise à la porte, expliqua-t-elle avec un sourire en entrant et en fermant la porte. J'étais allée chez Carter Flagg il y a deux jours et depuis, la tempête m'a empêchée de repartir. Mais le vieil Abbie Flagg a fini par me tomber sur les nerfs et ce soir, j'ai décidé de venir ici.

J'pensais être capable de venir ici à pied, mais je t'assure que c'était pas de la tarte. À un moment, j'ai cru que j'pourrais plus avancer. Quelle nuit épouvantable, pas vrai?"

«Je suis revenue à la réalité et j'ai compris que je devais me hâter de remonter. J'ai brièvement expliqué la situation à Mary et je l'ai laissée en train d'essayer de secouer la neige de son manteau. En haut, Jims venait de surmonter un paroxysme, mais je n'étais pas aussitôt entrée dans la chambre qu'il se trouvait aux prises avec un autre. Je ne pouvais rien faire d'autre que gémir et pleurer. Oh! J'ai si honte quand j'y pense. Et pourtant, que pouvions-nous faire? Nous avions tout essayé. Et tout à coup, j'ai entendu Mary Vance derrière moi qui s'exclamait: "Seigneur, cet enfant est en train de mourir!"

«Je me suis retournée brusquement. Je savais bien que mon petit Jims était à l'agonie! À ce moment-là, j'aurais pu jeter Mary Vance à la porte, ou par la fenêtre. Elle était là, froide et posée, qui regardait mon bébé avec ses étranges yeux blancs, comme elle aurait regardé un chaton en convulsions. Je n'avais jamais aimé Mary Vance, mais là, je la détestai.

«"Nous avons tout essayé, expliqua la pauvre Susan. C'est pas le croup ordinaire."

«"Non, c'est le croup diphtérique, répondit vivement Mary en saisissant un tablier. Et il reste plus une minute à perdre. Mais j'sais ce qu'il faut faire. Il y a des années, quand j'vivais chez Mme Wiley de l'autre côté du port, le fils de Will Crawford est mort du croup diphtérique malgré la présence de deux médecins. Et quand la vieille Christina MacAllister l'a appris, c'est elle qui m'a sauvée quand j'étais en train de mourir d'une pneumonie, vous savez, elle était extraordinaire, elle aurait pu en remontrer à n'importe quel docteur, il s'en fait plus comme elle de nos jours, c'est moi qui vous le dis, en tout cas, elle a dit que si elle avait été là, elle lui aurait sauvé la vie avec le remède de sa grand-mère. Elle a expliqué à Mme Wiley ce que c'était, et je l'ai jamais oublié.

J'ai une mémoire d'éléphant, les choses me restent dans la tête jusqu'à ce que vienne le temps de m'en servir. Vous avez de l'acide sulfurique dans la maison, Susan?"

«Nous en avions. Susan descendit le chercher avec Mary pendant que je soutenais Jims. J'avais perdu tout espoir. Mary Vance pouvait bien faire la fanfaronne, comme d'habitude, je ne croyais pas qu'un remède de bonne femme pourrait sauver Jims. Mary revint dans la pièce. Elle avait couvert sa bouche et son nez d'une bande d'épaisse flanelle et tenait à la main une vieille casserole de Susan, à demi remplie de charbons brûlants.

«"Regardez-moi bien, dit-elle avec assurance. C'est la première fois que j'fais ça, mais ça va le guérir ou l'achever. De toute façon, il agonise."

«Elle saupoudra une cuillerée d'acide sulfurique sur les charbons, puis elle prit Jims, le retourna et lui tint le visage au-dessus de cette fumée étouffante et aveuglante. J'ignore pourquoi je n'ai pas bondi pour lui arracher mon enfant. Susan prétend que c'est une question de prédestination, et je crois qu'elle n'a pas tort, car j'étais vraiment incapable de faire un mouvement. Même Susan, qui regardait Mary dans l'embrasure de la porte, avait l'air pétrifiée. Jims se tordait dans les grandes mains fermes et adroites de Mary — c'est vrai qu'elle est adroite! — il s'étouffait et sifflait, s'étouffait et sifflait encore, et j'avais l'impression qu'on était en train de le torturer lorsque soudain, après ce qui me parut une heure bien que ce fût beaucoup moins long, il expectora la membrane qui le tuait. Mary le retourna et le remit dans son lit. Il était blanc comme du marbre et des torrents de larmes coulaient de ses yeux bruns, mais ce terrible aspect livide avait disparu de son visage et il respirait plus facilement.

«"C'est tout un truc, pas vrai? s'écria gaiement Mary. J'avais aucune idée de comment ça allait fonctionner, mais j'ai couru le risque. J'vais lui faire une ou deux autres fumigations avant le matin pour tuer tous les germes, mais tu vas voir qu'il ira mieux, maintenant."

«Jims s'endormit aussitôt, d'un vrai sommeil, sans tomber dans le coma, comme je l'avais d'abord craint. Mary le "fuma", selon son expression, deux autres fois au cours de la nuit, et quand le jour se leva, sa gorge était parfaitement claire et sa température était redevenue presque normale. Après m'en être assurée, je me retournai et regardai Mary Vance. Elle était assise sur le sofa en train de donner des conseils à Susan sur un sujet que celle-ci connaissait quarante fois mieux que Mary. Mais elle pouvait bien donner autant de conseils qu'elle le voulait. Elle pouvait bien se vanter, elle en avait le droit, elle avait osé faire ce que je n'aurais jamais eu le courage de faire et elle avait sauvé Jims d'une mort horrible. Cela n'avait plus aucune importance qu'elle m'eût un jour poursuivie à travers le village avec une morue séchée, qu'elle eût maculé mon rêve d'amour avec de la graisse d'oie la nuit du bal au phare, qu'elle pensât toujours en savoir plus long que les autres et ne cessât pas de le répéter, jamais plus je ne détesterais Mary Vance. J'allai vers elle et l'embrassai.

«"Qu'est-ce qui te prend?" s'étonna-t-elle.

«"Rien. Je te suis reconnaissante, c'est tout, Mary."

«"Et avec raison, c'est vrai. Ce bébé vous serait mort dans les bras si j'étais pas arrivée", répondit-elle, rayonnante de fatuité. Elle nous prépara, à Susan et à moi, un savoureux petit déjeuner et insista pour que nous le mangions, puis elle nous "régenta", comme le disait Susan, pendant deux jours, jusqu'à ce que les routes fussent ouvertes et qu'elle pût rentrer chez elle. Jims était alors pratiquement rétabli et papa arriva. Il écouta notre histoire sans passer de commentaires. Papa juge toujours avec un certain mépris ce qu'il appelle les "remèdes de bonne femme". Il se contenta de remarquer, avec un petit rire: "Après ça, Mary Vance va s'attendre à ce que je l'appelle en consultation pour tous mes cas graves."

«Ainsi, Noël a été moins difficile que je l'avais craint. Et nous voilà à l'aube de la nouvelle année. Nous espérons encore que la grande poussée mettra un terme à la guerre. Le chien Lundi a les membres raides et perclus de rhumatismes à force de passer ses nuits au froid, mais il ne se laisse pas abattre. Shirley continue à lire les exploits des aviateurs. Oh! 1917, que nous réserves-tu?»

25

Shirley s'en va

«Non, Woodrow, il n'y aura pas de paix sans victoire, décréta Susan en transperçant de son aiguille à tricoter le nom du président Wilson dans une colonne du journal. Nous autres, Canadiens, voulons la paix et la victoire. Si ça te plaît à toi, Woodrow, tu peux bien accepter une paix désho-norante», conclut Susan en allant se coucher avec la satis-faction d'avoir eu le dernier mot dans sa prise-de-bec avec le président. Deux jours plus tard, elle se précipita néanmoins vers Mme Blythe, dans un état de grande excitation.

«Qu'est-ce que vous pensez de ça, chère Mme Docteur? On vient d'apprendre par un message téléphonique de Charlottetown que Woodrow Wilson a fini par expulser l'ambassadeur allemand. Il paraît que ça signifie la guerre. J'commence donc à croire que Woodrow a le cœur au bon endroit, peu importe où est sa tête. J'vais aller réquisitionner un peu de cassonade et faire du sucre à la crème pour célé-brer l'événement, malgré les hauts cris du Bureau de ration-nement. J'pensais bien que cette histoire de sous-marins allait provoquer une crise. C'est ce que j'ai dit à cousine Sophia lorsqu'elle a suggéré que c'était le commencement de la fin pour les Alliés.»

«Veillez à ce que le docteur ne sache rien à propos du sucre à la crème, Susan, répondit Anne avec un sourire. Vous savez qu'il a établi des règles très strictes conformes aux mesures d'économie mises de l'avant par le gouvernement.»

«Ne craignez rien, chère Mme Docteur. Un homme doit être maître chez lui et ses femmes doivent se soumettre à sa volonté. Je me flatte d'être moi-même devenue très efficace en matière d'économie, ajouta-t-elle avec ce terrible accent allemand qu'elle s'était mise à imiter depuis peu, mais on peut bien faire un petit accroc à la règle de temps en temps. Shirley avait envie de manger de mon sucre à la crème l'autre jour, la spécialité de Susan, comme il l'appelle, et je lui ai promis de lui en faire à la première victoire. Je considère que cette nouvelle équivaut à une victoire et comme le docteur en saura rien, ça pourra pas lui faire de mal. J'en prends toute la responsabilité, chère Mme Docteur, alors ayez la conscience en paix.»

Susan gâta Shirley sans vergogne, cet hiver-là. Il revenait de Queen's toutes les fins de semaine et Susan lui préparait tous ses mets préférés, pour autant qu'elle pouvait échapper à la vigilance du docteur, et elle veillait sur son confort. Quoique la guerre fût son seul sujet de conversation, jamais elle ne l'abordait devant lui. Mais elle le surveillait comme un chat guette une souris, et lorsque les troupes allemandes commencèrent et continuèrent à se retirer de Bapaume, la joie de Susan fut liée à quelque chose de plus profond que ce qu'elle exprima. La fin était certainement en vue, et elle se produirait avant que... quelqu'un d'autre... ait le temps de partir.

«Les choses se rangent finalement de notre côté, annonça-t-elle triomphalement à cousine Sophia. Les États-Unis ont fini par déclarer la guerre, comme je l'avais toujours prédit, malgré la manie de Woodrow de rédiger des lettres, et tu vas voir qu'ils vont s'y lancer avec vigueur, parce que, d'après c'que je comprends, ils font pas les choses à moitié une fois qu'ils ont commencé. Et on a pris les Allemands de court, aussi.»

«Les États sont bien intentionnés, répondit cousine Sophia d'une voix geignarde, mais toute la vigueur du monde pourra pas les mettre sur la ligne de feu avant le printemps et les Alliés seront battus avant ça. Les Allemands font juste semblant. Ce Simonds prétend que cette retraite a piégé les Alliés.»

«Ce Simonds parle beaucoup trop, rétorqua Susan. Tant et aussi longtemps que Lloyd George sera le premier ministre de l'Angleterre, l'opinion de Simonds me fera ni chaud ni froid. Lloyd George ne se laissera pas duper, tu peux en être sûre. Quant à moi, j'vois les choses d'un bon œil. Les États sont entrés en guerre, nous avons repris Kut et Bagdad, et j'serais pas surprise de voir les Alliés à Berlin dès le mois de juin, et les Russes aussi, puisqu'ils se sont débarrassés du tsar. À mon avis, on a fait pas mal de progrès.»

«L'avenir nous le dira», conclut cousine Sophia, qui aurait réagi avec indignation si on lui avait dit qu'elle préférait encore voir Susan humiliée dans ses dons de prophétesse qu'un renversement de la tyrannie ou même l'avance des Alliés vers Unter den Linden. Mais c'est vrai qu'elle ignorait tout des problèmes du peuple russe et que cette Susan, exaspérante dans son optimisme, était comme une épine dans son flanc.

À ce moment, Shirley, ce garçon basané, costaud et resplendissant de santé, assis sur le bord de la table du salon à balancer ses jambes, disait avec désinvolture: «Maman et papa, j'ai eu dix-huit ans lundi dernier. Vous ne pensez pas qu'il serait temps que je m'enrôle?»

Sa mère pâlit.

«Deux de mes fils sont partis et l'un d'eux ne reviendra jamais. Dois-je aussi renoncer à toi, Shirley?»

C'était un cri vieux comme le monde. «Joseph n'est plus, Siméon non plus et vous voulez prendre aussi Benjamin.» Les mères de la Grande Guerre se faisaient l'écho des lamentations d'un patriarche mort depuis des siècles.

«Tu ne voudrais pas que je sois un déserteur, maman? Je

peux m'enrôler dans l'aviation. Qu'est-ce que t'en dis, papa?»

Les mains du docteur tremblaient un peu pendant qu'il enveloppait le médicament qu'il concoctait pour les rhumatismes d'Abbie Flagg. Il avait eu beau s'être attendu à cette éventualité, il n'était pas encore tout à fait prêt à l'affronter. Il répondit lentement. «Je ne veux pas t'empêcher de faire ce que tu crois être ton devoir. Mais tu dois obtenir le consentement de ta mère.»

Shirley n'ajouta rien. Il n'était pas bavard. Sur le moment, Anne ne dit rien non plus. Elle pensait à la tombe de la petite Joyce dans le vieux cimetière de l'autre côté du port, la petite Joyce qui serait à présent une femme, si elle avait vécu. Elle pensait à une croix blanche là-bas, en France, et aux superbes yeux gris de l'enfant à qui elle avait enseigné la loyauté et le sens des responsabilités. Elle pensait à Jem dans les affreuses tranchées, et à Nan, Di et Rilla qui attendaient, attendaient encore et toujours pendant que les belles années de leur jeunesse s'enfuyaient, et elle se demandait si elle pourrait en supporter davantage. Elle croyait que non. Elle avait certainement fait suffisamment de sacrifices.

Et pourtant, ce soir-là, elle autorisa Shirley à partir.

Pour commencer, ils n'en parlèrent pas à Susan. Elle ignora tout jusqu'à ce que, quelques jours plus tard, Shirley aille la voir dans la cuisine, revêtu de son uniforme d'aviateur. Elle ne fit pas la moitié des chichis qu'elle avait faits au moment du départ de Jem et de Walter. Elle se contenta de constater d'un ton glacé: «Comme ça, ils vont te prendre, toi aussi?»

«Me prendre? Non. C'est moi qui pars, Susan. Il le faut.»

Susan s'assit à la table et croisa, pour les empêcher de trembler, ses mains noueuses, ses mains qui s'étaient déformées et tordues à force de travailler pour les enfants d'Ingleside.

«Oui, il le faut, dit-elle. Avant, je ne comprenais pas pourquoi ces choses devaient arriver, mais je le comprends, à présent.»

«Tu es formidable, Susan», dit Shirley. Il était soulagé qu'elle ait pris la chose aussi froidement. Il avait eu un peu peur, ayant, comme la plupart des garçons, horreur des «scènes». Il sortit de la pièce en sifflotant gaiement. Mais une demi-heure plus tard, lorsque Anne Blythe, toute pâle, entra dans la cuisine, Susan n'avait pas bougé.

«Chère Mme Docteur, je me sens très vieille», déclara-t-elle alors qu'auparavant, elle aurait préféré mourir plutôt que de l'admettre. «Jem et Walter étaient à vous, mais Shirley m'appartient. Et j'suis pas capable de l'imaginer en train de voler, d'imaginer son engin qui s'écrase, et la vie qui s'échappe de son corps, le cher petit corps que j'ai cajolé et soigné quand il n'était encore qu'un tout petit bébé.»

«Non, arrêtez, Susan!» s'écria Anne.

«Oh! Je vous demande pardon, chère Mme Docteur. J'devrais pas dire une chose comme ça à voix haute. Il m'arrive d'oublier que j'ai décidé d'être une héroïne. Mais cela... cela m'a quelque peu bouleversée. Au moins, ajouta la pauvre Susan en esquissant un sourire forcé, c'est propre, dans l'aviation. Il ne se salira pas comme dans les tranchées, et c'est une bonne chose parce qu'il a toujours été un enfant soigneux.»

Shirley partit donc; son départ n'avait pas l'éclat de celui de Jem, qui paraissait aller vers l'aventure, ni la flamme pâle du sacrifice qui animait Walter. Il partit simplement, comme quelqu'un qui a une tâche à assumer, bien qu'elle ne soit ni très propre ni très agréable. Il embrassa Susan pour la première fois depuis qu'il avait dépassé l'âge de cinq ans, en disant: «Au revoir, Susan, maman Susan.»

«Mon petit garçon brun, mon petit garçon brun», murmura-t-elle, en songeant avec amertume, devant l'expression soucieuse du docteur: «Je me demande si vous vous souvenez de la fessée que vous lui avez administrée quand il n'était encore qu'un bébé. En ce moment, je suis bien contente de n'avoir rien de tel sur la conscience.»

Le docteur avait oublié cette vieille correction. Mais

avant de coiffer son chapeau pour aller visiter ses malades, il s'arrêta un instant dans le grand salon qui avait un jour résonné de tant de rires d'enfants.

«Notre dernier garçon, notre dernier fils, prononça-t-il à voix haute. Un bon garçon robuste et intelligent. Il m'a toujours fait penser à mon père. Je suppose que je devrais être fier qu'il veuille partir, je l'étais lorsque Jem et Walter sont partis. Mais notre maison est à présent si désolée.»

«J'me disais, docteur, que votre maison allait avoir l'air bien grande aujourd'hui», lui dit le vieux Sandy du Glen-En-Haut, cet après-midi-là.

Cette remarque étrange de Sandy l'Écossais frappa le docteur. Elle exprimait tout à fait la réalité. Ingleside parut vraiment grand et vide, ce soir-là. Pourtant, Shirley avait été absent tout l'hiver, ne revenant que la fin de semaine, et il avait toujours été un garçon tranquille. Était-ce parce qu'il était le dernier à partir que son départ semblait laisser un si grand vide? Chaque pièce paraissait désertée; même les arbres, sur la pelouse, se caressaient de leurs branches garnies de bourgeons, comme s'ils cherchaient à se consoler l'un l'autre de la perte du dernier enfant qui avait autrefois joué à leurs pieds.

Susan travailla dur toute la journée et jusque très tard dans la nuit. Après avoir remonté l'horloge de la cuisine et mis, sans trop de délicatesse, Dr Jekyll dehors, elle resta quelques instants sur le seuil de la porte à contempler le Glen immobile dans la faible lumière argentée d'une jeune lune noyée. Mais elle ne voyait ni les collines ni le port familiers. C'était le camp des aviateurs qu'elle regardait, là où Shirley se trouvait, ce soir-là.

«Il m'a appelée maman Susan, songeait-elle. Eh bien, voilà que tous nos hommes sont partis, Jem, Walter, Shirley, Jerry et Carl. Et on n'a pas été obligé de leur forcer la main. On a donc le droit de se sentir fier. Mais il va sans dire que la fierté est pas une compagne très chaleureuse», conclut Susan en soupirant amèrement.

La lune se cacha derrière un nuage noir, à l'ouest, et cette éclipse soudaine plongea le Glen dans l'ombre. Pendant ce temps-là, à des milliers de milles, les soldats canadiens, vivants et morts, libéraient Vimy. Vimy est un nom inscrit en lettres rouges et or dans les annales canadiennes de la Première Guerre mondiale. «Les Britanniques et les Français étaient incapables de prendre Vimy, confia un prisonnier allemand à ceux qui l'avaient capturé, mais vous autres, les Canadiens, êtes tellement fous que vous ignorez quand un endroit est imprenable.»

C'est ainsi que les «fous» prirent la ville et en payèrent le prix.

Jerry Meredith fut grièvement blessé à Vimy, «tiré dans le dos», comme le précisa le télégramme.

«Pauvre Nan», soupira Mme Blythe en apprenant la nouvelle. Elle songeait à sa propre jeunesse heureuse aux Pignons verts. À l'époque, on ne vivait pas de tragédies comme celle-là. Comme les jeunes filles souffraient, aujourd'hui! Lorsque Nan revint de Redmond deux semaines plus tard, ce qu'elle venait d'endurer était clairement écrit sur son visage. Quant à John Meredith, il avait pris un sérieux coup de vieux. Faith ne rentra pas chez elle; elle était en train de traverser l'Atlantique à titre de volontaire. Di avait tenté de soutirer le consentement de son père pour faire la même chose, mais il le lui avait refusé, lui expliquant que c'était pour le bien de sa mère. Après une visite éclair, Di retourna donc travailler pour la Croix-Rouge à Kingsport.

Les fleurs de mai s'épanouirent dans leurs petites cachettes de la vallée Arc-en-ciel. Jem apportait autrefois les premières écloses à sa mère; après son départ, Walter avait pris la relève; le printemps précédent, c'était Shirley qui les avait cueillies; désormais, songea Rilla, c'était à elle de le faire. Mais avant qu'elle eût pu en trouver, Bruce Meredith se présenta un soir à Ingleside, les mains pleines de ces délicates fleurs roses. Il grimpa les marches de la véranda et déposa son bouquet sur les genoux de Mme Blythe.

«C'est parce que Shirley n'est pas là pour vous les apporter», annonça-t-il à sa façon directe et amusante.

«Et tu y as pensé! Tu es un amour!» s'écria Mme Blythe, les lèvres tremblantes, en regardant le petit garçon robuste aux sourcils noirs qui se tenait debout devant elle, les mains enfoncées dans les poches.

«J'ai écrit à Jem aujourd'hui pour lui dire de ne pas s'inquiéter à propos de vos fleurs de mai, reprit sérieusement Bruce, parce que j'allais m'occuper de ça. Et je lui ai dit que j'étais à la veille d'avoir dix ans et que ça ne serait plus très très long avant que j'aie dix-huit ans et qu'alors je pourrais aller leur donner un coup de main. Peut-être aussi qu'il pourrait venir ici se reposer un peu pendant que je le remplacerais. Et j'ai aussi écrit à Jerry. Il va mieux, vous savez.»

«Oh! merci mon Dieu», murmura Mme Blythe.

Bruce la regarda d'un air curieux.

«C'est aussi ce que papa a dit quand maman lui a appris la nouvelle. Mais lorsque moi je l'ai dit en découvrant que le chien de M. Mead n'avait pas blessé mon chaton — je croyais qu'il l'avait tué à force de le secouer, vous savez —, papa m'a regardé d'un air terriblement solennel et il m'a ordonné de ne jamais redire ces mots en parlant d'un chat. Mais j'arrive pas à comprendre pourquoi, Mme Blythe. J'étais rudement heureux, et c'est sûrement Dieu qui avait sauvé Grisou, parce que le chien des Mead a des mâchoires énormes et oh! si vous l'aviez vu secouer mon pauvre Grisou. Alors, pourquoi est-ce que je n'avais pas le droit de Le remercier? Évidemment, ajouta Bruce, l'air songeur, je l'ai peut-être dit trop fort, parce que j'étais tellement content et excité quand j'ai vu que Grisou n'avait pas de mal. Je l'ai pratiquement crié, Mme Blythe. J'aurais peut-être mieux fait de le murmurer comme vous et papa. Savez-vous, Mme Blythe, continua Bruce en chuchotant, tout en se rapprochant d'Anne, ce que j'aimerais faire au Kaiser?»

«Qu'est-ce que c'est, mon petit?»

«Aujourd'hui, Norman Reese a dit qu'il aimerait attacher

le Kaiser à un arbre et lancer sur lui des chiens méchants,
expliqua gravement Bruce. Et Emily Flagg a dit qu'elle le
mettrait dans une cage et enfoncerait des lames dans son
corps. Tout le monde a dit des choses comme ça, mais moi,
poursuivit Bruce en sortant une petite patte brune de sa
poche pour la poser avec confiance sur le genou d'Anne,
j'aimerais le transformer en un homme bon, très bon. Voilà
ce que je ferais. Vous ne pensez pas que ce serait le pire
châtiment de tous?»

«Cher enfant, dit Susan, comment peux-tu croire que ce
serait un châtiment pour cette âme damnée?»

«Vous ne croyez pas, demanda Bruce en plongeant ses
yeux bleu foncé dans ceux de Susan, que s'il devenait bon, il
comprendrait à quel point il a été méchant et qu'il aurait
tant de remords qu'il serait encore plus malheureux que jamais? Il se sentirait terriblement mal, et ça ne finirait jamais.
Oui, conclut Bruce en joignant les mains et en hochant la
tête d'un air convaincu, je transformerais le Kaiser en un
homme bon, voilà ce que je ferais, c'est tout ce qu'il mérite.»

26

Susan reçoit une demande en mariage

Un avion volait au-dessus de Glen St. Mary, semblable à un gros oiseau suspendu dans le ciel, à l'ouest, un ciel si clair, d'un jaune argenté si pâle qu'il donnait l'impression d'un vaste espace libre, rafraîchi par le vent. Sur la pelouse d'Ingleside, un petit groupe regardait en l'air avec des yeux fascinés, bien qu'il n'y eût rien d'extraordinaire à voir un avion planer à l'occasion dans le ciel, cet été-là. Susan se sentait toujours intensément fébrile. Qui sait, c'était peut-être l'avion de Shirley qui, ayant décollé de Kingsport, volait à présent dans les nuages, au-dessus de l'Île? Mais comme Shirley se trouvait à présent en Europe, cet avion et son pilote revêtaient moins d'intérêt pour Susan, qui le regardait néanmoins avec un respect mêlé de crainte.

«J'me demande, chère Mme Docteur, dit-elle d'un ton solennel, ce que les vieux couchés là dans le cimetière penseraient s'ils pouvaient sortir de leurs tombes un moment et voir ce spectacle. Je suis convaincue que mon père serait pas d'accord, parce qu'il était pas le genre d'homme à faire confiance aux idées à la mode. Jusqu'au jour de sa mort, il a toujours coupé son blé avec une faux. Jamais il aurait voulu d'une tondeuse. Il avait coutume de dire que ce qui avait été assez bon pour son père l'était pour lui aussi. J'espère ne pas manquer de piété filiale en disant que, selon moi, il avait tort sur cette question, pourtant, j'irais pas jusqu'à dire que j'approuve les avions, même s'ils sont peut-être une nécessité militaire. Si la Providence avait voulu qu'on vole, Elle nous aurait donné des ailes. Comme Elle ne l'a pas fait, ça m'paraît évident qu'Elle voulait qu'on reste sur la terre ferme. De toute façon, jamais vous m'verrez en train de caracoler en avion dans le ciel.»

«Mais tu ne refuseras pas de caracoler un peu dans la nouvelle voiture de papa lorsqu'elle arrivera, n'est-ce pas, Susan?» demanda Rilla pour la taquiner.

«J'ai pas l'intention de confier mes vieux os aux automobiles non plus, rétorqua Susan. Mais j'ai pas sur elles la même opinion que certaines personnes étroites d'esprit. Moustaches-sur-la-lune prétend que le gouvernement devrait être renversé pour avoir autorisé qu'on s'en serve sur l'Île. On m'a dit qu'il écumait de rage quand il en voyait une. L'autre jour, il en a aperçu une qui roulait sur le petit sentier qui longe son champ de blé. Il a sauté par-dessus la clôture et est allé se placer en plein milieu du chemin, avec sa fourche. Le conducteur de la voiture était un agent quelconque, et Moustaches déteste les agents autant que les automobiles. Comme il y avait pas assez d'espace pour dépasser ni d'un côté ni de l'autre, le conducteur a été obligé de s'arrêter. Il pouvait quand même pas écraser Moustaches. Alors celui-ci a levé sa fourche en vociférant: "Va-t'en d'ici avec ta machine diabolique, sinon j'te transperce avec ma fourche!" Croyez-moi ou non, chère Mme Docteur, le pauvre agent a été obligé de reculer jusqu'à la route de Lowbridge, à près d'un mille de là; Moustaches le suivait en agitant sa fourche et en l'abreuvant d'insultes. Si vous voulez mon avis, chère Mme Docteur, j'trouve cette conduite déraisonnable. Pourtant, ajouta-t-elle en soupirant, avec ces aéroplanes, ces automobiles et tout le reste, l'Île n'est plus ce qu'elle était.»

L'avion piqua, tourna en rond et piqua de nouveau, puis devint un point minuscule au loin, au-dessus des collines ensoleillées.

«Je me demande, dit Mlle Oliver, si les avions vont rendre l'humanité plus heureuse. Je serais portée à croire que la somme de bonheur humain demeure la même au cours des siècles, peu importe la façon dont il est réparti. Toutes les inventions ne peuvent ni le réduire ni l'augmenter.»

«Tout compte fait, le royaume des cieux est en chacun de nous, remarqua M. Meredith, contemplant le point qui s'évanouissait dans le ciel, symbole de la plus récente victoire de l'homme dans un combat vieux comme le monde. Il ne dépend pas des réalisations et des triomphes matériels.»

«Il n'en demeure pas moins que l'aéroplane est un engin fascinant, dit le docteur. Voler a toujours été l'un des rêves les plus chers de l'homme. Les rêves se réalisent l'un après l'autre grâce à la persévérance de nos efforts. J'aurais moi-même bien aimé piloter un avion.»

«Shirley m'a écrit que son premier vol l'avait affreusement déçu, dit Rilla. Il s'était attendu à se sentir arraché du sol comme un oiseau, mais il a eu l'impression de ne pas bouger du tout et que c'était la terre qui s'éloignait au-dessous de lui. Et la première fois qu'il a volé seul, il a soudain eu le mal du pays. C'était la première fois que cela lui arrivait; mais il a dit que tout à coup, il a eu la sensation d'être perdu dans l'espace et il a éprouvé un désir irrésistible de revenir vers notre vieille planète et ses semblables.»

L'avion disparut. Le docteur poussa un soupir en rejetant la tête en arrière.

«Quand je reviens à la terre après avoir vu disparaître un de ces hommes volants, j'éprouve l'étrange sensation de n'être qu'un insecte rampant. Anne, continua-t-il en se tournant vers sa femme, te souviens-tu de la première fois où je t'ai amenée faire un tour de boghei? Nous étions allés au concert à Carmody, le premier automne où tu enseignais à Avonlea. J'avais attelé notre petite jument noire avec une tache blanche sur le front à un boghei flambant neuf, et j'étais le gars le plus fier du monde, n'ayant rien à envier à personne. Notre petit-fils, lui, invitera sans doute sa bien-aimée à se balader en aéroplane, le soir.»

«Un avion ne sera jamais aussi sympathique que la jument, répondit Anne. Un engin n'est qu'un engin, mais cette jument, eh bien, elle avait de la personnalité, Gilbert. Une promenade avec elle avait quelque chose que même un vol dans les nuages au couchant ne pourra jamais avoir. Non, à bien y penser, je n'envie pas la dulcinée de notre petit-fils. M. Meredith a raison. Le royaume des cieux, et celui de l'amour et du bonheur, ne dépendent pas des choses exté-rieures.»

«De plus, reprit gravement le docteur, notre petit-fils devra concentrer toute son attention sur son appareil, il ne pourra lui laisser la bride sur le cou pour regarder sa dame dans les yeux. Et j'ai la terrible intuition qu'on ne peut conduire un avion d'une seule main. Non, conclut-il en ho-chant la tête, je crois qu'en fin de compte, je préfère encore la jument.»

La ligne russe fut de nouveau brisée cet été-là, et Susan remarqua avec amertume qu'elle s'attendait à cela depuis que Kerensky s'était marié.

«Loin de moi l'idée de parler contre l'institution sacrée du mariage, chère Mme Docteur, mais j'avais l'impression que lorsqu'un homme dirige une révolution, il est bien assez occupé et qu'il aurait pu retarder son mariage jusqu'à un moment plus opportun. Les Russes sont battus et il serait insensé de se fermer les yeux sur cette réalité. Mais avez-vous vu la réponse de Woodrow Wilson aux propositions de paix du pape? C'est tout simplement magnifique. Je crois que je peux désormais tout pardonner à Wilson. Il sait ce que parler veut dire, vous pouvez me croire. Ça me fait penser, connaissez-vous la dernière histoire à propos de Moustaches-sur-la-lune, chère Mme Docteur? Il paraît qu'il est allé à l'école du chemin de Lowbridge, l'autre jour, et qu'il a décidé de faire passer un examen d'orthographe aux élèves de quatrième année. Vous savez qu'ils ont encore un trimestre en été, à cette école, et des vacances au printemps et à l'automne. Les gens vivent à l'ancienne mode, sur cette route. Quoi qu'il en soit, ma nièce, Ella Baker, fréquente cette école et c'est elle qui m'a raconté l'anecdote. L'institutrice avait une terrible migraine et elle est sortie prendre un peu d'air pendant que M. Pryor interrogeait les élèves. Les enfants n'avaient pas de difficulté à épeler, mais lorsque Moustaches s'est mis à les questionner sur le sens des mots, ils ont été complètement déboussolés parce qu'ils n'avaient pas appris ça. Ella et les autres grands élèves se sentaient très mal. Ils aiment tellement leur institutrice et il paraît que le frère de M. Pryor, Abel, un commissaire d'école, est contre elle et essaie de convaincre ses collègues de penser comme lui. Ella et les autres avaient peur que si la classe de quatrième était incapable d'expliquer à Moustaches le sens des mots, il penserait que c'était la faute de l'institutrice et le dirait à son frère, qui la ferait congédier. Mais le petit Sandy Logan a sauvé la situation. C'est un petit valet de ferme, mais il est futé et il a bien jugé ce que valait Moustaches-sur-la-lune. "Qu'est-ce que veut dire anatomie"? a demandé Moustaches. "C'est quand on a mal au ventre", a répondu Sandy du tac au tac, sans broncher. Moustaches-sur-la-lune est un homme très ignorant, chère Mme Docteur; il ne connaît pas lui-même la signification des mots. Il a dit "Très bien, très bien." La classe a immédiatement saisi la situation, du moins trois ou quatre des plus brillants l'ont saisie, et ils ont continué à s'amuser. Jean Blean a dit que l'acoustique était une querelle religieuse, et Muriel Baker a répondu qu'un agnostique était un homme souffrant d'indigestion, puis Jim Carter a dit qu'acerbe qualifiait une personne qui ne mange que des fruits et des légumes, et ainsi de suite. Moustaches gobait tout ça en répétant "C'est très bien, très bien", à tel point qu'Ella a cru qu'elle mourrait si elle continuait à essayer de garder son sérieux. Lorsque l'institutrice est revenue, Moustaches lui a fait des compliments, l'assurant que les enfants avaient magnifiquement compris leur leçon et il a dit qu'il avait l'intention de dire aux commissaires qu'elle était une perle rare. Il a ajouté qu'il était très rare de trouver une classe de quatrième capable de répondre si vite lorsqu'on l'interrogeait sur le sens des mots. Il est parti radieux. Mais Ella m'a confié ça comme un grand secret, chère Mme Docteur, et nous devons le garder, pour le bien de l'institutrice de la route de Lowbridge. Elle n'aurait probablement plus une chance de conserver son emploi si Moustaches venait à apprendre qu'il s'est fait emberlificoter.»

Mary Vance vint à Ingleside le même après-midi pour leur annoncer que Miller Douglas, qui avait été blessé lorsque les Canadiens avaient pris la Colline 70, avait dû se faire amputer d'une jambe. Les gens d'Ingleside sympathisèrent avec Mary; si le zèle et le patriotisme de cette dernière avaient mis du temps à s'éveiller, leur flamme brûlait maintenant avec autant d'ardeur que chez n'importe qui.

«Il y a des gens qui me taquinent en me disant que je vais avoir un mari unijambiste. Mais, déclara Mary avec hauteur, j'préfère encore avoir Miller avec une jambe que n'importe quel homme au monde qui en aurait une douzaine, sauf, ajouta-t-elle après un instant de réflexion, sauf Lloyd George. Bon, je dois partir. J'ai pensé que vous seriez intéressés à avoir des nouvelles de Miller, alors j'suis venue en courant du magasin, mais il faut que je me dépêche de rentrer, parce que j'ai promis à Luke MacAllister de l'aider à faire les foins, ce soir. C'est à nous, les filles, de nous occuper de la récolte, vu qu'il reste si peu de garçons. J'me suis procuré une salopette et j'vous assure qu'elle me va à ravir. Mme Alec Douglas trouve ça indécent et prétend que ça devrait pas être permis, et même Mme Elliott me regarde de travers. Mais, que voulez-vous, le monde évolue, et il y a rien qui me plaît davantage que de choquer Kitty Alec.»

«À propos, papa, dit Rilla, je vais remplacer Jack Flagg au magasin de son père pendant un mois. Je le lui ai promis aujourd'hui, si tu n'y vois pas d'objection. Comme ça, il pourra donner un coup de main aux cultivateurs pendant les moissons. Je ne crois pas que je serais moi-même d'une grande utilité dans un champ de céréales, même si des tas de filles le sont. Mais je pourrai libérer Jack en faisant son travail. Jims n'exige plus beaucoup d'attention le jour, et le soir, je serai toujours à la maison.»

«Penses-tu que tu vas aimer peser le sucre et les haricots et vendre du beurre et des œufs?» demanda le docteur, une étincelle dans l'œil.

«Probablement pas. Mais là n'est pas la question. C'est seulement une façon de faire ma part.»

Rilla alla donc passer un mois derrière le comptoir de M. Flagg pendant que Susan se retrouvait dans le champ d'avoine d'Albert Crawford.

«J'suis aussi bonne que n'importe lequel d'entre eux, déclara-t-elle fièrement. Aucun de ces hommes peut rivaliser avec moi quand il s'agit de lier une botte de foin. Quand j'lui ai offert mon aide, Albert avait pas l'air très convaincu. "J'ai peur que ce soit un travail trop dur pour vous", m'a-t-il dit. "Donnez-moi une chance pour une journée, et vous verrez bien, ai-je répondu. Vous allez voir que je vais travailler en maudit."»

Tous les gens d'Ingleside restèrent silencieux un instant, exprimant ainsi leur admiration pour le courage de Susan. Mais celle-ci se méprit et son visage basané tourna au rouge brique.

«On dirait que j'commence à prendre l'habitude de dire des gros mots, chère Mme Docteur, s'excusa-t-elle. Quand on pense que ça m'a pris à l'âge que j'ai! Quel mauvais exemple je suis pour les jeunes filles. J'suis d'avis que c'est la lecture des journaux qui m'influence. Ils sont tellement pleins de vulgarités qu'ils ne remplacent même pas par des astérisques, comme on le faisait dans mon jeune temps. Cette guerre est une calamité à tous les points de vue.»

Debout sur une charge de foin, ses cheveux gris dans le

vent et la jupe remontée aux genoux plus plus de sécurité et
de confort, car il n'était pas question qu'elle porte une
salopette, Susan n'était ni belle ni romantique. Pourtant,
l'esprit qui animait ses bras décharnés était le même que
celui qui avait permis de prendre Vimy et de faire reculer les
légions allemandes à Verdun. Ce n'est toutefois pas cela qui
attira si fortement M. Pryor lorsque, un après-midi qu'il passait par là, il aperçut Susan en train de lancer des gerbes.

«Voilà une femme qui a de l'allure, songea-t-il. Elle vaut
bien deux femmes beaucoup plus jeunes. J'pourrais faire un
plus mauvais choix. Si Milgrave revient vivant, j'vais perdre
Miranda et les femmes de ménage coûtent plus cher qu'une
épouse. D'ailleurs, elles sont capables de laisser tomber un
homme n'importe quand. J'vais y réfléchir.»

Une semaine plus tard, revenant du village vers la fin de
l'après-midi, Mᵐᵉ Blythe s'arrêta à la grille d'Ingleside,
tellement médusée qu'elle fut pendant un moment incapable
de bouger. Un spectacle extraordinaire se déroulait sous ses
yeux. M. Pryor sortait en trombe de la cuisine, courant
comme cet homme grassouillet et pompeux n'avait pas couru
depuis des années, la terreur imprimée dans chaque pore de
sa peau, une terreur d'ailleurs justifiée puisque, derrière lui,
comme le destin vengeur, Susan courait aussi, un énorme pot
de fer fumant dans les mains, ses yeux lançant des éclairs
indignés en direction de celui qu'elle cherchait à attraper.
Poursuivante et poursuivi traversèrent la pelouse au pas de
course. M. Pryor atteignit la barrière quelques secondes
avant Susan, l'ouvrit toute grande et s'enfuit sur le chemin,
sans accorder un regard à la dame d'Ingleside, totalement
pétrifiée.

«Susan», bafouilla Anne.

Susan arrêta sa course folle, déposa sa marmite et agita le
poing en direction de M. Pryor qui n'avait pas cessé de
courir, convaincu que Susan le pourchassait encore.

«Susan, qu'est-ce que cela signifie?», demanda Anne,
d'un ton quelque peu sévère.

«Bonne question, chère Mme Docteur, répliqua Susan avec colère. Ça fait des années que j'ai pas été aussi fâchée. Ce... ce pacifiste a eu l'audace de venir ici et, dans ma propre cuisine, il m'a demandé de l'épouser. Lui!»

Anne réprima une envie de rire.

«Mais... Susan! Ne pouviez-vous trouver une façon... eh bien, une façon moins spectaculaire de refuser? Pensez aux cancans que cela aurait provoqués si quelqu'un s'était adonné à passer par là et avait été témoin de cette exhibition.»

«Vous avez tout à fait raison, chère Mme Docteur. J'ai pas pensé à ça parce que j'avais plus toute ma tête. J'étais complètement hors de moi. Venez dans la maison et j'vais tout vous raconter.»

Susan ramassa son pot et se dirigea à grandes enjambées vers la cuisine, encore tremblante de colère. Elle posa d'un geste rageur le pot sur le poêle.

«Attendez un moment que j'ouvre toutes les fenêtres. Il faut aérer la cuisine, chère Mme Docteur. Voilà, comme ça, c'est mieux. Il faut aussi que j'me lave les mains, parce que j'ai serré celle de Moustaches-sur-la-lune quand il est arrivé. C'est pas que j'en avais envie, mais quand il m'a tendu sa grosse patte huileuse, j'ai été prise au dépourvu. J'venais de finir le ménage et tout était impeccable. J'me disais que la teinture était en train de bouillir, que j'allais teindre mes chiffons pour natter des tapis et les enlever du chemin avant le souper. C'est alors qu'une ombre est apparue sur le plancher; levant les yeux, j'ai vu Moustaches-sur-la-lune debout à la porte, endimanché comme s'il avait été empesé et repassé. Comme j'viens de vous le dire, j'lui ai serré la main et lui ai dit que vous et le docteur étiez tous deux absents. Mais il m'a répondu: "C'est vous que je viens voir, Mlle Baker." Étant une femme bien élevée, j'lui ai offert de s'asseoir. Quant à moi, j'suis restée debout au milieu de la cuisine à le regarder avec autant de mépris que j'le pouvais. Il avait beau afficher un air assuré, mon attitude a paru le refroidir un peu. Ça l'a pas empêché de me lancer des œillades sentimentales avec ses petits yeux porcins, et j'ai aussitôt été saisie d'un doute épouvantable. Mon petit doigt me disait, chère Mme Docteur, que j'étais sur le point de recevoir ma première demande en mariage. J'avais toujours pensé que j'aimerais en avoir une à refuser, afin de pouvoir regarder les autres femmes en face, mais jamais vous m'entendrez me vanter de celle-ci. Mais vous comprendrez, chère Mme Docteur que, sur le moment, j'étais tellement prise par surprise que j'avais pas l'avantage. On m'a dit que certains hommes sont d'avis qu'il convient de courtiser un peu une femme avant de lui demander sa main, même si ce n'est que pour lui faire comprendre ses intentions. Mais Moustaches-sur-la-lune a sans doute cru que je considérerais sa proposition comme une aubaine inespérée et que je sauterais sur l'occasion. Eh bien, il s'est mis un doigt dans l'œil, chère Mme Docteur, oui, dans l'œil jusqu'au coude. Je me demande s'il court toujours.»

«Si je comprends bien, vous ne vous sentez pas flattée, Susan. Mais vous n'auriez vraiment pas pu lui exprimer votre refus un peu plus délicatement qu'en le chassant comme ça de la maison?»

«Ma foi, j'aurais peut-être pu, chère Mme Docteur, et c'était bien mon intention. Mais il a fait une remarque qui m'a fait sortir de mes gonds. Sans cette phrase, je l'aurais jamais poursuivi avec ma marmite à teinture. J'vais vous raconter notre conversation. Comme je vous l'ai dit, Moustaches-sur-la-lune s'est assis, et Doc était couché sur une autre chaise, à côté de lui. L'animal faisait semblant de dormir, mais j'savais parfaitement bien qu'il était éveillé, parce qu'il avait été Hyde toute la journée et Hyde ne dort jamais. À propos, chère Mme Docteur, avez-vous remarqué que ce chat est beaucoup plus souvent Hyde que Jekyll, maintenant? Plus l'Allemagne remporte de victoires, plus il se transforme en Hyde. Je vous laisse tirer vos propres conclusions. Je présume que Moustaches a cru s'attirer mes faveurs en faisant l'éloge de la bête. C'est dire à quel point il

se méprenait sur mes sentiments à son égard. Il a donc tendu
sa grosse main et a flatté le dos de M. Hyde. "Quel beau
chat", a-t-il dit. Le beau chat a bondi sur lui et l'a mordu,
après quoi il a filé dehors en poussant un miaulement épouvantable. Moustaches l'a regardé d'un air passablement inter-
loqué. "Plutôt bizarre, cette vermine", a-t-il dit. Si j'étais
d'accord avec lui sur ce point, j'allais pas le lui laisser voir.
De plus, il avait pas le droit de traiter notre chat de vermine.
"C'est peut-être bien une vermine, ai-je répondu, mais il sait
faire la différence entre un Canadien et un Boche." Vous
pensez peut-être, chère Mme Docteur, que j'avais été assez
claire. Mais il a même pas eu l'air de saisir l'allusion! Quand
je l'ai vu se caler confortablement, comme un type qui a tout
son temps et a envie de bavarder, j'ai pensé: "Si quelque
chose doit se passer, j'aimerais autant que ça se passe vite,
parce qu'avec toutes ces guenilles à teindre avant le souper,
j'ai pas de temps à perdre en badinage" et j'lui ai dit: "Si vous
avez quelque chose dont vous voulez discuter avec moi, M.
Pryor, je vous serais reconnaissante de me le faire savoir sans
plus tarder parce que je suis très occupée, cet après-midi." Il
m'a souri à travers ses moustaches rousses et a dit: "Vous êtes
une femme à son affaire, et c'est très bien. Il est inutile de
perdre de temps à tourner autour du pot. Si je suis venu ici
aujourd'hui, c'est pour vous demander de m'épouser." C'était
donc ça, chère Mme Docteur. Je venais de recevoir une
demande en mariage, après soixante-quatre ans d'attente. J'ai
dévisagé cette créature prétentieuse et j'ai répondu: "Je ne
vous épouserais pas même si vous étiez le dernier homme sur
terre, M. Pryor. Vous avez ma réponse et vous pouvez la
mettre dans votre pipe et l'emporter." Vous n'avez jamais vu
un homme plus abasourdi, chère Mme Docteur. Il était si
estomaqué que le chat est sorti du sac. "Mon Dieu, je pensais
que vous seriez trop heureuse d'avoir la chance de vous
marier", a-t-il bafouillé. C'est à ce moment-là que j'ai vu
rouge, chère Mme Docteur. Mais j'ai une bonne excuse, vous
ne trouvez pas? Avoir été insultée de cette façon par un

Boche et un pacifiste! "Sortez d'ici!" ai-je tonné en saisissant cette marmite. J'ai vu qu'il pensait que j'avais perdu la boule. Il a dû se dire qu'une marmite de fer remplie de teinture bouillante était une arme dangereuse entre les mains d'une démente. En tout cas, il est parti, et comme vous avez pu le constater, il a pas opposé de résistance. Et j'ai pas l'impression qu'on va le revoir venir nous faire des propositions à la sauvette. Non, j'pense qu'il a compris qu'il y a au moins une femme à Glen St. Mary qui n'a pas envie de devenir Mme Moustaches-sur-la-lune.»

27

Attendre

«Ingleside,
le 1er novembre 1917

«Voici novembre, tout le Glen est gris et brun, à l'exception de l'endroit où se dressent les peupliers de Lombardie comme de grandes torches dorées dans le paysage sombre, alors que tous les autres arbres ont perdu leurs feuilles. Il n'a pas été facile de garder courage, ces derniers temps. Le désastre de Caporetto a été quelque chose d'épouvantable, et même Susan ne parvient pas à tirer un grand réconfort de l'état actuel des choses. Quant à nous, nous n'essayons même pas. Gertrude passe son temps à répéter d'un air désespéré: "Il ne faut pas qu'ils prennent Venise, il ne faut pas qu'ils prennent Venise", comme si elle pensait que cette incantation allait les en empêcher. Mais je n'arrive pas à voir ce qui pourrait empêcher cela. Pourtant, comme Susan ne manque pas de nous le faire remarquer, rien ne semblait pouvoir les empêcher de prendre Paris en 1914, mais ils n'y sont pas parvenus et, selon elle, ils ne pourront prendre Venise non plus. Oh! Comme je l'espère et prie pour cela! Venise est la belle reine de l'Adriatique. Même si je ne l'ai jamais vue, j'éprouve à l'égard de cette ville les mêmes sentiments que Byron. Je l'ai toujours aimée, elle appartient au domaine du cœur. Peut-être est-ce à cause de Walter que je l'aime tant, car il ressentait à son égard une véritable vénération. Il avait toujours rêvé de voir Venise. Je me rappelle qu'un soir, dans la vallée Arc-en-ciel, juste avant le début de la guerre, nous avions planifié de faire ensemble un voyage à Venise et de nous promener en gondole dans ses canaux, au clair de lune.

«Chaque automne depuis que la guerre a commencé, nos troupes essuient une attaque terrible: Anvers en 1914, la Serbie en 1915, la Roumanie l'automne dernier et maintenant, l'Italie, l'attaque la plus meurtrière. Je pense que je sombrerais dans le désespoir sans les paroles de Walter, dans sa dernière lettre. Il disait que les morts comme les vivants combattent et qu'une telle armée ne peut être vaincue.

«Tout le monde a frénétiquement participé à la levée de fonds pour les nouveaux Bons de la victoire. Notre unité des jeunes de la Croix-Rouge a fait campagne avec diligence et est venue à bout de plusieurs clients récalcitrants qui, pour commencer, avaient tout simplement refusé d'investir. J'ai personnellement sollicité la souscription de Moustaches-sur-la-lune. Je m'attendais à un accueil froid et à un refus. Mais, à ma grande stupéfaction, il s'est montré cordial et m'a promis de souscrire à une obligation de mille dollars. Il a beau être pacifiste, il sait reconnaître un bon placement, lorsqu'on le lui propose.

«Pour taquiner Susan, papa prétend que c'est le discours qu'elle a prononcé à l'assemblée de la Campagne des Bons de la victoire qui a converti M. Pryor. Cela me semble improbable, car M. Pryor a tenu publiquement des propos très acerbes à l'endroit de Susan depuis qu'elle a rejeté sans équivoque ses avances amoureuses. Mais Susan a vraiment fait un bon discours, le meilleur de toute la réunion. C'était la première fois qu'elle faisait une telle chose et elle jure qu'on ne l'y reprendra plus. Tous les habitants du Glen étaient

présents à la réunion et un grand nombre de discours avaient
été prononcés, pourtant l'atmosphère demeurait morne et on
ne parvenait pas à susciter beaucoup d'enthousiasme. Susan
était tout à fait consternée par ce manque de zèle, parce
qu'elle souhaitait de tout son cœur voir l'Île dépasser son
quota. Elle ne cessait de nous chuchoter avec hargne, à
Gertrude et à moi, que les discours "manquaient de piquant";
et lorsque plus personne ne s'avança pour souscrire, Susan
"perdit la boule". C'est du moins sa manière d'expliquer la
chose. Elle bondit et, le visage sombre et renfrogné sous son
bonnet — Susan est la seule femme de Glen St. Mary qui
continue à porter un bonnet —, elle commenta à voix haute,
d'un ton très sarcastique: "Pas de doute, vous êtes bien bons
pour parler du patriotisme, mais quand il s'agit de sortir votre
argent, c'est une autre paire de manches. Et c'est la charité
que nous demandons, bien sûr, on vous demande de nous
prêter votre argent pour rien! Pas de doute que le Kaiser va
être atterré quand il va entendre parler de notre assemblée!"
Susan est convaincue que les espions du Kaiser, présumé-
ment représentés par M. Pryor, lui rapportent sans délai le
moindre événement qui se passe au Glen.

«Norman Douglas vociféra: "Écoutez! Écoutez!" et un
garçon, à l'arrière, demanda "Et qu'en est-il de Lloyd
George?" d'un ton qui ne plut pas à Susan. À présent que
Kitchener n'est plus, Lloyd George est devenu son héros.
"J'appuie Lloyd George en tout", répliqua-t-elle. "Je suppose
que ça doit lui faire chaud au cœur!" ironisa désagréablement
Warren Mead. C'est la remarque de Warren qui a mis le feu
aux poudres. Susan grimpa sur ses grands chevaux et leur
"passa tout un savon" comme elle dit. Quoi qu'il en soit, son
discours ne manqua certes pas de "piquant". Lorsque Susan a
le vent dans les voiles, son éloquence n'a rien de retenu, et la
façon dont elle a rabattu le caquet à ces hommes fut tout à la
fois merveilleuse, comique et efficace. Elle leur a dit qu'en
effet, Lloyd George devait se sentir réconforté de pouvoir
compter sur l'appui de gens comme elle, de millions de gens

comme elle. Ce fut le point culminant de son discours. Chère vieille Susan! Elle déborde littéralement de patriotisme, de loyauté et de mépris pour les déserteurs de toutes sortes, et lorsqu'elle a déversé ce trop-plein sur son auditoire, elle l'a tout simplement électrifié. Susan jure toujours qu'elle n'est pas une suffragette, mais elle a rendu justice aux femmes, ce soir-là, et elle a fait rentrer les hommes sous terre. Lorsqu'elle en eut terminé avec eux, ils étaient tous prêts à lui manger dans la main. Elle a conclu en leur ordonnant, oui, en leur ordonnant, d'avancer vers la tribune et de souscrire aux bons de la victoire. Et, après l'avoir chaleureusement applaudie, la majorité des hommes lui obéirent, même Warren Mead. Lorsque le montant total souscrit parut le lendemain dans les quotidiens de Charlottetown, on constata que le Glen était à la tête de tous les districts de l'Île, et il est indubitable que Susan y est pour quelque chose. Mais après être rentrée à la maison ce soir-là, Susan avait honte, craignant d'avoir eu une conduite inconvenante. Elle confessa à maman qu'elle ne s'était pas comportée comme une dame.

«À l'exception de Susan, nous sommes tous allés faire un tour dans la nouvelle voiture de papa, ce soir. Ce fut très agréable, même si la conclusion a manqué de gloire. Une certaine vieille dame revêche, à savoir Mlle Elizabeth Carr du Glen-En-Haut, nous a fait prendre le fossé en faisant la sourde oreille à nos coups de klaxon, refusant absolument de faire en sorte que son cheval s'écarte pour nous laisser passer. Papa était furieux mais, au fond de mon cœur, je crois que je sympathisais avec Mlle Elizabeth. Si j'avais moi-même été une vieille fille cheminant placidement derrière ma Rossinante, toute à mes rêveries sentimentales, moi non plus je n'aurais pas tiré une rêne en entendant une automobile tapageuse corner effrontément derrière moi. Je serais restée assise aussi résolument qu'elle en pensant: "Qu'ils prennent le fossé s'ils sont déterminés à passer."

«Et nous l'avons pris pour nous retrouver enlisés, gros

Jean comme devant tandis que Mlle Elizabeth s'éloignait en poussant un gloussement de triomphe.

«Jem va bien rire quand je vais lui raconter cette anecdote. Il y a longtemps qu'il connaît Mlle Elizabeth. Mais... Venise sera-t-elle sauvée?»

«Le 19 novembre 1917

«Venise n'est pas encore sauvée et elle court même toujours un grand danger. Mais les Italiens continuent à tenir bon sur la ligne de Piave. Bien entendu, les experts militaires prétendent qu'ils ne peuvent la tenir et doivent se retirer vers l'Adige. Mais Gertrude, Susan et moi sommes d'avis qu'ils doivent la tenir, car Venise doit être sauvée, quoi qu'en pensent les experts militaires.

«Oh! Si seulement nous pouvions le croire!

«Nos troupes canadiennes ont remporté une autre grande victoire: elles ont brisé la ligne de Passchendaele et l'ont tenue malgré toutes les contre-attaques. Aucun de nos gars n'a participé à la bataille, mais oh! quand on a vu la liste des morts et des blessés! Joe Milgrave y a pris part mais il s'en est tiré sain et sauf. Miranda s'est rongé les sangs jusqu'à ce qu'elle reçoive de ses nouvelles. Mais c'est extraordinaire de voir à quel point Miranda s'est épanouie depuis son mariage. Elle n'est plus du tout la même fille. Même ses yeux paraissent plus sombres et plus profonds, quoique je suppose que c'est parce qu'ils brillent avec une nouvelle intensité. Elle a amadoué son père d'une façon absolument stupéfiante; elle hisse le drapeau chaque fois qu'un bout de tranchée est pris sur le front occidental; elle assiste régulièrement aux réunions de l'unité des jeunes de la Croix-Rouge; et elle prend des airs de "femme mariée" tout à fait irrésistibles. Mais elle est la seule nouvelle mariée de guerre au Glen et personne ne peut lui en vouloir de la satisfaction qu'elle tire de sa situation.

«Les nouvelles que nous recevons de la Russie sont également mauvaises: le gouvernement de Kerensky est tombé et Lénine est devenu le dictateur du pays. D'une certaine façon, il est très ardu de garder courage lorsqu'on vit une suite aussi désespérément morne de jours d'automne et de nouvelles angoissantes. Mais nous sommes dans le "creux de la vague", selon l'expression du vieux Sandy l'Écossais, à propos des élections imminentes. C'est la conscription qui en est le véritable enjeu et ce sera l'élection la plus excitante que nous ayons jamais connue. Toutes les femmes "en âge", pour citer Jo Poirier, et qui ont un mari, des fils ou des frères au front, pourront voter. Oh! Comme j'aimerais avoir vingt et un ans! Gertrude et Susan sont toutes deux furieuses parce qu'elles n'ont pas le droit de vote.

«"C'est injuste! proteste Gertrude avec véhémence. Agnes Carr va pouvoir voter parce que son mari est à la guerre. Elle a tout fait pour l'empêcher d'y aller et à présent, elle va voter contre le gouvernement unioniste. Et moi, je n'aurai pas le droit de vote parce que c'est seulement mon cavalier, et non pas mon mari, qui est au front!"

«Quant à Susan, lorsqu'elle pense qu'elle ne peut voter alors qu'un vieux pacifiste affiché comme M. Pryor le peut et le fera, ses commentaires sont rien moins que sulfureux. Je suis vraiment désolée pour les Elliott, les Crawford et les MacAllister de l'autre côté du port. Eux qui avaient toujours été divisés en des camps si clairement définis de libéraux et de conservateurs, ils ont rompu leurs amarres et les voilà partis à la dérive. Je sais que je mêle affreusement mes métaphores. Cela va tuer certains de ces vieux libéraux de voter pour le parti de Sir Robert Borden et ils vont pourtant y être obligés parce qu'ils croient que le temps est venu d'avoir une conscription. Et d'autres vieux conservateurs qui sont contre la conscription vont devoir voter pour Laurier qu'ils ont toujours exécré. Certains d'entre eux prennent très mal la chose. D'autres ont l'air d'avoir à peu près la même attitude que Mme Marshall Elliott en ce qui concerne l'Église unie. Elle est venue ici, hier soir. Elle ne vient plus aussi souvent qu'avant. Chère Mlle Cornelia, elle devient trop vieille pour faire cette distance à pied. Je déteste penser qu'elle prend de l'âge, nous l'avons toujours tellement aimée et elle s'est toujours montrée si bonne avec les enfants d'Ingleside! Elle avait toujours été farouchement opposée à l'Église unie. Mais hier soir, lorsque papa lui a appris que c'était pratiquement chose faite, elle s'est contentée de répondre sur un ton résigné: "Ma foi, dans un monde où tout est déchiré et détruit par la guerre, un peu plus de déchirure et de destruction, quelle importance? Comparés aux Allemands, même les méthodistes me paraissent séduisants."

«Notre unité des jeunes de la C.-R. poursuit son travail malgré le fait qu'Irene ait réintégré nos rangs. D'après ce que j'ai compris, elle s'est brouillée avec le groupe de Lowbridge. Elle m'a lancé de gentilles petites pointes lors de notre dernière réunion. D'après elle, il paraît que mon bibi de velours vert m'a rendue célèbre dans tout Charlottetown. Tout le monde me connaît à cause de ce chapeau détestable et détesté. Je le porte depuis quatre saisons déjà. Même maman voulait que j'en achète un autre, cet automne, mais j'ai répondu: "Aussi longtemps que la guerre durera, je porterai mon chapeau vert en hiver."»

«Le 23 novembre 1917

«La ligne de Piave tient toujours et le général Byng a remporté une splendide victoire à Cambrai. Pour l'occasion, j'ai hissé le drapeau, mais Susan a simplement commenté: "J'vais mettre de l'eau à bouillir sur le poêle, ce soir. J'ai remarqué que le petit Kitchener avait toujours une attaque de croup après une victoire britannique. J'espère qu'il n'a pas de sang proallemand dans les veines. Faut dire qu'on connaît pas grand-chose sur la famille de son père."

«Jims a eu quelques attaques de croup cet automne. Il ne s'agissait heureusement que du faux croup; rien à voir avec la maladie terrible de l'hiver dernier. Mais quel que soit le sang qui coule dans ses petites veines, il est bon et sain. C'est un bambin rose, potelé, bouclé et si mignon. Il tient des propos si amusants et pose les questions les plus comiques. Il aime s'asseoir sur une chaise particulière de la cuisine. Mais cette chaise est aussi la préférée de Susan, et quand elle la veut, Jims est obligé de la lui céder. La dernière fois qu'elle l'a délogé de la chaise, il a tourné autour d'elle avant de lui demander d'un ton solennel: "Quand tu seras morte, Susan, est-ce que je pourrai m'asseoir sur la chaise?" Susan a trouvé cette question épouvantable, et je crois que c'est pour cela qu'elle a commencé à s'interroger sur son hérédité. L'autre soir, j'ai amené Jims avec moi jusqu'au magasin et quand il a vu les étoiles, il s'est écrié: "Oh! Ouilla, regarde la grosse lune et tous les bébés lunes!" Et mercredi dernier, lorsqu'il s'est éveillé, mon petit réveille-matin s'était arrêté parce que j'avais oublié de le remonter. Jims a bondi hors de son berceau et s'est précipité vers moi, l'air complètement chaviré dans son pyjama de flanellette bleue. "Le réveille-matin est mort, a-t-il bredouillé, oh! Ouilla, le réveille-matin est mort!" Un soir, il était très fâché contre Susan et moi parce que nous refusions de céder à un de ses caprices. Lorsqu'il a récité ses prières, il s'est affalé avec colère, et au moment de dire "Faites de moi un bon garçon", il a ajouté après coup, en appuyant lourdement: "Et s'il vous plaît, faites que Ouilla et Susan soient bonnes aussi, parce qu'elles le sont pas." Je ne passe toutefois pas mon temps à rapporter les bons mots de Jims à tous les gens que je rencontre. Cela m'ennuie lorsque les autres le font! Je me contente de les conserver dans ce vieux fourre-tout de journal. Ce soir, lorsque je suis allée le border, il a levé les yeux et m'a demandé d'un air grave: "Pourquoi hier peut pas revenir, Ouilla?" Oh! Pourquoi, en effet, Jims? Ce beau "hier" de rêves et de rires, quand tous nos gars étaient à la maison, quand, dans la vallée Arc-en-ciel, Walter et moi nous lisions ensemble, quand nous nous promenions et contemplions les nouvelles lunes et les couchers de soleil. Si seulement ce temps pouvait revenir! Mais le passé ne revient jamais, petit Jims, et aujourd'hui est sombre, tout couvert de nuages. Quant à demain, nous n'osons même pas y penser!»

«Le 11 décembre 1917

«Aujourd'hui, nous avons reçu de merveilleuses nouvelles! Les troupes britanniques ont capturé Jérusalem, hier. Nous avons hissé le drapeau et Gertrude a retrouvé un peu de son ancien éclat. "Après tout, a-t-elle dit, cela vaut la peine de vivre pour voir atteint le but des Croisades. Les spectres de tous les vieux Croisés ont dû se rassembler sur les murs de Jérusalem, hier soir, Cœur-de-lion à leur tête."

«Susan avait également une raison de se sentir satisfaite.

«"J'suis vraiment contente de pouvoir prononcer Jérusalem et Hébron, dit-elle. C'est réconfortant après Przemysl et Brest-Litvosk! Eh bien, on a au moins mis les Turcs en déroute, Venise est sauvée et il faut pas prendre Lord Lansdowne au sérieux. J'vois aucune raison pour laquelle on devrait se sentir découragés."

«Jérusalem! Le drapeau de l'Angleterre flotte sur toi, le Croissant a disparu! Comme Walter aurait été ému!»

«Le 18 décembre 1917

«C'était hier jour d'élections. Pendant la soirée, maman, Susan et moi sommes allées dans le salon et avons attendu les résultats en retenant notre souffle, car papa s'était rendu au village. Nous n'avions aucun moyen d'apprendre les nouvelles, car le magasin de Carter Flagg n'est pas sur notre ligne téléphonique, et chaque fois que nous essayions d'obtenir le numéro, le central nous répondait que la ligne était occupée, et elle l'était indubitablement puisqu'à des milles à la ronde, les gens téléphonaient au magasin pour la même raison que nous. À dix heures environ, Gertrude s'est adonnée à prendre le téléphone et elle est tombée sur quelqu'un qui parlait avec Carter Flagg. Gertrude a écouté sans vergogne la conversation et elle a obtenu ce qui est proverbialement le lot des indiscrets: elle a entendu des choses désagréables. Le gouvernement unioniste avait perdu dans l'Ouest. Nous nous sommes regardées avec consternation. Si le gouvernement avait échoué dans l'Ouest, il était vaincu.

«"Le Canada est déshonoré aux yeux du monde entier", a commenté Gertrude, pleine d'amertume.

«"Si tout le monde avait agi comme la famille de Mark Crawford de l'autre côté du port, ça ne se serait pas produit, a grogné Susan. Ils ont enfermé leur oncle dans la grange ce matin et ne l'ont pas libéré avant qu'il promette de voter conservateur. C'est ce que j'appelle un argument efficace, chère Mme Docteur."

«Gertrude et moi avons été incapables de nous reposer après cela. Nous avons marché de long en large jusqu'à ce que nos jambes n'en puissent plus et que nous soyons forcées de nous asseoir. Maman a continué de tricoter comme si de rien n'était, en faisant semblant d'être calme et sereine. Elle jouait si bien son rôle que nous avons toutes été dupes et l'avons enviée jusqu'au lendemain, quand je l'ai surprise à détricoter quatre pouces de sa chaussette. Elle avait oublié de tricoter le talon!

«Papa n'est revenu qu'à minuit. Il se tint debout dans l'embrasure de la porte et nous regarda. Nous lui rendîmes son regard. Nous n'osions pas lui demander les nouvelles. Alors il nous a dit que Laurier avait été défait dans l'Ouest et que le gouvernement unioniste était rentré avec une grosse majorité. Gertrude a applaudi. J'avais envie de rire et de pleurer, les yeux de maman ont brillé comme avant et Susan a fait entendre un drôle de cri, à la fois étranglé et triomphant.

«"Voilà qui va pas réconforter le Kaiser", a-t-elle remarqué.

«Ensuite, nous sommes montés nous coucher, mais nous étions trop excités pour dormir. En réalité, comme Susan l'a déclaré solennellement à maman ce matin, "J'pense que la politique, c'est trop éprouvant pour les femmes."»

«Le 31 décembre 1917

Notre troisième Noël de guerre est passé. Nous essayons de rassembler quelque courage pour affronter l'année qui nous attend. L'Allemagne a, pour la plus grande partie, été victorieuse tout l'été. Et on raconte maintenant que toutes ses troupes du front russe se préparent pour une "grande attaque" au printemps. Nous avons parfois le sentiment que nous ne serons pas capables de passer au travers de l'hiver.

«J'ai reçu plein de lettres d'outre-mer, la semaine dernière. Shirley est à présent au front et il nous en parle avec autant de désinvolture que lorsqu'il décrivait les matches de football à Queen's. Carl raconte qu'il pleut depuis des semaines et que les nuits dans les tranchées lui rappellent toujours celle qu'il a passée, autrefois, dans le cimetière, pour se punir d'avoir eu peur du fantôme d'Henry Warren. Les lettres de Carl sont toujours pleines de blagues et d'anecdotes amusantes. Les soldats ont fait une grande chasse aux rats la veille du soir où il m'a écrit, les transperçant de leurs baïonnettes. C'est son équipe qui a rempli le plus gros sac et gagné le prix. Il a un rat boiteux apprivoisé qui dort dans sa poche, la nuit. Ces bestioles ne répugnent pas Carl comme d'autres personnes. Il s'est toujours senti proche des petites bêtes. Il dit qu'il est en train d'étudier les mœurs du rat des tranchées et qu'il a l'intention de devenir célèbre un jour en rédigeant un traité sur le sujet. Ken a écrit une courte lettre. Ses lettres sont à présent plutôt brèves, et c'est rare qu'il y glisse de ces chères petites phrases inattendues que j'aime tant. Il m'arrive de penser qu'il a complètement oublié notre soirée d'adieu, puis je tombe sur une ligne ou un mot qui m'assure qu'il s'en souvient et s'en souviendra toujours. Sa lettre d'aujourd'hui, par exemple, ne contenait rien qui n'eût pu être écrit à n'importe quelle fille, sauf qu'il a signé "Affectueusement, ton Kenneth", plutôt que "Affectueusement, Kenneth", comme il le fait d'habitude. Je me demande s'il l'a fait exprès ou si c'est une simple distraction de sa part. Je sens que je vais rester éveillée la moitié de la nuit à me poser la question. Il a maintenant le grade de capitaine. Je suis très contente et très fière, et pourtant, Capitaine Ford semble si lointain, si inaccessible. On dirait que Ken et le Capitaine

Ford sont deux personnes différentes. Je suis peut-être pratiquement la fiancée de Ken car, sur ce point, je m'appuie sur l'opinion de maman, mais c'est impossible que je sois celle du Capitaine Ford!

«Quant à Jem, il est devenu lieutenant; il a gagné ses épaulettes sur le champ de bataille. Il m'a envoyé une photo de lui dans son nouvel uniforme. Il avait l'air amaigri et vieilli, oui, vieilli, mon frère Jem! Jamais je n'oublierai l'expression de maman lorsque je la lui ai montrée. "Est-ce... mon petit Jem... le bébé de la vieille maison de rêve?" Ce fut son seul commentaire.

«Il y avait également une lettre de Faith. Elle travaille comme auxiliaire volontaire en Angleterre et sa lettre est brillante et pleine d'espoir. Elle a l'air presque heureuse. Elle a vu Jem à sa dernière permission et elle est si près de lui qu'elle pourrait aller le soigner, s'il était blessé. Cela représente beaucoup, pour elle. Oh! Comme j'aimerais être à ses côtés! Mais mon travail est ici, à la maison. Je sais que Walter n'aurait pas voulu que je quitte maman et je m'efforce de lui être fidèle, même dans les petits détails de la vie de tous les jours. Walter a donné sa vie pour le Canada et moi, je dois vivre pour lui. C'est ce qu'il m'a demandé de faire.»

«Le 28 janvier 1918
«"J'vais accrocher mon âme battue par la tempête à la flotte britannique et faire une fournée de biscuits au son", a dit aujourd'hui Susan à cousine Sophia, venue raconter une inquiétante histoire de nouveau sous-marin absolument invincible récemment inauguré par les Allemands. Mais Susan est actuellement d'humeur quelque peu maussade à cause des règlements touchant la nourriture. Sa loyauté envers le gouvernement unioniste est rudement mise à l'épreuve. Elle a surmonté le premier choc avec vaillance. Lorsque des ordres ont été donnés concernant la farine, Susan a déclaré sans broncher: "J'suis plus tellement d'âge à

apprendre de nouveaux trucs, mais j'vais apprendre à faire du pain de guerre si ça peut contribuer à la défaite des Boches." Mais les dernières suggestions allaient à l'encontre de sa nature. Sans le décret de papa, je crois qu'elle aurait fait fi de Sir Robert Borden.

«"Est-ce qu'on peut vraiment faire des briques sans paille, chère Mme Docteur? Et moi, comment est-ce que je suis censée faire un gâteau sans sucre ni beurre? C'est pas possible. Pas un vrai gâteau, en tout cas. On peut évidemment faire une planche, chère Mme Docteur. Et sans même pouvoir la camoufler sous un petit peu de glaçage! Quand on pense que j'aurai vécu pour voir le gouvernement d'Ottawa envahir ma cuisine et me rationner!"

«Susan verserait jusqu'à la dernière goutte de son sang pour "son pays et son roi", mais renoncer à ses chères recettes est une autre paire de manches.

«J'ai aussi reçu des lettres de Di et de Nan. Il s'agit plutôt de billets, car elles sont trop occupées pour écrire des lettres. Les examens sont dangereusement proches. Elles vont obtenir leur baccalauréat ès arts au printemps. Je suis de toute évidence le cancre de la famille. Mais je n'ai jamais eu envie de poursuivre des études universitaires, et même aujourd'hui, cela ne m'attire pas du tout. J'ai bien peur d'être totalement dépourvue d'ambition. Je ne désire vraiment qu'une seule chose, et j'ignore encore si j'y arriverai ou non. Si je n'y arrive pas, je ne serai rien. Mais je ne devrais pas écrire cela. Le penser est une chose mais, comme dirait cousine Sophia, l'écrire pourrait bien être de l'impudence.

«Je vais pourtant l'écrire, sans me laisser intimider par les conventions ni par cousine Sophia. Je veux être la femme de Kenneth Ford! Voilà, c'est dit!

«Je viens de me regarder dans le miroir et je n'avais même pas la plus petite rougeur aux joues. Je présume que je ne suis pas une demoiselle normalement constituée.

«Je suis allée voir le petit chien Lundi, aujourd'hui. Il a beau être devenu tout raide et perclus de rhumatismes, il reste là, attendant le train. Il a agité sa queue en me jetant un regard implorant. "Quand Jem reviendra-t-il?" semblait-il me demander. Oh! Lundi, il n'y a pas de réponse à cette question. Et il n'y en a pas encore à cette autre que nous nous posons sans cesse: "Qu'arrivera-t-il lorsque l'Allemagne portera contre le front ouest son ultime grand assaut victorieux?"»

«Le 1er mars 1918

«"Qu'est-ce que le printemps va nous apporter? a demandé Gertrude aujourd'hui. Je le crains comme jamais je n'ai craint le printemps. D'après toi, retrouverons-nous un jour une existence libérée de la peur? Cela fait déjà quatre ans que nous nous couchons avec la peur et nous réveillons avec elle. Elle a été présente à chaque repas, chaque réunion, sans jamais être la bienvenue."

«"Hindenburg prétend qu'il sera à Paris le 1er avril", a soupiré cousine Sophia.

«"Hindenburg!" Il m'est impossible de traduire par écrit le mépris qu'a exprimé Susan en prononçant ce nom. "Est-ce qu'il a oublié ce que signifie le 1er avril?"

«"Jusqu'à présent, il a toujours tenu parole", a remarqué Gertrude d'un air aussi lugubre que celui de cousine Sophia.

«"Oui, quand il combattait les Russes et les Roumains, a riposté Susan. Attendez qu'il affronte les Britanniques et les Français, sans parler des Américains qui se dirigent vers Paris aussi vite qu'ils le peuvent et vont sans aucun doute s'en tirer à merveille."

«"Tu as dit exactement la même chose avant Mons, Susan", lui ai-je rappelé.

«"Hindenburg affirme qu'il est prêt à sacrifier un million de vies humaines pour briser la ligne des Alliés, a repris Gertrude. À un tel prix, il va sûrement pouvoir acheter quelques succès et comment allons-nous les vivre, même s'il finit par être vaincu? Ces deux derniers mois que nous avons passés tapis à attendre l'assaut final ont paru aussi longs que tout ce qui a précédé. Je voudrais que trois heures du matin soit une heure qui n'existe pas. C'est alors que je vois Hindenburg à Paris et le triomphe de l'Allemagne. Ce n'est qu'à ce moment maudit de la journée que je vois cela."

«Susan eut l'air perplexe devant l'adjectif utilisé par Gertrude, mais elle décida, de toute évidence, de passer pardessus.

«"J'aimerais que nous puissions avaler un philtre magique qui nous endormirait pendant trois mois. À notre réveil, la guerre serait finie", a dit maman d'une voix presque impatiente.

«C'est rare que maman fasse de pareils vœux ou, du moins, qu'elle exprime ainsi ses sentiments. Maman a énormément changé depuis ce jour terrible de septembre où nous avons appris que Walter ne reviendrait pas. Elle s'était toujours montrée brave et patiente. À présent, on dirait qu'elle a atteint la limite de ce qu'elle peut endurer. Susan s'est approchée de maman et a mis sa main sur son épaule.

«"Il faut pas être terrifiée et déprimée, chère Mme Docteur, a-t-elle dit gentiment. Moi aussi, j'me sentais comme ça la nuit dernière. J'me suis levée, j'ai allumé la lampe et j'ai ouvert ma Bible. Et sur quel verset j'suis tombée, à votre avis? C'était: "Ils combattront contre vous mais ne pourront rien contre vous, parce que je suis avec vous, a dit le Roi des Armées, pour vous délivrer." J'suis peut-être pas douée comme Mlle Oliver pour ce qui est de rêver, mais j'ai quand même compris que c'était un signe, chère Mme Docteur, et que ça voulait dire qu'Hindenburg n'atteindrait jamais Paris. J'ai donc arrêté de lire et j'suis retournée me coucher. Et j'me suis pas réveillée à trois heures ni à aucune autre heure avant le matin."

«Je ne cesse de me répéter le verset que Susan a lu. Le Roi des Armées est avec nous, de même que les esprits de tous les hommes justes. L'Allemagne a beau masser ses légions et ses pièces d'artillerie sur le front occidental, elles devront se briser contre un tel obstacle. C'est ainsi que je pense dans mes moments d'optimisme. À d'autres moments, toutefois, j'ai, comme Gertrude, le sentiment que je ne peux tout simplement pas endurer davantage ce calme terrible et menaçant avant la tempête.»

«Le 23 mars 1917

«Armageddon est commencé! C'est l'affrontement ultime! Est-ce vraiment cela? Hier, je suis allée au bureau de poste chercher le courrier. Le temps était maussade. Il n'y avait plus de neige mais le sol gris et morne était gelé et un vent mordant soufflait. Tout le paysage du Glen était laid et déprimant. Puis j'ai pris le journal et lu les gros titres noirs. L'Allemagne a attaqué le 21. Elle se vante du nombre de canons et de prisonniers capturés. Le général Haig commente que "de sévères combats se poursuivent". Cette expression ne me plaît pas du tout.

«Nous nous sommes toutes aperçues que nous sommes incapables d'exécuter un travail exigeant de la concentration. Alors, nous tricotons avec fureur, parce que c'est une tâche pouvant être effectuée de façon mécanique. Cette attente épouvantable, quand nous nous demandions avec angoisse où et quand le coup tomberait, est au moins terminée. Il est tombé. Mais "ils ne pourront rien contre nous".

«Oh! Qu'est-ce qui se passe en ce moment sur le front ouest, pendant que, dans ma chambre, j'écris dans mon journal? Jims dort dans son petit lit et le vent se plaint à la fenêtre. Le portrait de Walter est suspendu au-dessus de mon pupitre, et il me regarde de ses beaux yeux profonds. D'un côté, il y a la Joconde qu'il m'a offerte le dernier Noël qu'il a passé ici, et de l'autre, une copie encadrée du "Joueur de pipeau". J'ai l'impression d'entendre la voix de Walter me réciter ce court poème où il a mis son âme, ce poème qui jamais ne mourra et qui portera le nom de Walter à travers l'avenir de notre pays. Autour de moi, tout est calme, paisible, douillet. Walter me semble très proche. Si seulement je pouvais écarter le mince voile qui s'agite entre nous, je pourrais le voir, tout comme il a vu le Joueur de pipeau, la veille de Courcelette.

«Ce soir, là-bas, en France, la ligne tient-elle?»

28

Dimanche noir

Une semaine de mars de l'an de grâce 1918, l'humanité subit davantage de souffrance qu'elle n'en avait jamais, dans toute son histoire, endurée pendant sept jours consécutifs. Et un jour de cette semaine, le genre humain sembla crucifié. Ce jour-là, la planète entière dut frémir de la convulsion universelle. Partout, la terreur envahit le cœur des hommes.

À Ingleside, il débuta par une aube calme, froide et grise. Mme Blythe, Rilla et Mlle Oliver se préparèrent à aller à l'église dans un état d'angoisse atténué par un sentiment d'espoir et de confiance. Le docteur était absent, ayant été appelé chez les Marwood du Glen-En-Haut, au chevet d'une jeune mariée de guerre. La jeune femme y luttait avec courage sur son propre champ de bataille pour donner la vie plutôt que la mort. Susan annonça qu'elle avait l'intention de rester à la maison, ce matin-là, ce qui était vraiment très inhabituel dans son cas.

«Mais j'préfère ne pas aller à l'église aujourd'hui, chère Mme Docteur, expliqua-t-elle. Si Moustaches-sur-la-lune était là et que j'le voyais avec son air dévot et satisfait, l'air qu'il a toujours quand il croit que les Boches sont en train de gagner, j'aurais peur de perdre ma patience et mon sens du décorum et de lui lancer une Bible ou un livre de cantiques à la tête, et de nous déshonorer par le fait même, moi et le saint édifice. Non, chère Mme Docteur, je vais me tenir loin de l'église jusqu'à ce que le vent tourne et faire mes dévotions à la maison.»

«Je pense que moi aussi, j'aurais pu rester à la maison, parce que je ne crois pas que l'église va me faire grand bien aujourd'hui, confia Mlle Oliver à Rilla, pendant qu'elles cheminaient ensemble sur la route gelée. Je suis tout simplement obsédée par cette question: est-ce que la ligne tient toujours?»

«Dimanche prochain, ce sera Pâques, répondit Rilla. Ce jour annoncera-t-il la vie ou la mort?»

Ce matin-là, le sermon de M. Meredith porta sur le texte «Celui qui aura enduré jusqu'au bout sera sauvé». Ses phrases inspirées exprimaient l'espoir et la confiance. Levant les yeux sur la plaque commémorative posée sur le mur en face de leur banc, Rilla se sentit libérée de sa terreur et reprit courage. Il était impossible que Walter eût sacrifié sa vie pour rien. Lui qui avait eu le don de prophétiser, il avait vu la victoire. Elle s'accrocherait à cette certitude: la ligne tiendrait le coup.

Dans ce nouvel état d'esprit, c'est presque gaiement qu'elle rentra chez elle. Les autres aussi étaient pleins d'espoir, et c'est le sourire aux lèvres qu'ils rentrèrent à Ingleside. Il n'y avait personne dans le salon, à l'exception de Jims, endormi sur le canapé, et Doc, visiblement transformé en M. Hyde et qui trônait, l'air hargneux, sur la carpette devant la cheminée. Personne ne se trouvait dans la salle à manger non plus et, ce qui était encore plus insolite, il n'y avait pas de repas sur la table, qui n'était même pas dressée. Où donc était Susan?

«Serait-elle tombée malade? s'exclama Mme Blythe avec inquiétude. J'ai trouvé étrange qu'elle refuse de venir à l'église, ce matin.»

La porte de la cuisine s'ouvrit alors et Susan apparut sur le seuil. Elle avait l'air si bouleversée que Mme Blythe poussa un cri de panique.

«Que se passe-t-il, Susan?»

«La ligne anglaise est brisée et les bombes allemandes pleuvent sur Paris», répondit Susan d'une voix dénuée d'expression.

Consternées, les trois femmes se regardèrent fixement.

«Non, ce n'est pas vrai», bredouilla Rilla.

«C'est tout simplement... ridicule», ajouta Gertrude Oliver, avant d'éclater d'un rire horrible.

«Qui vous a dit cela, Susan? Quand avez-vous appris la nouvelle?» demanda Mme Blythe.

«Je l'ai appris par un appel interurbain de Charlottetown, il y a une demi-heure, expliqua Susan. La nouvelle est arrivée en ville tard, la nuit dernière. C'est le Dr Holland qui a appelé et il a dit que ce n'était que trop vrai. Après ça, j'ai été incapable de faire quoi que ce soit, chère Mme Docteur. Je suis vraiment désolée que le dîner ne soit pas prêt. C'est la première fois que j'suis aussi négligente. Si vous voulez bien me laisser un peu de temps, j'vais vous préparer quelque chose à vous mettre sous la dent. Mais j'ai peur que les pommes de terre soient brûlées.»

«Le dîner! Mais personne n'a envie de manger, Susan, s'écria farouchement Mme Blythe. Oh! C'est incroyable! C'est sûrement un cauchemar!»

«Paris est perdu... la France est perdue... la guerre est perdue», balbutia Rilla dont toute la confiance, tout l'espoir, venaient de s'écrouler.

«Oh! Mon Dieu! Mon Dieu! gémit Gertrude Oliver, qui arpentait la pièce en se tordant les mains. Oh! Mon Dieu!»

Aucune autre parole ne fut prononcée, à part cette plainte vieille comme le monde, ce cri de suprême agonie, cette supplication venant du cœur humain à qui il ne reste plus aucun recours sur terre.

«Est-ce que Dieu est mort?» demanda une petite voix

étonnée. C'était Jims, debout dans l'embrasure de la porte du salon. Il était encore tout ensommeillé et ses grands yeux bruns étaient remplis de frayeur. «Oh! Ouilla, Ouilla, est-ce que Dieu est mort?»

Cessant de marcher et de gémir, M{ll}{e} Oliver regarda Jims dont les yeux commençaient à se remplir de larmes. Rilla courut le réconforter tandis que Susan bondissait de la chaise où elle s'était effondrée.

«Non, dit-elle brusquement, redevenant elle-même. Non, Dieu n'est pas mort, et Lloyd George non plus. On était en train d'oublier ça, chère Mme Docteur. Pleure pas, petit Kitchener. La situation est pas rose, mais ça pourrait être pire. Même si l'infanterie britannique est défaite, la marine tient encore le coup. J'vais me reprendre en main et préparer une petite collation, parce qu'il faut pas se laisser aller.»

Pour satisfaire Susan, elles feignirent de manger sa petite collation. À Ingleside, personne ne put jamais oublier cet après-midi noir. À l'instar de Gertrude Oliver, tout le monde marcha de long en large dans la maison. Sauf Susan, qui tricotait sa chaussette grise.

«Même si c'est dimanche, il faut que je tricote, chère Mme Docteur. J'aurais jamais imaginé faire un jour une telle chose parce que j'ai toujours considéré que c'était une violation du troisième commandement. Mais peu importe, si j'tricote pas aujourd'hui, j'vais devenir folle.»

«Tricotez, si vous le pouvez, Susan, répondit Mme Blythe d'une voix brisée. Moi aussi, je le ferais, mais j'en suis incapable.»

«Nous savons que les Allemands sont en train de bombarder Paris, dit amèrement M{ll}{e} Oliver. Ils ont sûrement tout écrasé sur leur passage et doivent se trouver à présent aux portes mêmes de la ville. Non, nous avons perdu. Regardons la réalité en face comme d'autres ont dû le faire par le passé. D'autres peuples, qui avaient le droit de leur côté, ont sacrifié leurs hommes les meilleurs et les plus braves et ont, malgré cela, connu la défaite.»

«Je ne renoncerai pas comme ça, s'écria Rilla, ses joues pâles soudain enflammées. Je ne vais pas désespérer. Même si l'Allemagne envahit toute la France, cela ne signifie pas que nous sommes vaincus. Cette heure de désespoir me fait honte, à présent. C'est la dernière fois que vous me voyez m'effondrer ainsi. Je vais immédiatement téléphoner en ville et demander des détails.»

Cela fut malheureusement impossible. L'opérateur de l'interurbain était submergé par des appels semblables venant de toutes les régions du pays bouleversé. Rilla finit par renoncer et alla se réfugier dans la vallée Arc-en-ciel. Là, dans le petit coin où elle avait eu sa dernière conversation avec Walter, elle s'agenouilla dans l'herbe grisâtre et posa sa tête sur le tronc moussu d'un arbre tombé. Le soleil ayant percé les nuages noirs, toute la vallée baignait dans une pâle splendeur dorée. Aux branches des Arbres amoureux, les clochettes tintaient joliment dans les rafales de mars.

«Oh! Mon Dieu, donnez-moi la force, chuchota Rilla. Seulement la force et le courage.» Puis, comme une enfant, elle joignit les mains et dit, aussi simplement que Jims l'aurait fait: «Et s'il vous plaît, envoyez-nous demain de meilleures nouvelles.»

Elle resta longtemps à genoux et, lorsqu'elle retourna à Ingleside, elle se sentait calme et résolue. Le docteur était rentré, épuisé mais triomphant, le petit Douglas Haig Marwood ayant accosté sain et sauf les rives du temps. Gertrude n'avait pas cessé d'arpenter la maison. Quant à Susan et à Mme Blythe, elles étaient revenues du choc et Susan était déjà en train de planifier une nouvelle ligne de défense pour les ports du canal.

«J'ai entendu dire que la ligne était brisée pendant que j'étais chez les Marwood, dit le docteur, mais j'ai peine à croire que les Allemands soient en train de bombarder Paris. Même s'ils sont passés, ils étaient à au moins cinquante milles de Paris. Dans ce cas, comment, dans un si court laps de temps, auraient-ils pu amener leur artillerie assez près pour bombarder la ville? Croyez-moi, les filles, cette partie du message était fausse.»

Ce point de vue les réconforta quelque peu et les aida à passer la soirée. Et, à neuf heures, ils reçurent enfin un appel interurbain qui les aida à passer la nuit.

«La ligne n'a été brisée qu'à un seul endroit, devant Saint-Quentin, annonça le docteur en raccrochant, et les troupes britanniques se retirent en bon ordre. Ce n'est pas si mal. Quant aux bombes qui tombent sur Paris, elles proviennent d'un étonnant canon inventé par les Allemands et inauguré pour cette première offensive. Il est placé à une distance de soixante-dix milles. Ce sont les seules nouvelles que nous avons jusqu'à présent, et le Dr Holland affirme que nous pouvons nous y fier.»

«Ç'aurait été une nouvelle effrayante hier, dit Gertrude, mais comparé à ce que nous avons appris ce matin, c'est presque rassurant. N'empêche que, ajouta-t-elle en essayant de sourire, je crains de ne pas pouvoir dormir beaucoup, cette nuit.»

«Quoi qu'il en soit, chère Mlle Oliver, dit Susan, il y a une chose pour laquelle on peut remercier le ciel: cousine Sophia est pas venue aujourd'hui. J'aurais jamais été capable de la supporter par-dessus le marché.»

29

«Blessé et manquant à l'appel»

«Ravagée, mais non brisée», titrait le journal du lundi, et Susan ne cessa de se répéter ces paroles en poursuivant son travail. Le trou causé par le désastre de Saint-Quentin avait été réparé à temps, mais la ligne alliée était implacablement repoussée du territoire acheté en 1917 au prix d'un demi-million de vies humaines. Mercredi, le grand titre était «Les Britanniques et les Français font échec aux Allemands», ce qui n'empêchait pourtant pas la retraite de se poursuivre. Les Alliés reculaient et reculaient encore. Cela finirait-il un jour? La ligne se briserait-elle de nouveau, cette fois, désastreusement?

Samedi, le journal titrait «Même Berlin admet que l'offensive a échoué» et, pour la première fois depuis cette semaine terrible, les gens d'Ingleside osèrent pousser un soupir de soulagement.

«Eh bien, on vient de passer au travers d'une semaine. Préparons-nous pour la prochaine», déclara Susan avec loyauté.

«Je me sens comme un prisonnier sur le gril une fois que les bourreaux ont arrêté de le tourner, confia Mlle Oliver à

Rilla pendant qu'elles se rendaient à l'église, le matin de Pâques. Mais je suis encore sur le gril. Le supplice peut reprendre n'importe quand.»

«J'ai douté de Dieu, dimanche dernier, dit Rilla, mais aujourd'hui, j'ai confiance en Lui. Le mal ne peut pas vaincre. Nous avons l'esprit de notre côté, et il survivra à la chair.»

Sa foi fut néanmoins souvent mise à l'épreuve au cours du printemps néfaste qui suivit. L'affrontement ne fut pas, comme on l'avait espéré, l'affaire de quelques jours. Il s'étira pendant des semaines et des mois. Encore et encore, Hindenburg frappa à sa façon soudaine et sauvage, remportant des succès alarmants, quoique futiles. Encore et encore, les experts militaires considérèrent la situation extrêmement dangereuse. Encore et encore, cousine Sophia fut d'accord avec eux.

«Si les Alliés reculent de trois autres milles, la guerre est perdue», geignit-elle.

«Est-ce que la marine britannique est ancrée à l'intérieur de ces trois milles?» rétorqua Susan avec mépris.

«À mon avis, les Allemands seront à Paris sous peu et je dirais même qu'ils seront au Canada, Susan Baker.»

«Mais certainement pas ici. Aussi longtemps que j'saurai tenir une fourche, les Boches mettront pas un pied à l'Île-du-Prince-Édouard, déclara Susan, l'air déterminée à mettre toute seule l'armée allemande en déroute. Non, Sophia Crawford, si tu veux savoir la vérité, je suis écœurée d'écouter tes jérémiades. Certaines erreurs ont été commises, je ne le nie pas. Les Allemands seraient jamais retournés à Passchendaele si on y avait laissé les Canadiens. Et on a fait un mauvais calcul en se fiant aux Portugais au fleuve Lys. Mais ça ne justifie pas que toi ou n'importe qui d'autre proclamiez que la guerre est perdue. J'ai pas envie de me disputer avec toi, surtout pas maintenant, mais on doit garder un bon moral. J'vais donc te dire clairement le fond de ma pensée: si t'es pas capable d'arrêter de te plaindre, t'es aussi bien de rester chez toi.»

Ulcérée, cousine Sophia retourna chez elle digérer cet affront et ne réapparut pas dans la cuisine de Susan avant plusieurs semaines. C'était peut-être préférable ainsi. Ce furent des semaines difficiles, car les Allemands continuèrent à frapper et, à chacun de leurs assauts, des points vitaux tombèrent. Au début de mai, un jour que la brise et le soleil folâtraient dans la vallée Arc-en-ciel, que l'érablière était d'un vert mordoré et que frissonnait l'eau toute bleue du port crêtée d'écume blanche, on reçut des nouvelles de Jem.

Il y avait eu un petit raid de tranchée sur le front canadien, un petit raid si insignifiant qu'on ne le mentionna même pas dans les dépêches. Mais lorsqu'il fut terminé, on découvrit que le lieutenant James Blythe était blessé et manquant à l'appel.

«Je trouve que c'est encore pire que d'avoir appris la nouvelle de sa mort», gémit Rilla, les lèvres exsangues, ce soir-là.

«Non, non. "Manquant à l'appel" nous laisse un petit espoir, Rilla», se hâta de protester Gertrude Oliver.

«Oui, un espoir qui torture et nous empêche de nous résigner tout à fait au pire. Oh! Mlle Oliver, nous faudra-t-il attendre des semaines, des mois, avant de savoir si Jem est mort ou vivant? Et peut-être ne le saurons-nous jamais. Je... je ne peux pas supporter ça, c'est impossible. Walter... et à présent, Jem. Maman ne survivra pas, regardez son visage, Mlle Oliver, et vous vous en rendrez compte. Et Faith, la pauvre Faith, comment peut-elle le supporter?»

Gertrude frémit. Mais elle dit avec douceur: «Non, ta mère va survivre. Elle est forte. De plus, elle refuse de croire à la mort de Jem. Elle va s'accrocher à cet espoir et nous devons suivre son exemple. Sois sûre que Faith se montrera courageuse.»

«Je ne peux pas, se plaignit Rilla. Jem a été blessé, quelle chance lui reste-t-il? Même si les Allemands le trouvaient, vous savez de quelle façon ils ont traité des prisonniers blessés. Je voudrais espérer, Mlle Oliver. J'aurais moins mal, j'imagine. Mais on dirait que l'espoir est mort en moi. Je ne peux espérer sans motif, et je n'en ai pas.»

Lorsque Mlle Oliver fut sortie pour se réfugier dans sa chambre et que Rilla, allongée sur son lit dans la lumière de la lune, se mit à prier intensément pour que lui soit accordé un peu de force, Susan fit irruption dans la pièce comme un fantôme désolé et s'assit auprès d'elle.

«Rilla, ma chère enfant, ne t'en fais pas. Petit Jem n'est pas mort.»

«Oh! Qu'est-ce qui te fait dire ça, Susan?»

«Je le sais. Écoute-moi. Lorsqu'on a reçu la nouvelle ce matin, j'ai tout de suite pensé au chien Lundi. Et ce soir, après avoir lavé la vaisselle et pétri le pain, je me suis directement rendue à la gare. Lundi était là, attendant le train, aussi patient que d'habitude. Alors écoute-moi, Rilla chérie, ce raid de tranchée a eu lieu il y a quatre jours, lundi dernier, pour être plus précise. J'ai donc demandé au chef de gare si le chien avait hurlé et s'était conduit bizarrement lundi soir dernier. Il a réfléchi quelques instants puis m'a dit que non. "En êtes-vous sûr? ai-je insisté. Vous pouvez pas savoir ce que ça signifie pour nous." "Absolument sûr, m'a-t-il dit. Il a précisé qu'il ne s'était pas couché la nuit de lundi parce que sa jument était malade. Le chien a fait aucun bruit. Il m'a dit qu'il l'aurait entendu, parce que la porte de l'étable était ouverte et que la niche se trouve juste en face. C'est exactement ce qu'il a dit, chère Rilla. Et tu sais que ce pauvre petit chien a hurlé toute la nuit après la bataille de Courcelette. Pourtant, il n'aimait pas Walter autant que Jem. S'il s'est désolé comme ça pour Walter, peux-tu imaginer qu'il aurait dormi sur ses deux oreilles dans sa niche la nuit de la mort de Jem? Non, chère Rilla, petit Jem est vivant, crois-moi sur parole. S'il était mort, le chien Lundi l'aurait su, comme il l'a su pour Walter, et il n'attendrait plus le train.»

Cette histoire était absurde, irrationnelle et impossible. Malgré cela, Rilla y crut, de même que Mme Blythe et le docteur, même si celui-ci esquissait un léger sourire de dérision. Mais le désespoir qu'il avait d'abord éprouvé avait fait place à une confiance incompréhensible. Bien que ce fût insensé, ils reprirent tous courage parce qu'un petit chien fidèle à la gare de Glen St. Mary continuait à attendre le retour de son maître.

30

Le vent tourne

Susan éprouva beaucoup de chagrin, ce printemps-là, lorsqu'on dut bêcher la belle vieille pelouse d'Ingleside pour y planter des pommes de terre. Elle ne protesta cependant pas, même en voyant sacrifiées ses pivoines bien-aimées. Mais lorsque le gouvernement vota la loi sur l'heure d'été, elle rua dans les brancards. Il existait un pouvoir supérieur à celui du gouvernement unioniste, et c'était à celui-là qu'elle se soumettait.

«Trouvez-vous juste qu'on s'ingère dans les desseins de la Providence?» demanda-t-elle au docteur, pleine d'indignation. Le docteur resta de glace et répondit qu'il fallait observer la loi et que les horloges d'Ingleside seraient réglées conformément au décret. Il ne put cependant toucher au petit réveille-matin de Susan.

«Je l'ai acheté avec mon propre argent, chère Mme Docteur, dit-elle fermement, et il va donner l'heure de Dieu, pas celle du premier ministre Borden.»

C'est donc selon «l'heure de Dieu» que Susan se levait et se couchait et qu'elle réglait ses allées et venues. Malgré ses protestations, elle dut servir les repas et même aller à l'église, ce qui était l'insulte suprême, selon «l'heure de Borden». Elle se fiait cependant à son réveil pour réciter ses prières et nourrir les poules. C'est pourquoi elle avait toujours une étincelle triomphante dans l'œil quand elle regardait le docteur. Elle avait eu le dessus sur lui au moins sur quelques points.

«Cette histoire d'heure d'été ravit Moustaches-sur-la-lune, confia-t-elle un soir au docteur. Ça n'a évidemment rien d'étonnant puisque, d'après ce que j'ai compris, c'est une invention des Allemands. J'ai entendu dire qu'il avait récemment failli perdre toute sa récolte de blé. Les vaches de Warren Mead ont envahi son champ, la semaine dernière, le jour même où les Allemands ont pris le Chemang-de-dam. C'était peut-être une coïncidence, qui sait? Quoi qu'il en soit, les vaches étaient en train de tout ravager lorsque Mᵐᵉ Dick Clow s'est adonnée à voir la scène de la fenêtre de son grenier. Pour commencer, elle n'avait aucunement l'intention d'avertir M. Pryor. Elle m'a dit qu'elle jubilait en voyant les vaches brouter le blé de Moustaches. Elle avait l'impression qu'il avait exactement le sort qu'il méritait. Puis, après réflexion, elle a conclu qu'une récolte de blé était une chose de grande importance et que les mots "épargner et servir" signifiaient également qu'on devait chasser ces vaches du pré. Elle est donc descendue téléphoner à Moustaches. Il l'a remerciée par des mots bizarres. Elle ne jurerait pas qu'il a blasphémé parce qu'on peut jamais être sûr de ce qu'on entend au téléphone, mais elle a son opinion et moi de même. J'préfère m'arrêter là parce que voici M. Meredith, et comme Moustaches est un de ses marguilliers, vaut mieux faire preuve de discrétion.»

«Est-ce que vous cherchez la nouvelle étoile?» demanda M. Meredith en rejoignant Mˡˡᵉ Oliver et Rilla, debout à fixer le ciel au milieu des pommes de terre en fleurs.

«Oui... nous l'avons trouvée... regardez, elle est au-dessus de la cime du plus grand des pins.»

«C'est extraordinaire d'être en train de regarder un

phénomène qui s'est passé il y a trois mille ans, n'est-ce pas? remarqua Rilla. Selon les astronomes, c'est à ce moment-là qu'a eu lieu la collision qui a produit cette nouvelle étoile.»

«Même cet événement ne peut éclipser, dans ce qui peut être une bonne perspective des étoiles, le fait que les Allemands ne sont plus qu'à quelques pas de Paris», fit nerveusement Gertrude.

«Je crois que j'aurais aimé être un astronome», reprit M. Meredith, l'air rêveur, en contemplant l'étoile.

«Cela doit en effet procurer un plaisir étrange, approuva Mlle Oliver, un plaisir irréel, dans plus d'un sens. Il me plairait de compter quelques astrologues parmi mes amis.»

«On pourrait placoter sur les hôtes du ciel», ajouta Rilla en riant.

«Je me demande si les astrologues ressentent un intérêt très profond pour les choses de la terre, dit le docteur. Peutêtre que les personnes étudiant les canaux de la planète Mars ne sont pas très sensibles à la signification de quelques bouts de tranchées gagnés ou perdus sur le front ouest.»

«J'ai déjà lu quelque part, reprit M. Meredith, qu'Ernest Renan avait écrit l'un de ses livres pendant le siège de Paris en 1870 et qu'il avait éprouvé un vif plaisir à l'écrire. Je suppose qu'on pourrait le qualifier de philosophe.»

«J'ai également lu, ajouta Mlle Oliver, que peu de temps avant sa mort, il déclarait que son seul regret était de devoir mourir avant de voir ce que l'empereur d'Allemagne, jeune homme extrêmement intéressant, ferait de sa vie. Si Ernest Renan revenait et voyait ce que l'intéressant jeune homme a fait à sa France bien-aimée, sans parler du reste du monde, je me demande si son détachement intellectuel serait aussi complet qu'en 1870.»

«Et moi, je me demande où est Jem, ce soir», songea Rilla, soudain douloureusement assaillie par le souvenir de son frère.

Il y avait plus d'un mois qu'on avait reçu la nouvelle à propos de Jem. Malgré tous les efforts, rien n'avait été découvert à son sujet. On avait reçu deux ou trois lettres de lui, écrites avant le raid. Depuis, rien d'autre que le silence. À présent, les Allemands étaient de nouveau dans la région de la Marne, se rapprochant de plus en plus de Paris. Des rumeurs parlaient d'une nouvelle offensive autrichienne contre la ligne de Piave. Le cœur serré, Rilla cessa de regarder la nouvelle étoile. C'était l'un de ces moments où l'espoir et le courage lui faisaient totalement défaut; il lui semblait impossible de continuer, ne fût-ce qu'un jour. Si seulement ils savaient ce qui était arrivé à Jem! Car on peut faire face à ce que l'on connaît. Mais c'est difficile pour le moral lorsqu'on est assiégé par la peur, le doute et l'angoisse. Si Jem était vivant, il était évident qu'on l'aurait su. Il devait être mort. Mais ils ne le sauraient jamais, ils n'en seraient jamais tout à fait sûrs. Et Lundi attendrait le train jusqu'à ce qu'il meure de vieillesse. Lundi n'était qu'un pauvre petit chien loyal et perclus de rhumatismes, et il n'en savait pas plus qu'eux sur le sort de son maître.

Rilla ne trouva le sommeil qu'à une heure très avancée de la nuit. Lorsqu'elle s'éveilla, Gertrude Oliver était assise à la fenêtre, penchée pour saisir le mystère argenté de l'aube. Son profil intelligent et bien découpé, avec la masse de cheveux noirs rejetés en arrière, se détachait clairement contre l'or pâle du ciel, à l'est. Rilla frémit en se rappelant combien Jem admirait la courbe de son front et de son menton. Tout ce qui lui rappelait Jem lui causait maintenant une douleur intolérable. Bien que la mort de Walter eût infligé à son cœur une blessure terrible, cela avait été une blessure nette, qui guérissait lentement, comme toutes les blessures, même si la cicatrice ne disparaîtrait jamais. Mais la disparition de Jem lui causait une torture différente. Elle contenait un poison qui l'empêchait de guérir. Les alternances d'espoir et de désespoir, l'interminable attente, chaque jour, d'une lettre qui n'arrivait jamais, qui n'arriverait peut-être jamais, les reportages des journaux sur la façon dont on maltraitait les prisonniers, les questions qu'on se posait sur la blessure de Jem, tout cela était de plus en plus difficile à supporter.

Gertrude Oliver tourna la tête. Ses yeux brillaient de façon étrange.

«Rilla, dit-elle, j'ai fait un autre rêve.»

«Oh! Non, non», s'écria Rilla, glacée d'horreur. Les rêves de Mlle Oliver avaient toujours annoncé une catastrophe.

«C'était un beau rêve, Rilla. Écoute, j'ai rêvé, comme il y a quatre ans, que j'étais sur les marches de la véranda en train de contempler le village. Comme dans l'autre, il était couvert de vagues qui venaient lécher mes pieds. Mais pendant que je les regardais, elles se sont mises à reculer, et elles reculaient aussi rapidement qu'elles montaient, il y a quatre ans. Elles reculaient jusqu'au golfe. Puis le golfe s'est étalé devant moi, splendide et vert. Un arc-en-ciel s'est alors dessiné au-dessus de la vallée, un arc-en-ciel si magnifique que j'en fus bouleversée. Puis je me suis réveillée. Rilla, Rilla Blythe, le vent a tourné.»

«Je voudrais le croire», soupira Rilla.

«Quand je prédisais la peur, c'était la vérité

Il faut me croire aussi quand je vois la gaieté, cita Gertrude, presque joyeuse. Je t'assure que je n'ai aucun doute.»

Pourtant, malgré la grande victoire italienne à Piave, dont la nouvelle parvint quelques jours plus tard, Rilla douta plus d'une fois au cours du mois difficile qui suivit. Et lorsque, vers la mi-juillet, les Allemands traversèrent de nouveau la Marne, elle sombra dans le désespoir. Il était inutile, crurent-ils tous, d'espérer voir se répéter le miracle de la Marne. C'est pourtant ce qui se passa. Et comme en 1914, c'est à la Marne que la chance tourna. Les troupes françaises et américaines assenèrent un coup terrible au flanc exposé de l'ennemi et, avec la rapidité presque inconcevable d'un rêve, toute l'image de la guerre changea.

«Les Alliés ont remporté deux victoires extraordinaires», annonça le docteur, le 20 juillet.

«Merci, mon Dieu», murmura Susan en joignant ses deux

mains tremblantes avant d'ajouter, dans un souffle: «Mais c'est pas ça qui va nous ramener nos garçons.»

Elle sortit néanmoins hisser le drapeau, pour la première fois depuis la chute de Jérusalem. En le regardant flotter et claquer vaillamment dans le vent, Susan leva la main et le salua, comme elle avait vu Shirley le faire. «On a tous donné quelque chose pour que tu continues à flotter, dit-elle. On a envoyé quatre cent mille de nos garçons en Europe, et cinquante mille d'entre eux ont été tués. Mais tu en vaux la peine!» Le vent ébouriffait ses cheveux et le tablier de calicot qui l'enveloppait de la tête aux pieds était taillé selon les règles de l'économie. Et pourtant, Susan était, à ce moment-là, une silhouette imposante. Elle faisait partie de ces femmes courageuses, fortes, patientes, héroïques qui avaient rendu la victoire possible. À travers elle, toutes saluaient le symbole pour lequel leurs êtres les plus chers avaient combattu. C'était à cela que songeait le docteur en la regardant depuis la porte.

«Susan, lui dit-il comme elle se tournait pour revenir vers lui, du début à la fin de cette histoire, vous avez été tout simplement formidable!»

31

Mᵐᵉ Matilda Pitman

Rilla et Jims étaient debout sur la plate-forme arrière de leur wagon lorsque le train s'arrêta à la petite gare de Millward. Cette soirée d'août était si chaude, si étouffante qu'on suffoquait dans les wagons bondés. Personne n'avait jamais su pourquoi les trains s'arrêtaient à la petite gare de Millward. On n'avait jamais vu personne y descendre, ni personne monter dans le train. Une seule maison se trouvait à moins de quatre milles de la gare, et elle était entourée de buissons de bleuets et de taillis d'épinettes.

Rilla était en route pour Charlottetown où elle allait passer la nuit chez une amie et, le lendemain, faire des emplettes pour la Croix-Rouge. Elle avait amené Jims, en partie parce qu'elle ne voulait pas imposer à Susan ou à sa mère ce surcroît de travail, et aussi parce que son cœur désirait ardemment l'avoir autant qu'elle le pouvait auprès d'elle avant de devoir renoncer à lui pour toujours. James Anderson lui avait écrit peu de temps auparavant. Il était à l'hôpital, blessé. Il ne pourrait retourner au front et il rentrerait au pays dès que possible pour reprendre Jims.

Rilla avait le cœur lourd. Elle était également inquiète.

Elle chérissait Jims et, quelle que fût la situation, elle aurait souffert de se séparer de lui. Pourtant, si James Anderson avait été un homme différent, s'il avait eu un véritable foyer à offrir à l'enfant, cela aurait été plus supportable. Mais confier Jims à son vagabond, fainéant et irresponsable de père, même en sachant qu'il avait bon cœur, était une perspective qui souriait peu à Rilla. Il n'était même pas probable qu'Anderson demeurât au Glen, puisque plus rien ne l'y retenait. Il était même possible qu'il retournât en Angleterre. Plus jamais elle ne reverrait Jims, son cher petit rayon de soleil, l'enfant qu'elle avait élevé avec tant de soins. Avec un père pareil, quel sort connaîtrait-il? Bien que Rilla eût l'intention de supplier Jim Anderson de lui confier l'enfant, le ton de sa lettre lui laissait peu d'espoir.

«Je serais tellement moins inquiète s'il restait au Glen et que je pouvais garder un œil sur Jims, songeait-elle. Mais je suis sûre qu'il partira et que Jims n'aura jamais aucune chance. C'est un enfant si brillant, il a de l'ambition, bien que j'ignore de qui il tient ça, et il n'est pas paresseux. Mais son père n'aura jamais un sou à consacrer à son éducation et à lui assurer un bon départ dans la vie. Jims, mon petit bébé de guerre, qu'adviendra-t-il de toi?»

Jims semblait se ficher éperdument de son avenir. Il surveillait avec ravissement les cabrioles d'un petit suisse qui batifolait sur le toit de la petite gare. Lorsque le train repartit, il lâcha la main de Rilla et se pencha pour jeter un dernier regard au suisse. Rilla était si préoccupée par l'avenir de Jims qu'elle oublia de s'occuper de son présent. Il perdit donc l'équilibre, tomba la tête la première, dégringola à travers le quai de la gare pour atterrir de l'autre côté, dans un fourré de fougères. Rilla poussa un hurlement et s'affola tête. Elle dévala les marches et sauta hors du train. Heureusement, le train roulait encore lentement; heureusement aussi, Rilla eut suffisamment de présence d'esprit pour sauter dans la direction où allait le train. Néanmoins, cela ne l'empêcha pas de tomber et de rouler en bas du talus pour se retrouver dans un fossé couvert de verges d'or et de quenouilles. Personne n'avait vu ce qui s'était passé et le train disparut dans un tournant. Rilla se releva, étourdie mais intacte, et se rua sur le quai, s'attendant à trouver Jims en pièces détachées, sinon mort. Mais à part quelques ecchymoses et une grosse frayeur, il n'avait pas de blessures. Il était tellement secoué qu'il ne pleurait même pas. Mais Rilla, découvrant qu'il était sain et sauf, éclata en sanglots convulsifs.

«Vilain vieux t'ain, remarqua Jims d'un air dégoûté. Et vilain vieux bon Dieu», ajouta-t-il en fronçant les sourcils en direction du ciel.

Rilla pouffa de rire à travers ses larmes, ce qui produisit quelque chose que son père aurait qualifié d'hystérie. Mais elle retrouva son sang-froid avant que la crise prenne possession d'elle.

«Rilla Blythe, j'ai honte de toi. Ressaisis-toi immédiatement. Jims, il ne faut pas dire une telle chose.»

«C'est Dieu qui m'a jeté du t'ain, protesta Jims d'un air de défi. Y a quelqu'un qui m'a poussé. Comme c'est pas toi, ça veut dire que c'est Dieu.»

«Non. Tu es tombé parce que tu as lâché ma main et que tu t'es penché trop en avant. Je t'avais dit de ne pas le faire. C'était donc entièrement de ta faute.»

Jims la regarda pour voir si elle était sérieuse. Puis il leva de nouveau les yeux vers le ciel.

«Excuse-moi, bon Dieu», dit-il avec désinvolture.

Rilla scruta le ciel à son tour. Son apparence ne lui plaisait pas du tout. Un gros nuage noir apparaissait au nord-ouest. Que pouvaient-ils faire? Il n'y avait pas d'autre train ce soir-là, puisque l'express de neuf heures ne passait que le samedi. Leur serait-il possible d'atteindre la maison d'Hannah Brewster, à deux milles de là, avant l'orage? Rilla se disait qu'elle n'aurait eu aucune difficulté à le faire, seule, mais qu'avec Jims, c'était une autre paire de manches. Ses petites jambes tiendraient-elles?

«Il faut essayer, dit-elle, désespérée. Nous pourrions rester ici jusqu'à la fin de l'orage, mais s'il pleut toute la nuit, que ferons-nous? D'ailleurs, il va faire noir comme chez le loup. Si nous pouvons arriver chez Hannah, elle nous gardera pour la nuit.»

Hannah Brewster, à l'époque où elle s'appelait Hannah Crawford, avait habité au Glen et fréquenté l'école avec Rilla. Elles étaient alors de bonnes amies, même si Hannah avait trois ans de plus que Rilla. Elle s'était mariée très jeune et était allée vivre à Millward. Avec tout le travail qu'elle avait à faire, ses bébés et son bon à rien de mari, Hannah n'avait pas eu la vie facile et elle n'était pas souvent retournée dans son village natal. Rilla lui avait rendu visite une fois, peu après son mariage, mais depuis, elle ne l'avait pas revue et n'avait même jamais reçu de ses nouvelles. Elle savait néanmoins qu'elle serait chaleureusement accueillie et hébergée dans n'importe quelle maison où vivrait la généreuse Hannah aux joues roses et au grand cœur.

Si tout se passa bien pendant le premier mille, le second fut plus difficile. Rarement utilisée, la route était pleine de trous et de bosses. Jims était si fatigué que, le dernier quart de mille, Rilla dut le porter. Elle était exténuée lorsqu'elle parvint chez les Brewster, et elle poussa un soupir de soulagement en laissant tomber Jims dans l'allée. Le ciel était à présent noir de nuages, les premières lourdes gouttes commençaient à tomber et le grondement du tonnerre se faisait de plus en plus menaçant. Rilla fit alors une découverte désagréable. Tous les stores étaient baissés et les portes, fermées à clef. Les Brewster n'étaient pas à la maison, c'était évident. Rilla courut à la petite grange. Elle était verrouillée, elle aussi. Aucun autre refuge n'était possible. La maisonnette blanchie à la chaux n'avait même pas de porche ni de véranda. Il faisait à présent presque noir et sa situation paraissait désespérée.

«Je vais entrer, même si je dois briser un carreau, dit-elle résolument. C'est ce qu'Hannah voudrait que je fasse. Jamais elle ne s'en remettrait si elle apprenait que je suis venue chercher refuge chez elle pendant un orage et que je n'ai pu entrer.»

Heureusement, elle ne fut pas obligée d'aller jusqu'à entrer par effraction. La fenêtre de la cuisine s'ouvrit sans trop de difficulté. Rilla souleva Jims pour le faire passer à l'intérieur et se faufila à son tour, au moment même où l'orage éclatait pour de bon.

«Oh! Regarde tous les petits mo'ceaux de tonnerre!» s'écria Jims, ravi, en voyant l'éclair danser dans le ciel. Rilla ferma la fenêtre et réussit, non sans mal, à trouver une lampe et à l'allumer. Ils se trouvaient dans une petite cuisine tout à fait douillette. D'un côté, elle ouvrait sur un salon impeccable et joliment meublé, et de l'autre, sur un garde-manger qui se révéla bien garni.

«Je vais faire comme chez moi, dit Rilla. Je sais qu'Hannah serait d'accord. Je vais nous préparer une petite collation et ensuite, si la pluie continue et que personne n'arrive, je vais monter à la chambre d'ami et me mettre au lit. Dans la vie, il faut savoir réagir vite et avec bon sens. Si je ne m'étais pas conduite comme une dinde en voyant Jims tomber du train, je me serais précipitée à l'intérieur du wagon et aurais trouvé quelqu'un pour arrêter le train. Je ne me serais pas retrouvée dans ce pétrin. Je vais quand même essayer d'en tirer le meilleur parti possible. Cette maison, poursuivit-elle en jetant un regard circulaire, est beaucoup mieux organisée que la dernière fois où je suis venue. Évidemment, Hannah et Ted venaient tout juste de se mettre en ménage. J'étais pourtant restée sur l'impression que Ted n'était pas très prospère. Pour acheter un mobilier comme celui-ci, il a sûrement fait plus d'argent que ce que j'étais portée à croire. Je suis rudement contente pour Hannah.»

L'orage passa, mais la pluie continua à tomber à verse. À onze heures, Rilla conclut que personne ne rentrerait. Jims s'était endormi sur le canapé. Elle le porta jusqu'à la chambre d'ami et le coucha. Une fois déshabillée, elle-même revêtit une chemise de nuit trouvée dans un tiroir de la commode et se glissa, tout ensommeillée, entre les draps embaumant la lavande. Après toutes ces aventures et ces efforts, elle était si exténuée que l'aspect insolite de la situation ne put la tenir réveillée. Quelques minutes plus tard, elle dormait comme un loir.

Rilla dormit jusqu'à huit heures le lendemain matin. Elle fut alors réveillée en sursaut. Quelqu'un lui demandait d'une voix rude et maussade: «Hé! Vous deux! Réveillez-vous! Je veux savoir ce que ça signifie!»

Rilla fut immédiatement tout à fait réveillée. Jamais de toute sa vie elle n'avait émergé du sommeil d'une façon aussi brutale. Trois personnes, dont un homme, se trouvaient dans la pièce. Les trois lui étaient absolument étrangères. L'homme était un grand type à la barbe noire embroussaillée et il fronçait les sourcils d'un air mécontent. Une grande femme maigre et anguleuse, arborant une tignasse rousse et coiffée d'un chapeau indescriptible, se tenait à ses côtés. Elle paraissait encore plus stupéfaite et offensée que l'homme, si toutefois c'était possible. Le troisième personnage était à l'arrière; il s'agissait d'une vieille dame rabougrie d'au moins quatre-vingts ans. Elle avait beau être minuscule, son aspect était quand même frappant. Elle était vêtue de noir et ses cheveux étaient blanc neige, son visage, livide, et ses yeux vifs et pétillants évoquaient deux morceaux de charbon. Elle avait également l'air éberluée, mais pas fâchée, comme Rilla put le constater.

Elle s'aperçut aussi que quelque chose n'allait pas, mais pas du tout. Puis l'homme reprit, d'une voix encore plus irritée: «Allons, répondez, qui êtes-vous et qu'est-ce que vous faites ici?»

Rilla se souleva sur un coude. Elle paraissait et se sentait absolument déconcertée et idiote. Elle entendit la vieille dame noire et blanche pouffer de rire. «Elle doit bien être réelle, songea Rilla. Elle ne peut pas être un rêve.» Puis elle bredouilla: «Je ne suis pas chez Theodore Brewster?»

«Non, répondit la grande femme, ouvrant la bouche pour

la première fois, vous êtes chez nous. Les Brewster nous ont vendu leur maison l'automne dernier. Ils sont déménagés à Greenvale. Nous sommes les Chapley.»

La pauvre Rilla retomba sur son oreiller, complètement dépassée par les événements.

«Je vous demande pardon, dit-elle. Je... je croyais que les Brewster habitaient ici. Mme Brewster est une vieille amie à moi. Je suis Rilla Blythe, la fille du Dr Blythe de Glen St. Mary. Je... je m'en allais en ville avec mon... mon... ce petit garçon... et il est tombé du train... alors j'ai sauté sans que personne s'en aperçoive. Je savais que nous ne pouvions rentrer chez nous hier soir et une tempête se préparait. Nous avons donc marché jusqu'ici et, comme il n'y avait personne, eh bien... eh bien, nous sommes entrés par une fenêtre et... et nous nous sommes installés.»

«En effet», dit la femme.

«Une histoire très vraisemblable», dit l'homme.

«Mais nous ne sommes pas nés d'hier», ajouta la femme.

À l'arrière-plan, Mme Noir-et-blanc n'intervint pas, mais en entendant les paroles des deux autres, elle ne put retenir son hilarité, hochant la tête et battant l'air de ses mains. Piquée au vif par l'attitude désagréable des Chapley, Rilla retrouva ses esprits et se fâcha. Elle se redressa et dit de sa voix la plus hautaine: «J'ignore quand et où vous êtes nés, mais c'est sûrement quelque part où on vous a enseigné de drôles de manières. Si vous avez l'obligeance de quitter ma chambre... hum... cette chambre pour que je puisse me lever et m'habiller, je n'abuserai pas davantage de votre hospitalité, ajouta Rilla d'un ton on ne peut plus sarcastique. Et je vais vous dédommager pour la nourriture et l'hébergement.»

Toujours muette, l'apparition en noir et blanc cessa de battre des mains. Qu'il fût impressionné par le ton de Rilla ou apaisé par la perspective d'être payé, M. Chapley se montra poli.

«Bon, ça va. Si vous nous payez, pas de problème.»

«Il n'en est pas question, déclara Mme Noir-et-blanc

d'une voix étonnamment claire, résolue et autoritaire. Si vous n'avez pas de dignité, Robert Chapley, votre belle-mère en a pour deux. Aucun étranger ne se verra dans l'obligation de payer pour être hébergé dans la maison où vit Mme Matilda Pitman. J'ai beau avoir connu des revers de fortune, cela ne m'a pas fait perdre toute décence. Je savais que vous étiez un grippe-sou quand Amelia vous a épousé, et vous l'avez rendue aussi pingre que vous. Mais Mme Matilda Pitman est la patronne depuis longtemps, et elle le restera. Alors sortez de cette pièce, Robert Chapley, et laissez cette jeune fille s'habiller. Toi, Amelia, descends lui préparer à déjeuner.»

Rilla fut alors témoin d'une chose incroyable: ces deux personnes imposantes plièrent l'échine et obéirent docilement à la minuscule vieille dame. Elles sortirent de la pièce sans un regard ni un mot de protestation. Une fois la porte refermée derrière elles, Mme Matilda Pitman gloussa en silence, se balançant avec une joie non dissimulée.

«Amusant, pas vrai? dit-elle. La plupart du temps, j'leur laisse la bride sur le cou, mais il faut parfois que j'tire les rênes, et quand j'le fais, j'donne une bonne secousse. Ils osent pas me contrarier parce que j'ai pas mal d'argent et qu'ils ont peur de pas hériter tout le magot. J'ai pas l'intention de tout leur léguer, non plus. J'vais leur en laisser une partie, mais pas tout, juste pour les vexer. J'ai pas encore décidé à qui j'vais le donner, mais il faudra que j'trouve bientôt, parce qu'à quatre-vingts ans, il reste plus beaucoup de temps. À présent, prenez tout votre temps pour vous habiller, ma chère. Moi, j'vais descendre m'occuper de ces deux vauriens d'avares. C'est un bel enfant que vous avez là. Votre petit frère?»

«Non, c'est un bébé de guerre dont je prends soin, parce que sa mère est morte et que son père est à la guerre», répondit Rilla à voix basse.

«Un bébé de guerre! Hum! J'fais mieux de déguerpir avant qu'il se réveille, sinon il va sûrement se mettre à pleurer. Les enfants m'ont jamais aimée. J'arrive pas à m'rappeler qu'un jeune soit jamais venu à moi de son propre gré. J'ai moi-même jamais eu d'enfant; Amelia est ma belle-fille. Ma foi, ça m'a épargné pas mal d'ennuis. Si les enfants m'aiment pas, je le leur rends bien, alors on est quittes. Mais celui-ci est certainement très beau.»

Jims choisit ce moment pour se réveiller. Il ouvrit ses grands yeux marron et regarda fixement Mme Matilda Pitman. Puis il s'assit, esquissa un délicieux sourire qui creusa des fossettes dans ses joues, pointa la vieille dame du doigt et déclara à Rilla d'un ton solennel: «Jolie madame, Ouilla, jolie madame.»

Mme Matilda Pitman sourit en retour. Même à quatre-vingts ans, on reste vulnérable à la vanité.

«On prétend que la vérité sort de la bouche des enfants et des fous, dit-elle. J'avais coutume de recevoir des compliments dans ma jeunesse mais, à mon âge, ils se font de plus en plus rares. Ça fait des années que j'en ai pas entendu un seul. Ça fait du bien. À présent, j'suppose que tu voudras pas m'embrasser, petit chenapan.»

Jims eut une réaction étonnante. Ce n'était pas un enfant démonstratif et il était avare de ses baisers, même avec les gens d'Ingleside. Il se leva pourtant sans dire un mot dans le lit, son petit corps potelé revêtu de ses seuls sous-vêtements, courut jusqu'au pied du lit, jeta les bras autour du cou de Mme Matilda Pitman et lui fit un gros câlin accompagné de trois ou quatre baisers sonores et affectueux.

«Jims!» protesta Rilla, abasourdie par son sans-gêne.

«Laissez-le faire, ordonna Mme Matilda Pitman en rajustant son bonnet. Mon Dieu que j'aime voir quelqu'un qui n'a pas peur de moi. J'fais peur à tout le monde, à vous aussi, même si vous essayez de le cacher. Et pourquoi? C'est normal dans le cas de Robert et d'Amelia parce que j'fais exprès pour les effrayer. Mais j'ai beau être polie, les gens tremblent devant moi. Est-ce que vous allez garder cet enfant?»

«Je crains que ce soit impossible. Son père doit rentrer sous peu au pays.»

«Est-ce qu'il est bon... son père, je veux dire?»

«Ma foi, il est gentil et sympathique, mais il est pauvre... et le sera toujours, j'en ai bien peur.»

«Je vois. C'est une lavette. Incapable de faire de l'argent, et s'il en gagne, ça lui file entre les doigts. Eh bien, je vais voir, je vais voir. J'ai une idée. C'est une bonne idée et elle va faire frémir Robert et Amelia. C'est là son principal mérite à mes yeux, même si ce petit me plaît parce qu'il n'a pas peur de moi. Il vaut la peine qu'on se préoccupe de lui. À présent, habillez-vous, comme je vous l'ai dit, et descendez quand vous serez prêts.»

Bien que Rilla eût les membres raides et endoloris après sa randonnée et sa chute de la veille, elle mit peu de temps à s'habiller et à préparer Jims. Une fois descendue, elle trouva un petit déjeuner fumant sur la table de la cuisine. M. Chapley n'était nulle part en vue et sa femme tranchait le pain d'un air boudeur. Assise dans un fauteuil, Mᵐᵉ Matilda Pitman tricotait une chaussette d'armée en laine grise. Elle portait encore son bonnet et arborait une expression triomphante.

«Assoyez-vous et prenez un bon déjeuner», dit-elle.

«Je n'ai pas faim, répondit Rilla d'une voix presque implorante. Je ne pense pas pouvoir avaler une bouchée. Et c'est l'heure de partir pour la gare. Le train du matin est sur le point d'arriver. Veuillez m'excuser et nous laisser partir. Je ne vais accepter qu'une tartine pour Jims.»

Prenant un air taquin, Mᵐᵉ Matilda Pitman agita une aiguille à tricoter en direction de Rilla.

«Asseyez-vous et mangez, répéta-t-elle. C'est Mᵐᵉ Matilda Pitman qui vous l'ordonne. Tout le monde obéit à Mᵐᵉ Matilda Pitman, même Robert et Amelia.»

Rilla obtempéra. Elle prit donc place à la table et, sous l'influence du regard magnétique de Mᵐᵉ Matilda Pitman, elle avala un déjeuner substantiel. L'obéissante Amelia n'ouvrit pas la bouche. Également silencieuse, Mᵐᵉ Matilda Pitman riait sous cape tout en tricotant avec vigueur. Lorsque Rilla eut terminé, elle roula sa chaussette.

«À présent, vous pouvez partir, si vous le voulez, dit-elle, mais vous êtes pas obligée. Vous pouvez rester ici aussi long-temps que vous en aurez envie et Amelia va préparer vos repas.»

L'indépendante demoiselle Blythe, qu'une certaine clique de l'unité des jeunes de la Croix-Rouge accusait d'être domi-natrice et autoritaire, se sentit totalement intimidée.

«Je vous remercie, dit-elle humblement, mais il faut vrai-ment que nous partions.»

«Eh bien, fit Mme Matilda Pitman en ouvrant largement la porte, votre voiture est avancée. J'ai dit à Robert d'atteler et de vous conduire à la gare. J'adore faire faire des choses à Robert. C'est, pour ainsi dire, le seul sport qui me reste. J'ai plus de quatre-vingts ans et la plupart des choses ont perdu leur saveur, sauf donner des ordres à Robert.»

Ce dernier était devant la porte, assis sur le siège d'un impeccable boghei à deux places muni de pneus de caout-chouc. Il avait probablement entendu chacune des paroles de sa belle-mère, mais il ne broncha pas.

«J'aimerais vraiment, commença Rilla en rassemblant le peu de courage qui lui restait, que vous me laissiez... oh... ah...», hésita-t-elle, la voix lui manquant sous le regard de Mme Matilda Pitman, «vous récompenser pour... pour...»

«Mme Matilda Pitman vous a déjà dit, et elle était sincère, qu'elle ne se fait pas payer pour recevoir des étran-gers, et qu'elle ne permet pas aux personnes chez qui elle vit de le faire, comme leur avarice naturelle les y inciterait. Allez en ville et n'oubliez pas de me rendre visite la pro-chaine fois que vous passerez par ici. N'ayez pas peur. J'dois dire que, considérant la façon dont vous avez rabroué Robert ce matin, vous êtes pas une poule mouillée. Vous avez pas froid aux yeux et ça me plaît. La plupart des filles d'aujour-d'hui sont des créatures si timides, si craintives. J'avais peur de rien ni de personne dans ma jeunesse. Prenez bien soin de ce garçon. C'est pas un enfant ordinaire. Et veillez à ce que Robert évite les mares de boue. J'ai pas envie de voir mon boghei neuf tout éclaboussé.»

Pendant qu'ils s'éloignaient, Jims envoya des baisers à Mme Matilda Pitman tant qu'elle fut dans son champ de vision. Elle lui répondait en agitant sa chaussette. Robert n'ouvrit pas la bouche une seule fois de tout le trajet, mais il évita les mares de boue. Une fois à la gare, Rilla le remercia poliment, n'obtenant qu'un grognement en guise de réponse tandis qu'il faisait tourner son cheval pour rentrer chez lui.

«Eh bien, fit Rilla en prenant une grande respiration, il faut que j'essaie de redevenir Rilla Blythe. Je ne me suis pas sentie moi-même depuis quelques heures. J'ignore qui j'étais... sans doute une création de cette extraordinaire vieille dame. Je pense qu'elle m'a hypnotisée. Quelle aventure j'aurai à raconter aux garçons!»

Puis elle soupira. Elle venait de se rappeler qu'elle n'avait plus que Jerry, Ken, Carl et Shirley à qui écrire. Où était Jem, lui qui aurait si fortement apprécié Mme Matilda Pitman?

32

Des nouvelles de Jem

«Le 4 août 1918

«Il y a aujourd'hui quatre ans avait lieu le bal au phare. Quatre années de guerre. On dirait douze. J'avais quinze ans, à l'époque du bal. J'en ai maintenant dix-neuf. Je m'attendais à ce que ces quatre années fussent les plus belles de ma vie et elles ont été des années de guerre, des années de peur, de souffrance et d'angoisse. J'espère toutefois, avec humilité, qu'elles ont également développé mon caractère et m'ont donné un peu de force.

«Aujourd'hui, alors que je marchais dans le corridor, j'ai entendu maman dire quelque chose à papa à mon sujet. Je n'avais pas l'intention d'écouter, mais je n'ai pu m'empêcher de l'entendre en longeant le couloir et en montant l'escalier. Cela explique peut-être pourquoi j'ai entendu ce que les indiscrets ne sont jamais censés entendre, c'est-à-dire quelque chose de positif. Et parce que c'est maman qui a dit ces paroles, je vais les transcrire dans mon journal. Cela me réconfortera les jours de découragement, quand je me trouve futile, égoïste, faible et bonne à rien.

«"Rilla s'est développée d'une façon formidable depuis

quatre ans. Elle avait coutume d'être une jeune fille tellement irresponsable. Elle est devenue mûre et fiable, et cela me fait tellement de bien. Nan et Di se sont quelque peu éloignées de moi, elles ont si peu été à la maison. Mais Rilla est de plus en plus proche de moi. Nous sommes des amies. Je ne sais pas comment j'aurais pu traverser ces terribles années sans elle, Gilbert."

«Voilà, c'est exactement ce que maman a dit... et je me sens si contente, si triste, si fière et si humble. C'est merveilleux que ma mère pense ces choses à mon sujet, même si je ne le mérite pas vraiment. Je ne suis ni aussi bonne ni aussi forte qu'elle le pense. Je me suis si souvent sentie arrogante, impatiente, malheureuse et désespérée. C'est maman et Susan qui ont soutenu le moral de la famille. Je crois pourtant y avoir un peu contribué et cela me remplit de joie.

«Nous recevons depuis quelque temps de bonnes nouvelles de la guerre. Les Français et les Américains ne cessent de repousser les Allemands dans leurs derniers retranchements. J'ai parfois peur que ce soit trop beau pour durer, car après quatre années de désastres, on éprouve certaines difficultés à croire en ces succès constants. Nous ne manifestons pas trop bruyamment notre allégresse. Susan garde le drapeau hissé, mais nous restons discrets. Nous avons payé un prix trop élevé pour avoir envie de jubiler. Nous remercions seulement le ciel de ne pas l'avoir payé en vain.

«Nous n'avons encore reçu aucune nouvelle de Jem. Nous gardons espoir, parce qu'il le faut. Il y a pourtant des moments où nous avons tous, sans toutefois l'avouer, l'impression que cet espoir est absurde. À mesure que le temps passe, nous éprouvons de plus en plus souvent ce sentiment. Et il est possible que nous ne sachions jamais ce qui est arrivé. Il n'y a vraiment rien de plus terrible que cette pensée. Je me demande comment Faith réagit. À en juger par ses lettres, il semble qu'elle n'ait pas un seul instant abandonné espoir, mais elle a dû vivre de sombres heures de doute, tout comme nous.»

«Le 20 août 1918

«Les Canadiens ont de nouveau été sur la ligne de feu et M. Meredith a reçu aujourd'hui un télégramme lui apprenant que Carl avait été légèrement blessé et qu'il était à l'hôpital. Le télégramme ne disait pas où Carl avait été blessé. C'est inhabituel et nous sommes tous inquiets. On nous annonce désormais une nouvelle victoire chaque jour.»

«Le 30 août 1918

«Les Meredith ont reçu aujourd'hui une lettre de Carl. Sa blessure était peut-être superficielle, mais c'est son œil droit qui a été atteint et qui ne verra plus jamais. "Un œil suffit pour examiner les insectes", écrit Carl avec bonne humeur. Et nous savons que cela aurait pu être bien pire! Il aurait pu perdre les deux yeux! J'ai quand même passé l'après-midi à pleurer. Carl avait de si beaux yeux bleus au regard intrépide!

«Nous avons une consolation: il n'aura pas à retourner au front. Il revient au pays dès qu'il aura son congé de l'hôpital. Il sera le premier de nos garçons à rentrer. Quand les autres arriveront-ils?

«L'un d'eux, pourtant, ne reviendra jamais. Du moins, nous ne le verrons pas, s'il revient. Mais, oh! je pense qu'il sera là. Lorsque nos soldats canadiens reviendront, une armée d'ombres les accompagnera, l'armée de ceux qui sont tombés. Nous ne les verrons pas, mais ils seront présents!»

«Le 1er septembre 1918

«Hier, je suis allée voir un film à Charlottetown avec maman. C'était *Hearts of the World*. Je me suis rendue complètement ridicule et papa va me taquiner jusqu'à la fin de mes jours. Mais tout paraissait si horriblement réel et j'étais si intensément absorbée que j'ai tout oublié à part les scènes qui se jouaient devant mes yeux. C'est alors que, presque à la fin du film, nous avons vu une scène particulièrement énervante. L'héroïne se battait avec un horrible soldat allemand qui essayait de l'entraîner. Je savais qu'elle avait un poignard, je l'avais vue le cacher pour l'avoir à la portée de la main, et je n'arrivais pas à comprendre pourquoi elle ne le sortait pas pour en finir avec la brute. Je pensai qu'elle avait dû l'oublier et, au moment le plus palpitant, j'ai complètement perdu la tête. Je me suis levée brusquement au milieu de la salle bondée et j'ai crié à tue-tête: "Le couteau est dans ton bas! Le couteau est dans ton bas!"

«J'ai vraiment fait sensation! Le plus amusant de l'histoire est que, au moment précis où j'ai crié, la fille sortait son arme et poignardait le soldat!

«Tout le monde a éclaté de rire. J'ai repris mes esprits et suis retombée sur mon siège, complètement mortifiée. Maman était secouée de rire. J'aurais pu la secouer, moi aussi. Pourquoi ne m'avait-elle pas fait taire avant que je perde ainsi la face? Elle proteste qu'elle n'en a pas eu le temps. Heureusement, la salle était sombre et personne ne me connaissait. Et moi qui pensais que j'étais en train de devenir une femme sensée, capable de contrôler ses émotions! Il est clair que j'ai encore du chemin à parcourir!»

«Le 20 septembre 1918

«À l'Est, la Bulgarie a demandé la paix, et à l'Ouest, les Britanniques ont écrasé la ligne d'Hindenburg, tandis qu'ici même, à Glen St. Mary, le petit Bruce Meredith a fait une chose extraordinaire, extraordinaire à cause de l'amour qui l'a inspirée. Mme Meredith est venue ici, ce soir, et elle nous a tout raconté. Maman et moi avons pleuré et Susan s'est levée pour aller remuer des casseroles près du poêle.

Bruce a toujours témoigné une totale dévotion à Jem et il ne l'a jamais oublié. À sa manière, il a été aussi loyal que le chien Lundi. Nous lui avons toujours dit que Jem reviendrait. Mais il paraît qu'il se trouvait hier soir au magasin de Carter Flagg, il a entendu son oncle Norman déclarer sans sourciller que Jem ne reviendrait jamais et que les gens d'Ingleside feraient aussi bien de cesser d'espérer. Bruce est rentré chez lui et s'est endormi en pleurant. Ce matin, sa mère l'a vu sortir dans la cour avec une expression à la fois triste et déterminée, son chaton dans les bras. Elle n'y a plus pensé jusqu'à ce qu'il revienne, l'air absolument tragique, et lui avoue, secoué de sanglots, qu'il venait de noyer Grisou.

«"Pourquoi as-tu fait ça?" s'est exclamée Mme Meredith.

«"Pour que Jem revienne, a expliqué Bruce à travers ses larmes. J'ai pensé que si je sacrifiais Grisou, Dieu nous renverrait Jem. Alors je l'ai noyé et, oh! maman, ç'a été si difficile, mais Dieu va sûrement nous renvoyer Jem, parce que Grisou était ce que j'avais de plus cher. J'ai dit à Dieu que je lui donnerais Grisou s'Il nous rendait Jem. Il va le faire, n'est-ce pas, maman?"

«Mme Meredith ne savait que répondre à son pauvre enfant. Elle ne pouvait tout simplement pas lui dire que son sacrifice avait peut-être été inutile, que Dieu ne faisait pas de marchandage. Elle lui a expliqué qu'il ne devait pas s'attendre à voir Jem revenir tout de suite, que cela prendrait peut-être pas mal de temps. Mais Bruce a répondu: "Ça devrait pas prendre plus qu'une semaine, maman. Oh! maman, Grisou était un si beau chat. Il ronronnait si bien. Crois-tu qu'il va plaire suffisamment à Dieu pour qu'Il nous rende Jem?"

«M. Meredith est préoccupé par les conséquences que cela peut avoir sur la foi de Bruce en Dieu et Mme Meredith s'inquiète des conséquences sur Bruce lui-même si son vœu n'est pas réalisé. Et moi, j'ai envie de pleurer chaque fois que j'y pense. Le geste était si beau, si généreux, si triste! Cher petit trésor! Il aimait tellement son chaton! Et si son sacrifice a été inutile, comme semblent l'être tant de sacrifices, il aura le cœur brisé, car il n'est pas assez vieux pour comprendre que Dieu n'exauce pas toujours nos prières comme nous l'espérons et qu'Il ne conclut pas de marchés avec nous lorsque nous Lui offrons quelque chose que nous aimons.»

«Le 24 septembre 1918

«Je suis restée un long moment agenouillée à ma fenêtre, ce soir, à remercier Dieu. La joie que nous avons connue hier soir et aujourd'hui a été si grande qu'elle semblait presque douloureuse, comme s'il n'y avait pas assez d'espace dans nos cœurs pour la contenir.

«À onze heures, hier soir, j'étais dans ma chambre en train d'écrire une lettre à Shirley. Tout le monde était couché, sauf papa, qui était sorti. Lorsque j'ai entendu la sonnerie du téléphone, j'ai couru répondre avant que cela réveille maman. C'était un appel interurbain et quand j'ai répondu, j'ai entendu: "Ici le bureau de Charlottetown de la Compagnie de télégraphe. Nous avons un télégramme d'outre-mer pour le Dr Blythe."

«J'ai pensé à Shirley et mon cœur s'est arrêté de battre. Puis, j'ai entendu la voix qui disait: "Cela vient de Hollande."

«Le message était: "Viens d'arriver. Échappé d'Allemagne. Tout va bien. Lettre suivra. James Blythe."

«Je ne me suis pas évanouie, je ne me suis pas effondrée, je n'ai pas crié. Je ne me suis sentie ni contente ni étonnée. Je n'ai rien senti du tout. J'étais assommée, comme lorsque j'ai appris que Walter s'était enrôlé. J'ai raccroché et me suis tournée. Maman était à la porte. Elle portait son vieux kimono rose, ses cheveux pendaient dans son dos en une longue tresse et ses yeux brillaient. Elle avait l'air d'une petite fille.

«"C'était des nouvelles de Jem?" demanda-t-elle.

«Comment le savait-elle? Au téléphone, je n'avais rien dit d'autre que "Oui, oui". Elle m'a expliqué qu'elle ne dormait pas, elle a entendu sonner le téléphone et a compris que c'était des nouvelles de Jem. C'est tout.

«"Il est vivant... il est en Hollande... il va bien", ai-je balbutié.

«Maman s'est avancée dans le couloir en disant: "Il faut que je téléphone à ton père. Il est au Glen-En-Haut."

«Je ne m'attendais pas à la voir réagir aussi calmement. Mais il est vrai que j'étais moi-même très calme. J'allai réveiller Gertrude et Susan pour leur apprendre la nouvelle. Susan commença par dire: "Merci, mon Dieu", puis elle remarqua: "Est-ce que je vous avais pas dit que le chien Lundi le savait?" avant de décider de descendre faire du thé et elle se rendit dans la cuisine en chemise de nuit pour le préparer. Elle en fit boire à maman et à Gertrude, mais moi, je retournai à ma chambre, fermai la porte et la verrouillai. Puis, je m'agenouillai à ma fenêtre et pleurai, tout comme Gertrude l'avait fait en recevant sa merveilleuse nouvelle.

«Je crois que je sais enfin comment je me sentirai le jour de la résurrection des corps.»

«Le 4 octobre 1918

«La lettre de Jem est arrivée aujourd'hui. Elle n'est à la maison que depuis six heures mais on l'a tellement lue qu'elle est déjà presque en lambeaux. L'employée de la poste a propagé la nouvelle et tout le village est accouru.

«Jem avait été gravement blessé à la cuisse. Il a été capturé et jeté en prison, si délirant de fièvre qu'il ne savait ni ce qui lui arrivait ni où il était. Il a mis des semaines avant de se rétablir et d'être capable d'écrire. Il nous a alors écrit une lettre que nous n'avons jamais reçue. Il n'était pas maltraité à ce camp, mais la nourriture était rare. Il n'avait rien d'autre à manger qu'un petit pain noir et des navets bouillis et, à l'occasion, un peu de soupe aux haricots noirs. Dire que, pendant tout ce temps, nous dévorions trois repas plantureux par jour! Il nous a écrit aussi souvent qu'il l'a pu mais, comme il n'avait jamais de réponse, il craignait que nous ne recevions pas ses lettres. Dès qu'il fut assez fort, il tenta de s'évader, mais il fut capturé. Un mois plus tard, il a fait une nouvelle tentative en compagnie d'un camarade et il a réussi à atteindre la Hollande.

«Il ne peut rentrer tout de suite. Il ne va pas aussi bien que le prétend son télégramme, car sa blessure s'est mal cicatrisée et il doit suivre de nouveaux traitements dans un hôpital en Angleterre. Mais il dit qu'il sera bientôt rétabli et nous savons qu'il est en vie et rentrera un jour ou l'autre. Cela fait toute la différence du monde!

«J'ai également reçu une lettre de Jim Anderson aujourd'hui. Il a épousé une Anglaise. Libéré du service, il rentre au Canada avec sa femme. Je ne sais pas si je dois me réjouir ou me lamenter. Cela dépend du genre de femme qu'il a épousée. J'ai aussi reçu une deuxième lettre au contenu plutôt mystérieux. Elle m'était adressée par un notaire de Charlottetown qui me demandait de passer le voir dès que possible à propos d'une clause liée au testament de "feu Mᵐᵉ Matilda Pitman". J'avais lu l'annonce de son décès dans l'*Enterprise* il y a quelques semaines. Je me demande si cette convocation a quelque chose à voir avec Jims.»

«Le 5 octobre 1918

«Je me suis rendue en ville, ce matin, et j'ai eu un entretien avec le notaire de Mᵐᵉ Pitman, un petit homme maigrichon qui parlait de sa feue cliente avec un respect si profond que, de façon évidente, elle le dominait autant que Robert et Amelia. Il avait rédigé un nouveau testament pour elle peu de temps avant sa mort. Sa fortune totalisait trente mille dollars, dont elle a légué la plus grosse partie à Amelia Chapley. Mais elle m'a laissé cinq mille dollars en fiducie pour Jims. Les intérêts serviront à son éducation et le principal lui sera versé le jour de son vingtième anniversaire. Jims est certainement né sous une bonne étoile. Je l'ai sauvé d'une mort lente aux mains de Mᵐᵉ Conover, puis Mary Vance l'a sauvé à son tour d'une crise de croup diphtérique, et son ange gardien a encore une fois veillé sur lui lorsqu'il est tombé du train. En plus d'atterrir dans un bouquet de fougères, il est tombé au beau milieu de ce bel héritage! Comme l'a dit Mᵐᵉ Matilda Pitman et comme je l'ai moi-même toujours cru, il ne fait aucun doute qu'il n'est pas un enfant comme les autres et qu'il aura une destinée hors du commun. Quoi qu'il en soit, il est à l'abri du besoin; Jim Anderson ne pourra dilapider son héritage, même s'il en avait envie. Si la belle-mère anglaise est convenable, je vais me sentir rassurée quant à l'avenir de mon bébé de guerre.

«Je me demande ce qu'en pensent Robert et Amelia. Je présume qu'après cela, ils vont clouer les châssis de leurs fenêtres la prochaine fois qu'ils auront à s'absenter!»

33

Victoire!

«Un autre jour de vent glacial et de ciel maussade», dit Rilla. C'était un dimanche après-midi, plus précisément le 6 octobre. Il faisait si froid qu'un feu avait été allumé dans le salon et les petites flammes joyeuses faisaient de leur mieux pour faire échec au mauvais temps. «On se croirait davantage en novembre qu'en octobre. Novembre est un mois tellement laid!»

Cousine Sophia était présente, ayant une fois de plus pardonné à Susan, ainsi que Mme Martin Clow. Celle-ci n'était pas venue pour faire une visite, mais pour emprunter à Susan son médicament contre le rhumatisme — cela coûtait moins cher qu'une consultation avec le docteur.

«J'ai bien peur qu'on ait un hiver précoce, prédit cousine Sophia. Les rats musqués sont en train de se construire de gros terriers autour de l'étang, et c'est un signe qui ne trompe jamais. Juste ciel! Comme cet enfant a grandi!» Cousine Sophia poussa un nouveau soupir, comme si le développement d'un enfant était un événement malheureux. «Quand attends-tu son père?»

«La semaine prochaine», répondit Rilla.

«Eh bien, j'espère que la belle-mère ne va pas maltraiter cet enfant, poursuivit cousine Sophia d'un ton plaintif, mais j'ai pas confiance, vraiment pas. Quoi qu'il en soit, il va certainement trouver une différence entre la façon dont il est traité ici et celle dont il va être traité ailleurs. Tu l'as tellement gâté, Rilla.»

Rilla sourit et pressa sa joue contre la tête bouclée de Jims. Elle savait que Jims, son gentil petit rayon de soleil, n'était pas gâté. Il y avait néanmoins de l'inquiétude derrière son sourire. Elle aussi s'interrogeait au sujet de la nouvelle Mᵐᵉ Anderson et se demandait anxieusement de quoi elle aurait l'air.

«Je ne peux confier Jims à une femme qui ne l'aimera pas», songeait-elle, révoltée.

«On dirait qu'il va pleuvoir, reprit cousine Sophia. On a déjà eu pas mal de pluie, cet automne. Ça va pas être facile pour les gens de rentrer leurs récoltes. C'était pas comme ça dans mon jeune temps. En général, on avait de beaux mois d'octobre. Mais les saisons sont plus les mêmes, désormais.»

La complainte de cousine Sophia fut brusquement interrompue par la sonnerie du téléphone. C'est Gertrude Oliver qui répondit. «Oui... Quoi? Quoi? Est-ce vrai? Est-ce officiel? Merci... Merci.»

Gertrude se tourna et fit face à la pièce, l'air dramatique, les yeux étincelants et son visage mat rougissant d'émotion. En même temps, le soleil perça la masse des nuages et sa lumière entra par la fenêtre à travers les branches du gros érable rouge. Enveloppée dans cette flamme surnaturelle, Gertrude évoquait une prêtresse en train d'accomplir un rite mystique et merveilleux.

«L'Allemagne et l'Autriche sollicitent la paix», annonça-t-elle.

Pendant quelques instants, Rilla fut comme folle. Elle bondissait et dansait autour de la pièce, applaudissant, riant et pleurant.

«Assieds-toi, petite», dit Mᵐᵉ Clow, qui restait toujours

imperturbable et à qui, de ce fait, beaucoup d'ennuis et de plaisirs avaient été épargnés au cours de son séjour ici-bas.

«Oh! s'écria Rilla. Depuis quatre ans, c'est l'angoisse et le désespoir qui m'ont fait tourner en rond. Laissez-moi le faire avec joie, à présent. Il a valu la peine de vivre ces années terribles et interminables pour connaître cet instant, et il vaudrait la peine de les revivre juste pour retrouver le souvenir de cette extase. Allons hisser le drapeau, Susan. Ensuite, il faudra téléphoner à tout le monde pour leur apprendre la nouvelle.»

«Est-ce qu'on peut manger tout le sucre qu'on veut, maintenant?» demanda Jims.

Ce fut un après-midi inoubliable. À mesure que la nouvelle se répandait, les gens surexcités couraient dans le village et se précipitaient à Ingleside. Les Meredith vinrent et restèrent pour souper; tout le monde parla en même temps. Cousine Sophia essaya bien de protester qu'il ne fallait pas se fier à l'Allemagne et à l'Autriche et que cette histoire faisait partie d'un complot, mais personne ne lui accorda la moindre attention.

«Ce dimanche-ci compense un autre dimanche de mars», remarqua Susan.

«Je me demande, dit rêveusement Gertrude en s'adressant à Rilla, si les choses ne vont pas paraître banales et insipides une fois que la paix sera réellement installée. Après avoir été nourris pendant quatre ans d'horreurs et de peurs, de revers terribles et de victoires stupéfiantes, n'allons-nous pas trouver que la vie manque de sel? Comme cela va être étrange, fantastique et ennuyeux de ne pas appréhender chaque jour l'arrivée du courrier!»

«Nous allons l'appréhender encore un peu, je suppose, répondit Rilla. La paix ne sera pas et ne pourra pas être là avant quelques semaines. Et des choses affreuses peuvent encore se produire pendant ce laps de temps. Je ne me sens plus fébrile. Nous avons remporté la victoire, mais à quel prix!»

«Ce n'était pas trop cher pour gagner la liberté, n'est-ce pas?» dit doucement Gertrude.

«Non», chuchota Rilla. Elle pensa à une petite croix blanche sur un champ de bataille, en France. «Non, si nous, les survivants, nous en montrons dignes. Si nous tenons parole.»

«Nous tiendrons parole», déclara Gertrude. Elle se leva brusquement. Le silence tomba autour de la table et Gertrude récita *Le Joueur de pipeau*, ce célèbre poème de Walter. Lorsqu'elle eut terminé, M. Meredith se leva à son tour et leva son verre.

«Buvons à l'armée des ombres, dit-il. Buvons à ceux qui ont suivi l'appel du Joueur de pipeau. Pour notre avenir, ils ont donné leur présent. Cette victoire leur appartient!»

34

La disparition de M. Hyde
et la lune de miel de Susan

Jims quitta Ingleside au début de novembre. Rilla se résigna à son départ les yeux pleins de larmes mais le cœur libéré de son inquiétude. Mme Jim Anderson numéro deux était une petite femme vraiment gentille. Jims avait beaucoup de chance. Sa nouvelle mère avait le teint rosé et les yeux bleus; tout en elle était sain, et elle avait la rondeur et la fraîcheur d'une feuille de géranium. Au premier coup d'œil, Rilla comprit qu'elle pouvait lui faire confiance.

«J'aime beaucoup les enfants, mademoiselle, dit Mme Anderson avec enthousiasme. J'ai de l'expérience, j'ai laissé six petits frères et petites sœurs derrière moi. Jims est un adorable bambin, et je dois dire que vous avez accompli des merveilles. Il est si beau, si resplendissant de santé. Je vais le traiter comme s'il était mon propre enfant, mademoiselle. Et vous allez voir que je vais dompter Jim. C'est un bon travailleur. Il n'a besoin que de quelqu'un pour le tenir dans le droit chemin et gérer le budget. Nous avons loué une petite ferme à l'extérieur du village et c'est là que nous allons nous établir. Jim voulait rester en Angleterre, mais j'ai refusé.

J'avais follement envie de connaître un nouveau pays et j'ai toujours pensé que le Canada me conviendrait.»

«Je suis si contente de savoir que vous vivrez près d'ici. Vous permettrez à Jims de venir souvent me voir, n'est-ce pas? Je l'aime tant.»

«Ça ne m'étonne pas, mademoiselle, parce que je n'ai jamais vu d'enfant plus mignon. Jim et moi nous comprenons ce que vous avez fait pour lui et nous ne serons pas des ingrats. Il pourra venir ici chaque fois que vous aurez envie de le voir et j'accepterai avec plaisir tous les conseils que vous voudrez bien me donner concernant son éducation. Je dirais qu'il est davantage votre bébé que celui de n'importe qui et je veillerai à ce que vous puissiez continuer à vous en occuper, mademoiselle.»

Jims partit donc, avec la soupière, mais pas dedans cette fois. Puis on apprit la nouvelle de l'Armistice et le village de Glen St. Mary perdit la tête. Ce soir-là, on alluma un feu de joie et on y brûla le Kaiser en effigie. Les garçons du village de pêcheurs mirent le feu aux dunes sur une distance de sept milles. Dans sa chambre à Ingleside, Rilla riait.

«Maintenant, je vais commettre une action absolument vulgaire et inexcusable, déclara-t-elle en retirant son chapeau de velours vert de son carton. Je vais donner des coups de pied à ce bibi jusqu'à ce qu'il soit complètement déformé et cabossé. Et jamais, de toute ma vie, je ne porterai de nouveau un vêtement de cette nuance de vert.»

«En tout cas, tu as courageusement tenu parole», fit Mlle Oliver en riant.

«Ce n'était pas du courage, mais de l'entêtement pur et simple, et j'en ai plutôt honte, dit Rilla en piétinant joyeusement son chapeau. Je voulais seulement montrer à maman ce dont j'étais capable. C'est vilain de narguer sa mère ainsi, c'est une conduite qui manque totalement de respect filial. Mais je lui ai prouvé jusqu'où je pouvais aller. En même temps, je me suis prouvé des choses à moi-même. Oh! Mlle Oliver, je me sens de nouveau jeune, frivole et idiote. Ai-je déjà dit que le mois de novembre était laid? Mon Dieu, c'est le plus beau mois de l'année! Écoutez les grelots qui tintent dans la vallée Arc-en-ciel! Je ne les ai jamais entendus aussi distinctement. Ils tintent pour la paix, pour un nouveau bonheur et pour toutes les petites choses charmantes, gentilles, saines et ordinaires que nous allons retrouver, Mlle Oliver. Moi-même, je ne suis pas saine d'esprit, en ce moment, et je ne prétends pas l'être. Le monde entier a sa petite crise de folie, aujourd'hui. Nous reprendrons bientôt nos esprits, tiendrons parole et commencerons à construire notre nouveau monde. Mais aujourd'hui seulement, qu'on nous permette d'être fous et heureux!»

Sur ces entrefaites, Susan entra, l'air suprêmement satisfaite.

«M. Hyde est parti», annonça-t-elle.

«Parti! Voulez-vous dire qu'il est mort, Susan?»

«Non, chère Mme Docteur, le fauve est pas mort. Mais vous le reverrez plus jamais, j'en suis certaine.»

«Ne soyez pas si mystérieuse, Susan. Que lui est-il arrivé?»

«Voilà, chère Mme Docteur. Il était assis dans l'escalier, après-midi. On venait de recevoir la nouvelle que l'Armistice avait été signée et il avait l'air plus Hyde que jamais. J'vous assure qu'il avait un aspect inquiétant: une véritable bête féroce. Tout à coup, chère Mme Docteur, Bruce Meredith a surgi à l'angle de la cuisine, monté sur ses échasses. Il vient d'apprendre à marcher avec et il était venu me montrer comme il était habile. M. Hyde a jeté un seul regard et, en un bond, il avait sauté par-dessus la clôture de la cour. Puis il a filé comme le vent à travers l'érablière, les oreilles aplaties. On a jamais vu une créature plus épouvantée, chère Mme Docteur. Il reviendra jamais.»

«Oh! Je crois au contraire qu'il reviendra, Susan, et il sera plus calme, après une telle frousse.»

«On verra bien, chère Mme Docteur, on verra bien. Rappelez-vous, l'Armistice a été signée. Tiens, ça me fait

penser, Moustaches-sur-la-lune a eu une attaque de paralysie
la nuit dernière. Je ne prétends pas que c'est un châtiment,
parce que j'connais pas les desseins de la Providence, mais on
a le droit d'avoir son opinion. On entendra plus beaucoup
parler ni de Moustaches-sur-la-lune ni de M. Hyde à Glen
St. Mary, vous pouvez me croire sur parole.»

Et, en effet, on n'entendit plus jamais parler de M. Hyde.
Comme il était difficile de croire que seule sa frayeur pût être
responsable de sa disparition, les gens d'Ingleside conclurent
qu'un mauvais sort ou une dose de poison avait eu raison de
lui. Seule Susan continua à affirmer qu'il «était retourné d'où
il venait». Rilla déplora sa perte, car elle avait beaucoup
aimé son gros chat mordoré, autant lorsqu'il était l'inquiétant M. Hyde que le nonchalant Dr Jekyll.

«Et à présent, chère Mme Docteur, déclara Susan, comme
le grand ménage d'automne est terminé et que les légumes du
jardin sont bien entreposés dans la cave, je vais partir en
lune de miel pour célébrer la paix.»

«En lune de miel, Susan?»

«Oui, chère Mme Docteur, répéta fermement Susan.
J'serai peut-être jamais capable d'avoir un mari, mais j'ai pas
envie d'être privée de tout, et j'ai l'intention d'avoir ma lune
de miel. Je m'en vais à Charlottetown visiter mon frère
marié et sa famille. Sa femme a été malade tout l'automne et
personne ne sait si elle va mourir ou survivre. Elle n'a jamais
parlé de ses projets à personne avant de les avoir concrétisés.
C'est la principale raison pour laquelle on ne l'a jamais
appréciée, dans notre famille. Mais par acquit de conscience,
j'ai le sentiment que j'devrais lui rendre visite. Il y a vingt
ans que j'ai pas passé deux jours consécutifs en ville et il me
semble qu'il faut que j'voie une de ces *p'tites vues* dont tout le
monde parle, pour ne pas être entièrement hors de la course.
Mais ayez pas peur que ça m'fasse perdre la tête, chère Mme
Docteur. J'serai absente une quinzaine de jours, si vous
pouvez vous passer de moi tout ce temps.»

«Vous avez certainement besoin de bonnes vacances,

Susan. Prenez plutôt un mois. C'est habituellement la durée d'une lune de miel.»

«Non, chère Mme Docteur, j'ai pas besoin de plus de deux semaines. De plus, il faut que j'sois à la maison au moins trois semaines avant Noël pour faire les préparatifs nécessaires. Nous allons avoir un vrai Noël, cette année, chère Mme Docteur. À votre avis, nos gars seront-ils de retour pour Noël?»

«Non, je ne crois pas, Susan. Jem et Shirley ont tous deux écrit qu'ils ne prévoient pas rentrer avant le printemps. Shirley ne reviendra peut-être pas avant l'été. Mais Carl Meredith sera là, ainsi que Nan et Di, et nous célébrerons de nouveau de façon grandiose. Nous dresserons le couvert pour tout le monde, Susan, comme vous l'avez fait au premier Noël de la guerre, oui, pour tout le monde, pour mon cher fils dont la place sera toujours vacante aussi.»

«J'pense pas que vous oublierez jamais de mettre son couvert, chère Mme Docteur», dit Susan en s'essuyant les yeux, avant d'aller faire ses bagages.

35

«Rilla-ma-Rilla!»

Carl Meredith et Miller Douglas rentrèrent chez eux juste avant Noël, et Glen St. Mary les accueillit à la gare avec des discours et la fanfare de Lowbridge. Miller était animé et radieux malgré sa jambe de bois. Il était devenu un garçon aux larges épaules et à l'allure imposante, et la médaille du Mérite qu'il arborait sur sa poitrine compensa, pour Mlle Cornelia, les défauts de son pedigree, à tel point qu'elle accepta tacitement ses fiançailles avec Mary. Cette dernière prit des airs hautains, particulièrement quand Carter Flagg fit entrer Miller dans son magasin à titre de commis principal. Mais personne ne lui en tint rigueur.

«Il ne saurait plus être question pour nous de devenir cultivateurs, expliqua-t-elle à Rilla, mais Miller pense qu'il va aimer s'occuper d'un magasin, une fois qu'il sera réadapté à une vie tranquille. Et Carter Flagg sera un patron plus agréable que la vieille Kitty. Nous allons nous marier à l'automne et habiter dans la vieille maison des Mead avec les fenêtres à encorbellement et le toit mansardé. J'ai toujours trouvé que c'était la plus belle maison du Glen, mais jamais j'aurais imaginé y vivre un jour. Nous la louons, évidemment, mais si les choses vont bien et que Carter Flagg prend Miller comme associé, elle sera à nous, un jour. En tenant compte d'où je suis partie, on peut dire que j'ai gravi des échelons, pas vrai? Je n'aurais jamais aspiré à devenir la femme d'un commis de magasin. Mais Miller a beaucoup d'ambition et il aura une femme pour le seconder. Il affirme qu'il n'a jamais vu une seule Française qui valait la peine qu'on se retourne sur son passage et que c'est pour moi que son cœur battait constamment.»

Jerry Meredith et Joe Milgrave revinrent en janvier et, à mesure que s'écoulait l'hiver, tous les garçons du Glen et des environs rentrèrent au pays par groupe de deux ou trois. Aucun d'entre eux n'était le même qu'au jour de son départ. Même ceux qui avaient eu la chance de ne pas être blessés avaient changé.

Un jour du printemps, alors que les jonquilles s'ouvraient sur la pelouse d'Ingleside et que les rives du ruisseau qui serpentait dans la vallée Arc-en-ciel étaient ornées de pensées jaunes et violettes, le paresseux petit train d'après-midi entra dans la gare du Glen. Comme il était très rare de voir des passagers descendre à cette gare, personne n'était venu les accueillir. Il n'y avait là que le nouveau chef de gare et un petit chien noir et jaune qui, depuis quatre ans et demi, saluait l'arrivée de chacun des trains entrés dans la gare de Glen St. Mary. Des milliers de trains étaient venus, mais jamais ils n'amenaient le garçon qu'attendait le chien Lundi. Il continuait pourtant à surveiller, et ses yeux n'avaient jamais perdu espoir. Peut-être que son cœur de chien commençait à montrer des signes de fatigue. Lundi devenait vieux et rhumatisant; quand il retournait à sa niche après le départ des trains, sa démarche était désormais très calme; il ne trottinait plus mais marchait lentement, la tête et la queue basses. Non, il n'allait plus la queue espièglement retroussée comme avant.

Un passager descendit du train. C'était un grand gaillard vêtu d'un uniforme délavé de lieutenant qui marchait avec un imperceptible boitillement. Son visage était bronzé et quelques cheveux gris parsemaient sa chevelure rousse. Le nouveau chef de gare le considéra avec anxiété. Il avait l'habitude de voir des soldats descendre du train; certains étaient accueillis par une foule tumultueuse; d'autres, qui n'avaient prévenu personne de leur arrivée, descendaient calmement, comme ce jeune homme. Pourtant, ce soldat avait une attitude et des traits d'une telle distinction que le chef de gare fut intrigué et se demanda qui il pouvait bien être.

Un éclair noir et jaune passa devant le chef de gare. Le chien Lundi était courbaturé? Perclus de rhumatismes? Vieux? N'en croyez rien. Il était alors un jeune chiot devenu complètement fou de joie. Il se rua sur le soldat en poussant un aboiement qui, de plaisir, s'étrangla dans sa gorge. Il se jeta sur le sol, ne sachant plus où se mettre tant il était heureux. Il essaya de grimper aux jambes du soldat et glissa et grommela d'une extase qui semblait pouvoir déchirer son petit corps. Il lécha les bottes du jeune lieutenant et lorsque ce dernier, le rire aux lèvres et les larmes aux yeux, eut réussi à prendre la petite créature palpitante dans ses bras, Lundi posa sa tête contre l'épaule et lécha le cou basané en émettant des sons étranges, à mi-chemin entre le jappement et le sanglot. Le chef de gare connaissait l'histoire du chien Lundi. Il comprit donc qui était le soldat. La longue attente du chien était terminée. Jem Blythe était rentré chez lui.

«Nous sommes tous si heureux, tristes et soulagés, écrivit Rilla dans son journal une semaine plus tard, même si Susan ne s'est pas encore remise et, à mon avis, ne se remettra jamais du choc d'avoir vu Jem arriver le soir même où elle avait, après une journée épuisante, préparé un souper "sur le pouce". Jamais je n'oublierai l'avoir vue courir comme une folle entre la cave et le garde-manger, à la recherche de friandises et de conserves. Comme si on pouvait accorder de l'importance à ce qui était sur la table! De toute façon, personne ne pouvait avaler une bouchée. Notre nourriture, c'était la présence de Jem. Maman paraissait craindre de le voir disparaître si elle cessait de le regarder. C'est merveilleux que Jem et Lundi soient de retour. Lundi refuse d'être séparé un seul instant de Jem. Il dort au pied de son lit et s'installe à côté de lui au moment des repas. Dimanche, il nous a accompagnés à l'église et a insisté pour entrer. Il est venu jusqu'à notre banc et s'est couché aux pieds de Jem. Au milieu du sermon, il s'est réveillé et a semblé penser qu'il fallait encore une fois souhaiter la bienvenue à Jem. Il a sauté en poussant une suite d'aboiements et ne s'est calmé que lorsque Jem l'eut pris dans ses bras. Mais cela n'a dérangé personne, et M. Meredith est venu caresser sa tête après l'office en disant:

«"La fidélité, l'affection et la loyauté sont des choses précieuses, peu importe où on les trouve. L'amour de ce petit chien est un trésor, Jem."

«Un soir que nous discutions dans la vallée Arc-en-ciel, j'ai demandé à Jem s'il lui était arrivé d'avoir peur au front. Il a éclaté de rire.

«"Peur! J'ai eu peur très souvent, j'étais malade de terreur, moi qui avais coutume de rire de Walter quand il était effrayé. Tu sais, Walter n'a jamais eu peur une fois au front. Ce n'était pas la réalité qu'il craignait, c'était ce qu'il imaginait. Son colonel m'a déclaré que Walter était le soldat le plus courageux de son régiment. Rilla, je ne me suis pas rendu compte que Walter était mort avant d'être revenu ici. Tu ne peux pas savoir combien il me manque, à présent. Vous vous êtes, en quelque sorte, faits à l'idée, mais c'est si nouveau pour moi. Nous avons grandi ensemble, Walter et moi, nous étions autant des amis que des frères, et c'est ici, dans cette vieille vallée que nous aimions dans notre enfance, que j'ai compris que je ne le reverrais jamais."

Jem retourne à l'université à l'automne, de même que Jerry et Carl. Je présume que Shirley ira, lui aussi. Il prévoit rentrer en juillet. Nan et Di iront enseigner. Faith ne s'attend pas à rentrer avant septembre. J'imagine qu'elle va aussi enseigner, car Jem ne peut se marier avant d'avoir terminé ses études en médecine. Je crois qu'Una Meredith a décidé de suivre un cours en arts ménagers à Kingsport. Quant à Gertrude, elle doit épouser son major et elle en trépigne de joie. Elle est "heureuse sans vergogne", comme elle dit. Mais je trouve son attitude splendide. Chacun parle de ses plans et de ses espoirs, avec moins d'enthousiasme qu'avant, mais avec intérêt, résolu à poursuivre et à réussir en dépit des années perdues.

«"Nous sommes dans un monde nouveau, affirme Jem, et il faut que nous le rendions meilleur que l'ancien monde. Ce n'est pas encore fait, même si certaines personnes ont l'air de penser le contraire. Le travail est loin d'être fini, il n'est pas encore réellement commencé. Le vieux monde est détruit et nous devons en bâtir un nouveau. Cela va prendre des années. J'ai suffisamment vu la guerre pour comprendre qu'il faut bâtir un monde où il ne peut y avoir de guerre. Nous avons porté un coup fatal au prussianisme mais il n'est pas encore mort et il ne se confine pas à la seule Allemagne. Il ne suffit pas de chasser les vieilles idées, il faut en faire entrer de nouvelles."

«Si j'écris les paroles de Jem dans mon journal, c'est pour pouvoir les relire à l'occasion et y puiser du courage lorsque je me sentirai déprimée et que j'aurai l'impression qu'il n'est pas facile de "tenir bon".»

Rilla poussa un soupir et referma son journal. À ce moment précis, elle trouvait ardu de tenir bon. Tous les autres semblaient avoir un but ou une ambition à partir de quoi bâtir leur avenir. Elle n'avait rien. Elle se sentait très seule, terriblement seule. Jem était revenu, mais il n'était plus le garçon rieur qui était parti en 1914 et il appartenait désormais à Faith. Walter ne reviendrait jamais. Elle n'avait même plus Jims auprès d'elle. Tout à coup, le monde lui parut vaste et vide. En réalité, il lui avait paru vaste et vide depuis l'instant où, la veille, elle avait lu dans un journal de Montréal la liste des soldats rentrés au pays depuis deux semaines. Le nom du Capitaine Kenneth Ford y figurait.

Ainsi, Ken était revenu. Il ne lui avait même pas écrit pour lui annoncer son retour. Il était au Canada depuis deux semaines et elle n'avait pas reçu un mot de lui. Il était clair qu'il avait tout oublié, si toutefois il y avait quelque chose à oublier. Un serrement de mains, un baiser, un regard, une promesse demandée sous l'influence d'une émotion passagère. Tout cela était absurde. Elle avait été une petite dinde stupide, romantique et naïve. Eh bien, elle serait plus sensée, à l'avenir, très sensée, très discrète et très méprisante à l'égard des hommes et de leurs agissements.

«J'imagine que je devrais suivre un cours en arts ménagers avec Una, songea-t-elle en contemplant, de sa fenêtre, un fouillis de jeunes feuilles d'une délicate teinte émeraude dans la vallée Arc-en-ciel, baignant dans la merveilleuse lueur lilas du crépuscule. Elle n'était, pour l'instant, pas très attirée par la perspective d'un cours en arts ménagers, mais comme il fallait bâtir un monde nouveau, une fille devait faire quelque chose.

On sonna à la porte. Rilla se tourna à contrecœur vers l'escalier. Elle devait répondre puisqu'il n'y avait qu'elle à la maison. Mais elle n'avait absolument pas envie à ce moment-là de recevoir des visiteurs. Elle descendit lentement et ouvrit la porte. Il y avait un homme en uniforme dans l'escalier. Il était grand et hâlé, avait les yeux et les cheveux sombres et une petite cicatrice blanche lui barrait la joue. Pendant un instant, Rilla le regarda d'un air ahuri. Qui était-il? Elle devait le connaître... Il évoquait pourtant une silhouette très familière.

«Rilla-ma-Rilla», dit-il.

«Ken», balbutia Rilla. Bien sûr, c'était Ken, mais il paraissait tellement plus âgé, il avait tellement changé... cette cicatrice... ces petites rides autour de ses yeux et de ses lèvres. Elle en fut comme étourdie.

Ken saisit la main qu'elle lui tendait, encore incertaine, et la regarda. La mince Rilla qu'il avait connue quatre ans auparavant s'était arrondie harmonieusement. Il avait laissé

une écolière, il retrouvait une femme, une femme aux yeux
extraordinaires, à la lèvre supérieure creusée, au teint rosé,
une femme à la fois belle et désirable, la femme de ses rêves.

«Tu es Rilla-ma-Rilla?» demanda-t-il d'un ton éloquent.

Rilla fut secouée d'émotion. La joie, le bonheur, la peine,
la peur, tous les sentiments qui avaient déchiré son cœur
pendant ces quatre années interminables la submergèrent
pendant un instant. Elle essaya de parler. Au début, la voix
lui fit défaut. Puis:

«Ze le suis», dit-elle.